KB024507

MEGA

KARL MARX
FRIEDRICH ENGELS
GESAMTAUSGABE
(MEGA)
ZWEITE ABTEILUNG
"DAS KAPITAL" UND VORARBEITEN
BAND 3

Bearbeitung des Bandes:
Artur Schnickmann (Leiter),
Hannelore Drohla, Bernd Fischer, Jürgen Jungnickel, Manfred Müller,
unter Mitarbeit von Jutta Laskowski.
Gutachter: Larissa Miskewitsch und Witali Wygodski.

경제학 비판을 위하여(1861~63년 초고) 제1분책

ZUR KRITIK DER POLITISCHEN ÖKONOMIE
(MANUSKRIPT 1861~63)
TEXT · TEIL 1

경제학 비판을 위하여 · 2

카를 마르크스 지음 | 김호균 옮김

동아대학교 맑스 엥겔스 연구소

도서출판

경제학 비판을 위하여(1861~63년 초고) 제1분책

경제학 비판을 위하여 · 2

2021년 5월 10일 제1판 제1쇄 펴냄
2021년 5월 20일 제1판 제1쇄 펴냄

지은이 | 카를 마르크스
옮긴이 | 김호균
펴낸이 | 박우정

기획 | 이승우
편집 | 이현숙
전산 | 한향림

펴낸곳 | 도서출판 길
주소 | 06032 서울 강남구 도산대로 25길 16 우리빌딩 201호
전화 | 02) 595-3153 팩스 | 02) 595-3165
등록 | 1997년 6월 17일 제113호

ISBN 978-89-6445-239-4 94320
ISBN 978-89-6445-237-0(전2권)

이 저서는 2018년 대한민국 교육부와 한국연구재단의 지원을 받아 수행된 연구임(NRF-2018S1A5B4060558).

차례

약어, 약호, 부호 목록

G7

I. 약어

Grundrisse…(요강) 카를 마르크스: 경제학 비판 요강. 1857/1858년 초고.

IML/ZPA Moskau(모스크바 마르크스주의-레닌주의연구소) 소비에트연방공산당 중앙 위원회 마르크스주의-레닌주의연구소. 중앙 아카이브.

MEGA② II/1.1 카를 마르크스, 프리드리히 엥겔스: 전집(MEGA), 모스크바 마르크스주의-레닌주의연구소/동독 마르크스주의-레닌주의연구소 편집, 제2부 제1권: 카를 마르크스, 1857/1858년 경제학 초고, 제1부, 베를린, 1976년.

MEGA② II/3.2 카를 마르크스, 프리드리히 엥겔스: 전집(MEGA), 모스크바 마르크스주의-레닌주의연구소/동독 마르크스주의-레닌주의연구소 편집, 제2부 제3권: 카를 마르크스, 경제학 비판을 위하여(1861~63년 초고), 제2부, 베를린, 1977년.

II. 약호와 부호

〔 〕	마르크스가 표기한 꺾쇠괄호
[ ]	MEGA 편집자가 보충한 부분
|3|	원본 쪽수의 시작
|II-54|	원본 노트의 시작
|	원본 쪽수의 마지막
/17/	편집과정에서 일부가 삭제되었거나 다른 원본으로 옮겨졌기 때문에 중간 부분에서 시작하는 쪽수를 가리킴
〈 〉	텍스트 축소(삭제)(한국어판에서는 "…라고 썼다가 나중에 지웠음"—옮긴이)

G8

|: :| 텍스트 보충(첨부, 추가)(한국어판에서는 "새로 삽입한 것" —옮긴이)

> 텍스트 대체, 텍스트 위치 변경(한국어판에서는 ←를 써서 나타냈다. —옮긴이)

/ 중단(한국어판에서는 "…라고 썼다가 곧바로 지웠음" —옮긴이)

xxxx 알아볼 수 없는 글자

] 편집과정에서 반복되는 부분의 표시(표제어)

집필과정과 전승과정

이 초고는 마르크스주의 경제학의 형성에서 중요한 단계를 반영하고 있다. 1850년대 말에 마르크스는 오래전부터 계획해온 경제학의 대작을 부정기적 분책으로 출판하기로 결심했다. 『경제학 비판을 위하여』 제1분책은 1859년에 출판되었고(MEGA② II/2를 보라), 여기에는 "상품"과 "화폐 또는 단순유통"의 2개 장이 실렸다. 이어지는 작업은 보나파르트주의 첩자 포크트(Vogt)와 논쟁이 필요해지면서 중단되었다가 이 초고에서 계속되었다. 이 초고는 마찬가지로 "경제학 비판을 위하여"라는 제목과 함께 "제3장 자본 일반"이라는 부제가 붙어 있다. 처음에 마르크스는 이 제3장을 처음 2개 장과 함께 하나의 분책으로 출판하고자 했다. 그렇지만 처음 2개 장은 그것만으로도 첫 번째 분책을 채울 수 있을 정도의 분량이었다. 게다가 당시 독일의 정치 상황의 전개도 마르크스로 하여금 자신의 경제이론의 핵심을 이루게 될 제3장을 일단 보류하도록 했다.

마르크스는 『경제학 비판을 위하여』의 제2분책을 집필할 목적으로 이 초고를 시작했다. 그렇지만 곧 얻어진 결과는 인쇄용 원고로는 쓰일 수 없는 전형적인 작업 초고였다. 여기에 마르크스는 오히려 고려사항도 기록했고 때로는 요점만 기록하기도 했다. 종종 그는 더 상술할 필요가 있음을 적어두는 것만으로 만족하거나, 집필계획상 나중에 논의될 문제를 이른바 여록의 형식으로 다루기도 했다. 요컨대 그는 이 초고를 대부분 자기이해를 위해서 이용했다. 마르크스는 1850년대에 발전시킨 가치론과 잉여가치론의 모든 귀결을 완전히 매듭짓기 위해 노력했다. 엥겔스가 1893년 2월 7일 블라디미르 야코블레비치 시무일로프(Wladimir Jakowlewitsch Schmuilow)에게 보낸 편지에 따르면 이로 인해 『경제학 비판을 위하여』의 제2분책과 이후 분책들이 나오지 않았다고 한다.

이 초고에서는 세 부분 또는 작업 단계를 분명하게 구분할 수 있다. 1861년 8월부터 1862년 3월까지의 첫 번째 단계에서는 이 제1분책으로 재현된 처음 다섯 권의 노트가 집필되었다. 여기에서 마르크스는 1861년 여름에 세운 집필계획에 따라 제1절 자본의 생산과정의 처음 3개 항을 논했다.

두 번째 단계는 1862년 3월에 **잉여가치론** 작업으로 시작되었다. 이 학설사적 연구로써 잉여가치론에 대한 서술을 매듭지으려고 했으나 이 부분이 갈수록 큰 공간을 차지했다. 이는 먼저 마르크스 이전의 모든 경제학자들이 G10 잉여가치 범주를 순수하게 그 자체로서 논하지 않고 그것의 현상형태들과 동일시했기 때문에 마르크스가 잉여가치에 관한 학설들만으로 만족할 수 없었기 때문이다. 또한 마르크스는 부르주아 고전경제학을 또 한 차례 분석하면서 자신의 이론적 견해를 상세하게 설명하려는 자극을 여러 번 받았고, 이 과정에서 평균이윤과 생산가격, 지대, 재생산, 공황, 생산적 노동과 비생산적 노동 등에 관한 중요한 이론들을 처음으로 발전시켰다.

세 번째 단계는 1862년 12월에 **자본과 이윤** 절을 위해 하나의 초고를 쓰는 것으로 시작되었는데 이후 마르크스는 이 항목을 제3장이라고 부르고 있다. 이 초고가 들어 있는 제16노트를 마르크스는 처음에는 "최종 노트"라 불렀다. 요컨대 마르크스는 이 노트로 초고 작업을 마무리할 생각이었다. 이런 의도에서 그는 1862년 12월 28일 루이스 쿠겔만(Louis Kugelmann)에게 다음과 같은 편지를 보냈다. "제2부는 이제 드디어 완성되었습니다. 인쇄할 수 있도록 정서하고 최종 퇴고를 하는 단계까지 와 있습니다." 정서는 1863년 1월에 시작되어야 했다. 그렇지만 『자본』(이 제목은 앞에 언급한 편지에서 처음으로 등장한다)을 위한 정서 대신 마르크스는 1863년 1월부터 7월까지 다른 노트 일곱 권을 집필했다. 먼저 그는 1863년 1월에 "최종 노트 2"에 착수했다. 이 두 권의 "최종" 노트에는 나중에 16과 17이라는 노트 번호가 붙게 되었다. 1863년에 집필된 제17노트~제23노트는 대부분 기존 초고 부분들에 대한 보충을 포함하고 있다. 제15노트의 마지막 부분은 아마도 마찬가지로 1863년 1월에 비로소 집필된 듯하다. 여기에서 논의되는 상인자본 문제는 제17노트 1029쪽에서 바로 계속된다. 1038쪽에는 "삽화. 자본주의 재생산에서 화폐의 환류운동"이 시작된다. 제18노트는 "기타"로 시작해서 잉여가치론에 대한 보충을 포함하고 있다. 이 노트는 또한 제1절 **자본의 생산과정**과 제3절 **자본과 이윤**에 대한 집필계획 초안이 들어 있다. 다음으로 마르크스는 제3항 **상대적 잉여가치**에 관한 작업을 다시 시작했다. 그는 먼저 제5노트에 남아 있던 마지막 페이지들을 다 쓰고 제19노트와 제20노트에서 그것을 계속했다. 이 초고의 마지막 세 권의 노트에는, 제21노트와 제22노트의 "노동의 자본으로의 형식적 포섭과 실질적 포섭", "자본의 생산성. 생산적 노동과 비생산적 노동", "잉여가치의 자본으로의 재전화", "이른바 본원적 축적"과 같은 다양한 문제에 대한 몇 가지 마무리 이외에 주로 인용문이 많이 들어 있다.

초고 집필 시기

초고는 1861년 8월부터 1863년 7월까지 집필되었다. 초고의 개별 노트와 부분들이 생성된 시기는 매우 흥미롭다. 저자는 오랜 기간에 걸쳐 이에 관해 정확하게 진술하지 않았기 때문에 집필 시기는 다른 방법으로 밝혀야 한다. 이때 두 가지 특수성을 고려할 필요가 있다. 첫째로, 마르크스는 원고 작업을 지속적으로 하지 못했다. 길고 짧은 중단이 여러 번 있었고, 거의 불가능할 것 같은 강도로 작업한 뒤에는 작업이 정체되기도 했다. 둘째로, 초고는 계속 쪽수를 매겼지만 일부는 일단 비워두었다가 나중에 비로소 써넣기도 했다. 이렇게 나중에 써넣은 정확한 시점을 알아내는 데는 한계가 있고 어떤 순서로 쓰였는지를 재구성할 수밖에 없는 경우도 있다. G11

초고를 정밀하게 분석하고 서신 교환과 준비 자료를 활용함으로써 각각의 노트가 집필된 정확한 시점을 밝히고 예전의 날짜 기재를 정정할 수 있었다. 이러한 조사 결과 밝혀진 집필 시기와 그 추정 근거는 아래와 같다.

마르크스는 제1항 **1) 화폐의 자본으로의 전화**를 1861년 8월부터 9월까지 처음 두 권의 노트(제1노트 1~53쪽, 제2노트 54~94쪽)에 집필했다. 마르크스 자신이 제1노트 A쪽에 "**1861년 8월**"이라고 집필을 시작한 시점을 썼는데 아마도 이 노트의 목차를 여기에 적을 때였던 것 같다. 제2노트의 87/88쪽에 마르크스는 1861년 9월 18일 자《맨체스터 가디언》에서 인용한 문장을 썼다. 그는 이 자료를 아마도 엥겔스로부터 받았을 것이다. 1861년 9월 28일 자 편지에서 그는 "(나에게는 특히 지금 매우 유용한)《맨체스터 가디언》"에 감사하고 있기 때문이다. 이에 따르면 제1항은 1861년 9월 말에 집필이 끝났다.

마르크스는 제2노트의 마지막 페이지들(89~94쪽)을 일단 비워두고 제3노트(95~131쪽)에서 **2) 절대적 잉여가치**를 쓰기 시작했다. 같은 노트 125쪽에서 그는 **3) 상대적 잉여가치**를 쓰기 시작했고 제4노트(138~174쪽)

와 제5노트(175~219쪽)에서 계속했다. 이 항을 쓸 때 여러 차례 중단이 있었다. 마르크스는 1862년 3월 15일 엥겔스에게 보낸 편지에서 "어수선한 집안일 때문에 때로는 몇 주씩이나 방해를 받고 있어서 작업이 진행되지 못하고 있다"고 쓰고 있다. 1862년 3월 마르크스는 제3항에서 자신의 이론을 서술하는 것을 중단하고, 우선 제5노트의 211~219쪽을 비워두고 제6노트에서 **5) 잉여가치론**을 쓰기 시작했다.

예전에는 마르크스가 1861년 12월까지는 상대적 잉여가치 부분을 끝내고 1862년 1월에 『잉여가치론』을 시작했다고 생각해왔다. 그렇지만 그는 1862년 3월까지는 제5노트를 쓰고 있었고 그달에 비로소 『잉여가치론』을 시작했다. 이는 무엇보다도 마르크스가 1862년 3월 6일 엥겔스에게 보낸 편지를 보면 분명히 드러나는데, 여기에서 그는 "매뉴팩처의 기반을 이루었고 A. 스미스가 묘사한 바와 같은 **분업**은 기계제 작업장에는 존재하지 않는다—이 명제 자체는 이미 유어가 자세히 논한 바 있다—는 것을 증명하기 위해" 사례가 필요하다고 엥겔스에게 부탁하고 있다. 여기에서 마르크스는 그의 초고 191쪽의 표현에 기대고 있다.

초고 209쪽의《벵갈 후르카루》와 『봄베이 상업회의소 보고서』 인용문들은 1862년 3월 이전에는 쓰일 수 없었다. 그 인용문들은 「발췌 노트」 제7권 208쪽에서 옮겨 쓴 것인데, 이 노트의 193~208쪽은 1862년 2월 25일 이후에 비로소 쓰였다. 193쪽에 이날 자의《스탠더드》가 인용되었기 때문이다.

마르크스는 각 노트들에서 3쪽부터 본문을 쓰기 시작했다. 표지에는 "경제학 비판을 위하여"라는 제목과 노트 번호를 썼다. 표지 뒷면은 일단 비워두었다. 나중에 이 면에는 목차를 쓰고 이런저런 보충과 보유를 위해서도 이용했다. 이때 마르크스는 이 면을 A 또는 a로 표기했다. 처음 노트 다섯 권의 A쪽에는 『요강』의 발췌문이 쓰여 있다. 이 발췌문들은 아마도 한때 연이어 쓴 것 같다. 이는 첫 번째 작업 단계의 말기에 이루어졌다. 제4노트의 A쪽, 즉 138a쪽에 이미 보충 "148쪽에 대하여"가 있기 때문이다. 이에 따르면 이미 이 첫 번째 보충을 쓰고 있을 때 149쪽에서 시작되는 하위 항목 **b) 분업**은 이미 쓰기 시작했던 것이다.

G12

제2노트의 89~93쪽도 나중에 보유로 쓴 것이다. 이는 분업에 관한 보유이기 때문에 마르크스가 이 주제를 마치고 제5노트의 190쪽에서 이미 다음 하위 항목인 **γ) 기계**를 시작한 다음에 비로소 집필할 수 있었다.

제3노트에는 124a~124h쪽이 나중에 삽입되었다. 이것들은 125쪽에서 이미 3) **상대적 잉여가치**를 쓰기 시작한 후에 쓴 절대적 잉여가치에 관한 보유이다. 서체로 볼 때 이것들은 단숨에 이어 쓴 것이 아니다. 124d쪽과 124e쪽은 1862년 이전에는 발행되지 않은 『공장감독관 보고서. 1861년 10월 31일까지의 반기(半期) 보고서』의 발췌를 포함하고 있다. 이어서 애슐리의 『10시간 공장법안』과 존 필든의 『공장제도의 저주』에서 따온 인용문들이 있다. 이 두 문헌은 제5노트의 196~203쪽에서도 자세히 인용되고 있다. 124e쪽에서 지워진 애슐리의 저서 중의 문장은 196쪽에서 거의 그대로 반복되고, "제5노트, 190쪽을 보라"(실제로는 '196쪽'을 가리킨다. G206쪽에서 처음 나오는 해설을 보라.—옮긴이)라는 메모를 통해서 이러한 직접적인 연관이 지적되고 있다. 124a~124e쪽은 제5노트와 거의 같은 시기에, 196쪽을 쓰기 직전에 쓴 것이다. 같은 종류의 종이가 사용되었다는 점도 이것들이 같은 시기에 쓰였다는 것을 증명한다.

『잉여가치론』은 제6노트(220~72쪽)에서 시작된다. 마르크스 자신은 날짜를 기록하지 않았지만 그가 1862년 3월에 집필을 시작했고 또 엥겔스가 있던 맨체스터로 여행을 떠난 3월 30일 이전에 이 제6노트를 대부분 완료했다고 가정할 수 있다. 초고 235쪽에서 마르크스는 리카도의 『경제학과 과세의 원리』에서 스미스를 비판하는 논쟁적인 부분을 인용했는데, 이 인용문은 그가 「발췌 노트」 제7권(런던; 1859~62년)에서 따온 것이다. 이 노트—209쪽—에서 이 인용문은 1862년 3월 13일 자 《타임스》에서 따온 인용문 다음에, 여백이었던 곳에 보유로서 삽입되어 있다. 이로 미루어 볼 때 초고의 이 부분을 집필한 시점은 빨라야 3월 중순이라는 것을 알 수 있다. 마르크스는 제7노트(273~331쪽)를 1862년 4월 맨체스터에서 시작했다. 제6노트에서 사회적 생산물의 총가치가 소득으로 분해된다고 주장했던 스미스와 벌인 논쟁은 마르크스로 하여금 "연간 이윤 및 임금이 이윤과 임금 이외에 불변자본을 포함하는 연간 상품을 어떻게 구매할 수 있는지를 연구"하도록 자극했다. 나아가 주목할 만한 것은 이 연구에서는 인용이 하나도 없다는 사실이다.

맨체스터에서 돌아온 마르크스는 283a쪽과 283b쪽, 그리고 300~304쪽에서 스미스의 독단에 관한 연구를 보충하면서 매듭지었다. 다음에 그는 스미스의 **생산적 노동과 비생산적 노동의 구별**에 대해 비판적 고찰을 시작했다. 마르크스는 스미스의 견해를 분석했을 뿐 아니라 "이류 경제학자들" 사이의 논쟁도 추적했다. 이로써 그는 제7노트, 제8노트(332~376쪽)와 제9노트(377~421쪽)의 대부분을 채웠다. 그는 존 스튜어트 밀의 견해에 대한 분석도 이들 서술에 삽입했는데(319~345쪽), 그는 이것을 원래 더 나중의 항목에, 즉 "리카도의 잉여가치론을 다루기로 되어 있는 곳에"(319쪽) 포함시키고자 했다. 제9노트의 끝부분, 적어도 네케르에 관한 서술은 짧은 중단이 있은 다음에 쓰였다. 그 중단 기간에 마르크스는 별도로 만든 노트(훗날 제10노트)에 "여록. 케네의 경제표"와 랭게 및 브레이에 관해 서술했다. 집필 순서는 다음의 언급들로부터 재구성할 수 있다. 처음에는 1~32로 쪽 번호를 붙인 별도의 노트 8쪽(훗날 428쪽)에서 마르크스는 "위를 보라"라는 말로 데스튀트 드 트라시를 지시하고 있는데 이는 제9노트, 402/403쪽과 관련된다. 요컨대 제9노트의 이 부분은 이미 쓰여 있었다. 마르크스는 제9노트에서 네케르에 관한 부분을 419쪽에서 이렇게 쓰기 시작했다. "이미 앞서 인용한 랭게의 글은 그가 자본주의적 생산의 본질을 명확하게 이해하고 있었다는 점을 보여준다. 하지만 여기에서 우리는 네케르에 뒤이어 랭게를 다시 보게 될 것이다." 이로부터 랭게에 관한 부분은 더 나중의 제10노트에서 이미 쓰였다는 것을 알 수 있다. 이에 따르면 마르크스는 4월 말부터 6월 초까지 제7노트의 나머지, 제8노트와 제9노트, 그리고 별도의 노트 첫 부분을 쓴 것이다. 그는 작업의 순조로운 진행에 대해 1862년 5월 27일 엥겔스에게 보낸 편지에서 이렇게 쓰고 있다. "나는 지금 … 열심히 공부하면서 악마의 다리를 베끼고 있네. 내가 말하는 것은 경제학의 역사일세." 제8노트 337쪽에는 "지금(1862년 봄)"이라고 시기가 적혀 있다.

1862년 6월 18일 마르크스는 엥겔스에게 보낸 편지에서 이렇게 썼다. "덧붙여 말하자면 나는 지금 악착같이 작업하고 있는데, 기이하게도 내 두뇌는 주변의 온갖 역경에도 불구하고 수년 이래 가장 잘 돌아가고 있다네. 독일 개들은 책의 가치를 두께로 평가하니까 나는 이 책을 더 확장할 생각이네." 여기에서 책의 확장이라 함은 무엇보다도 제9노트의 419쪽까지 이어지는 생산적 노동과 비생산적 노동에 관한 이론들을 서술하는 것과 거기에 포함된 재생산 이론에 관한 연구를 말한다. 제7노트에서 다루고자 했던 문제를 위해 세워진 애초의 집필계획, 즉 "c) 스미스(결론), d) 네케르, e) 리카도"라는 계획에서 보더라도 이 확장을 분명히 알 수 있다.

마르크스는 여러 가지 "여록"을, 즉 저술의 뒷부분에서 다룰 예정이었던 문제들을 적어두기 위해서 별도의 노트를 만들었다. 이 노트에서 그는 6월에 또 하나의 "여록"을 쓰기 시작했다(25쪽, 훗날 445쪽). 즉 "로트베르투스

(Rodbertus) 씨. '로트베르투스가 폰 키르히만(von Kirchmann)에게 보낸 세 번째 편지. 리카도 지대론 비판과 새로운 지대론의 논증'. 베를린, 1851년" 이다. 마르크스는 로트베르투스의 책을 페르디난트 라살에게 빌렸다. 라살레는 1862년 6월 9일에 급하게 반환을 요청했다. 이를 계기로 마르크스는 6월 중순에 이 책에 몰입하게 되었다. 로트베르투스를 검토하는 동안 마르크스는 이 독립된 노트를 제10노트로 초고에 편입하기로 결심했다. 그는 이 노트의 69개 쪽에 422부터 489까지 쪽수를 매겼다. 1862년 6월 16일 라살레에게 보낸 편지에 있는 로트베르투스에 관한 언급은 제10노트 458쪽의 서술과 관계가 있다. 6월 18일 마르크스는 엥겔스에게 자신이 마침내 지대론을 터득했다고 썼다.

제11노트(490~580쪽)는 대부분 7월에 집필되었다. 집필 시기에 관해 이외에도 단서가 되는 것은 서신 교환과 초고 사이의 다음과 같은 일치점들이다. 1862년 8월 2일 엥겔스에게 보낸 편지에서 마르크스는 수치 사례를 하나 들고 있는데 이는 초고 제12노트(581~669쪽) 594쪽에서 이미 사용했던 것이다. 그로부터 3주가 채 지나지 않은 1862년 8월 20일에 그는 엥겔스에게 감가상각 기금에 관한 정보를 부탁했는데 그때 그가 의거한 것은 제13노트(670~770쪽)의 697/698쪽에 있는 고찰이었다. 이 노트로 작업할 때 네덜란드와 독일로 떠난 여행 때문에 8월 말부터 9월 7일경까지 중단이 발생했다. 746쪽에는 1862년 9월 19일 자 《스탠더드》 인용문이 있고 750쪽에는 "1862년 (올가을)"이라는 언급이 있다. 이후 노트들은 다시 마르크스 자신이 노트 표지에 날짜를 적었다. 제14노트(771~861쪽)와 제15노트(862~973쪽)는 1862년 10월로 기록되어 있다. 제15노트 작업은 11월까지 계속되었는데 그것은 제17/18노트의 표지에 마르크스가 **"1029쪽부터는 제15노트의 계속. ('62년 10월과 11월)"**이라고 쓴 것을 볼 때 확실하다. 카를 카우츠키(Karl Kautsky)는 이와 같은 시점 기록을 자신이 1905~1910년 사이에 최초로 편집한 『잉여가치론』에서 제17노트와 연관시키는 오류를 범했다. 마르크스가 1862년 11월 7일 라살에게 보낸 편지에서 "약 6주 동안 책을 쓰는 데 방해를 받았다"는 언급을 볼 때 제15노트가 대부분 1862년 11월에 쓰였다고 결론지을 수 있다.

1862년 12월에 마르크스는 제16노트(974~1021쪽)를 집필했다. 그는 이 노트 겉표지에도 **"12월"**이라고 썼다.

제17노트(1022~1065쪽)와 제18노트(1066~1158쪽)는 표지 한 장이 공통

G14

인 것 같다. 그것이 지금은 제18노트에 보관되어 있지만 앞서 인용한 (이 표지에 쓰여 있는—옮긴이) 내용은 제17노트에 관계되는 것이다. 1910년 『잉여가치론』 제3권에 부친 서문에서 카우츠키는 이 표지가 제17노트에 속하는 것이라고 적고 있다. 마르크스가 이 표지에 기록한 연월은 **"1862년 1월"**이다. 이 잘못된 연도는 마르크스가 이 노트를 쓰기 시작한 것이 그가 새해의 연도에 아직 익숙하지 않았던 1863년 1월 초임을 추측하게 해준다.

제16노트와 제17노트는 원래 "최종 노트"와 "최종 노트 2"라는 이름이 붙어 있었고 쪽수는 자모(字母)로 매겨져 있었다. 이들 노트는 나중에 연속적인 쪽수가 추가되었으며, 아마도 그러면서 그때 비로소 16과 17이라는 노트 번호도 추가되었을 것이다.

제18노트는 1863년 1월에 집필되었다. 제17노트와 제18노트의 표지에 기재된 것으로 앞에서 언급한 집필 시기는 두 노트와 관련된 것이다. 카우츠키는 마르크스의 이 집필 시기를 언급하지 않았다. 그는 제17노트가 1862년 10월과 11월에 집필되었다는 잘못된 가정에서 출발해서 제18노트의 집필 시기를 12월이라고 했다.

엥겔스가 마르크스 사후에 작성한 1861~63년 초고 목차에서도 몇 가지 오류가 발견된다. 제17노트에는 **"62년 12월"**이라고 적혀 있다. 이 집필 시기는 나중에 써넣은 것이며, 엥겔스가 마르크스의 이 연월을 제16노트에 써넣었어야 하는 것을 실수로 다른 행에 쓴 것이라고 볼 수 있다. 제17노트/제18노트의 표지에 있는 **"1862년 1월"**이라는 마르크스의 기록을 엥겔스는 언급하지 않았다. 엥겔스는 제18노트에 **"최종 2"**라고 기입했고 앞표지 뒷면에 마르크스가 써둔 목차는 제17노트에 관한 것인데도 이것을 제18노트에 대한 지시라고 이해했다.

G15 제19노트(1159~1241쪽)는 "1863년 1월"이라고 기재되어 있다. 그것은 마르크스가 마찬가지로 1863년 1월에 마지막 부분을 집필했던 제5노트에 직접 이어지는 것이다.

제20노트(1242~1297쪽)는 1863년 3월에 시작되었다. 이 노트 작업은 4월과 5월에도 계속되었고 후에 마르크스는 앞표지에 이 두 달을 추가로 표시했다. 그리하여 집필 시기는 "1863년 3월. 4월, 5월"이 되었다.

제21노트(1298~1345쪽)에 마르크스는 **"1863년 5월"**(*Mai. 1863*)로 연월을 적고, 제22노트(1346~1406쪽)에도 마찬가지로 **"1863년 5월"**(*May. 1863*)이라고 적었다.

제23노트(1407~1499쪽)에는 "1863년 6월"이라고 적혀 있다. 이 마지막 노트는 7월까지 집필되었다. 1452쪽에 1863년 7월 2일 자《타임스》를 인용한 부분이 있기 때문이다. 1474~1499쪽은 백지로 비어 있다.

초고의 준비 자료

자신의 주저(主著)를 위해서 마르크스는 수년에 걸쳐 매우 광범위한 문헌 연구를 수행했다. 그러면서 그는 꾸준히 발췌 노트를 작성했다. 그리하여 수년이 지나면서 수십 권의 발췌 노트가 만들어졌고 마르크스는 이 노트들을 계속 반복해서 작업 자료로 활용했다. 특히 관심을 끄는 것은 예를 들면 "완성된 화폐제도", "화폐제도, 신용제도, 공황", "참고문헌"과 같이 주제별로 작성된 노트들이다. 이 노트들에는 전에 이미 인용한 것들이 특정한 관점과 항목 아래 정리되고 일부는 짤막한 주석이 달렸다. 그렇게 마르크스는 광범한 자료를 정리하고 그것들을 자신의 초고에서 활용했다. 이 초고 역시 마르크스는 이러한 방식으로 미리 자신의 「인용문 노트」를 통해 준비했다. 그는 노트 오른쪽 페이지에 표제를 쓰고 그 아래에 기존의 발췌 노트, 특히 1850년대에 작성한 노트 24권에서 자본 일반에 관한 장에 이용할 인용문들을 적었다. "**자본. 1) 자본의 생산과정**"이라는 큰제목 아래 마르크스는 다음과 같은 제목들을 달았다. "A) 화폐의 자본으로의 전화. B) 자유로운 노동, 노예노동, 임노동. C) 자본형성과 국가. D) 노동생산성. E) 고정자본이 이윤에 미치는 영향. 가치규정에 영향을 주는 기간 등. F) 노동과 노동의 가치를 통한 가치의 척도. G) 이윤과 임금 단순한 할당량. H) 이윤(잉여가치). I) 임금. J) 자본의 축적. (이윤율.) K) 자본. M) 기계류. N) 고정자본. 유동자본. O) 농업. P) 노동생산력의 증대. [Q] 일반이윤율."

원래 「인용문 노트」는 전지(Bogen) 6장으로 되어 있었다. 이것으로 부족하면 마르크스는 일부는 "자본의 일반적 형태", "자본의 재생산", "잉여가치와 이윤", "자본", "일반이윤율"과 같은 새로운 표제 또는 하위 표제를 써서 새로운 전지를 추가했다. 이렇게 해서 여러 단계에 걸쳐 점차 전지 23장짜리 두툼한 노트 한 권이 만들어졌고 마르크스는 이것에 1부터 92까지 쪽수를 매겼다.

물론 마르크스는 「인용문 노트」에 있는 예전의 초록들을 정비하면서 새로운 문헌들을 연구하거나 전에 이미 이용한 문헌을 새로운 관점에서 뽑아 쓰기도 했다. 그는 이 초록들을 제7노트, 즉 처음 63쪽에 『요강』의 결론이

들어 있는 그 노트에 썼다. 63a로 쪽수를 매긴 곳에서 발췌 부분이 시작된다. G16 이 부분은 마르크스 자신이 "1859년 2월 28일 시작"이라고 날짜를 적었다. 제7노트는 연속으로 쪽수가 매겨진 총 277쪽으로 이루어졌는데 마르크스는 이 노트를 "두꺼운 노트"라 부르곤 했다. 63a~192쪽은 1861년 여름까지 집필되었고, 나머지는 초고 작업 중이던 1862년에 계속되었다. 특히 지대 문제와 관련하여 마르크스는 이 노트에서 새로운 문헌을 많이 발췌했다. 그리고 이들 초록은 대부분 나중에 초고에서 활용되었다.

요컨대 제7노트의 발췌 부분과 「인용문 노트」 또는 1861~63년 초고 부분들은 대체로 같은 시기에 만들어진 것이다. 장소로 보면 제7노트의 초록들은 주로 영국박물관에서 작성된 반면에 「인용문 노트」와 초고는 대부분 마르크스의 서재에서 집필되었다는 차이가 있다. 첫 번째 단계에서는 아직 제7노트를 「인용문 노트」에 언급하지 않았으나 나중에는 이 노트에서도 인용했다. 때로 마르크스는 인용문을 한 번 더 옮겨 오지 않고 제7노트의 해당 쪽수를 언급하는 것으로 만족하기도 했다. 그 밖에 마르크스는 대부분의 인용문들에서 저자, 책 제목, 쪽수뿐 아니라 그가 그 인용문을 옮겨 쓴 발췌 노트의 번호와 쪽수도 써넣었다. 이렇게 해서 그는 더 자세한 발췌를 신속하게 활용할 수 있었다. 실제로 마르크스는 그것을 매우 많이 사용했다. 초고에 있는 인용문이 「인용문 노트」에 쓴 것보다 더 포괄적일 때가 많았기 때문이다. 특히 자신의 서재에 있는 책일 경우 마르크스는 종종 원문 출처를 다시 썼다.

1861년 6월 초 마르크스에게는 각별히 노력이 많이 드는 준비 단계가 시작되었다. 그는 "일주일 전에 진지하게 책 작업을 시작했다"고 6월 10일 엥겔스에게 편지를 썼다. 여기서 말하는 "시작"은 아직 초고 자체는 아니었다. 초고는 1861년 8월에 비로소 착수되었다. 그에 앞서 몇 주 사이에 마르크스는 기존 자료를 살펴보면서 몇 가지 매우 중요한 자료를 작성했다.

1861년 6월 무렵에 그는 **"인용문 노트 목록"**을 썼다. 그것은 노트 B″II의 21~27쪽에 있다. 이번에는 마르크스는 단순한 목차로 만족하지 않았다. 「인용문 노트」의 기초가 되는 구분은 그동안에 많은 보완이 더해지면서 좀처럼 정리할 수 없게 되어버렸기 때문에 그대로 쓸 수 없었다. 마르크스는 여러 가지를 바꾸고 부분적으로는 몇 개 제목을 통합하고 새로운 제목들을 만들었다. "a) 자본과 임노동 관계의 형성", "b) 임금과 노동생산성. 이윤율 하락." "c) 이윤과 교환", "d) 리카도의 이윤이론과 임금이론"에서부터 "x)

이윤에 대한 여러 가지 변호론적 설명"에 이르기까지 여러 제목 아래 짤막한 표제어를 쓰고 「인용문 노트」의 쪽수를 표시했다.

이 당시 그의 저술 제목인 "경제학 비판을 위하여"에 걸맞게 마르크스는 먼저 이 대상에 대한 다른 저자들의 견해에 관한 개요를 작성했다. 그다음에 비로소 그는 예전에 썼던 자신의 상론 중에 논의해야 할 문제와 관련이 있는 것을 검토하기 시작했다. 이렇게 검토하는 동안 그는 같은 노트 B″II의 다음 9쪽에 걸쳐 "나 자신의 노트들에 대한 비평"을 썼다. 그것은 그가 제3장 **자본 일반**에 활용하려고 했던 『요강』의 노트들에 관한 목차이다.

마르크스는 이렇게 기존 자료에 관한 개요를 마련한 다음에 1861년 여름에 16쪽에 불과한 별도의 노트에 "집필계획 초안"으로 알려진, 제3장 "자본 일반"을 위한 목차를 입안했다. 그 직후에 마르크스는 1861년 8월에 초고의 집필을 시작했다. G17

「인용문 노트」는 1861~63년 초고 작업, 특히 처음 다섯 권의 노트 작업에 매우 중요한 기초였다. 마르크스는 이 「인용문 노트」를 예전에 작성한 수십 권의 발췌 노트의 내용을 보기 위한 길잡이로 삼았다. 암스테르담 국제사회사연구소에 보관되어 있는 이 노트의 상태만으로도 마르크스가 얼마나 집중적으로 그것을 이용했는지 알 수 있다. 이 노트에 들어 있는 거의 모든 인용문이 초고에서 활용되었고 그다음에는 처리 완료 표시가 붙었다.

반면에 마르크스는 자신이 1857/58년에 작성한 초고는 다른 방식으로 다루었다. 1858년 8월 초와 11월 중순 사이에 쓴 『경제학 비판을 위하여』 초안을 마르크스는 활용하지 않았다. 이 초안에는 원래 제2장의 끝부분으로 예정된 "6) 자본으로의 이행"과 그 뒤를 이어 시작된 제3장 1항의 "화폐의 자본으로의 전화"의 마무리가 포함되어 있다. 여기에도 처리 완료 표시는 전혀 없다. 마르크스는 『요강』에서는 일부 구절들을 보충설명(Zusätze)으로 넣었다. 이에 대해서는 본문에 대한 해설에 언급되어 있다. 그렇지만 일반적으로는 마르크스는 『요강』에서 사용된 표현들에서 벗어났다. 그는 예외적인 경우에만 이전의 표현을 1861~63년 초고에 받아들였다. 예를 들면 제22노트에서 이른바 본원적 축적을 서술하는 경우가 그러한데 여기에서 그는 "이전의 서술로부터"라는 메모와 함께 『요강』의 몇 쪽을 거의 글자 그대로 베껴 적었다. 따라서 『요강』에서는 주로 내용상의 처리 완료를 시사하는, 종합적인 처리 완료 표시가 발견된다.

1863년에 초고 작업의 마지막 단계에서 마르크스는 "부록 책자"(Beiheft)

형태로 "A"부터 "H"까지 8권의 발췌 노트를 추가로 작성했다. 여기에서 그가 발췌한 것은 1863년 5월 29일 엥겔스에게 보낸 편지에서 쓰고 있는 바와 같이 "경제학에서 내가 다룬 부분에 관한 모든 종류의 문헌 사료"였다. 1861~63년 초고에서 마르크스는 이 부록 책자의 자료들을 마지막 두 권의 노트, 즉 제22노트와 제23노트에서만 활용할 수 있었다.

이후 마르크스의 1861~63년 초고 활용

이 초고는 마르크스가 『자본』을 위한 정서본을 작성하기로 했을 때 작업의 중요한 기초가 되었다. 그는 먼저 초고 전체를 훑어보면서 가장자리에 옆줄을 그었다. 그리고 "이윤", "재생산과정", "축적"과 같은 말들을 가장자리에 써넣었는데, 해당 항목에서 이것들을 활용할 예정이었다. 개별 문장들과 단어들에는 밑줄을 그었다. 가장자리에 적힌 숫자들은 예증하는 사례들의 순서를 나타냈다(초고 119~121쪽). (가장자리의 옆줄과 숫자, 단어 등의 표기는 편집 기술상의 문제로 한국어판에서는 표기하지 않았다. — 옮긴이)

G18 초고를 작성하면서 마르크스는 다양한 필기도구를 이용했다. 잉크, 연필, 빨간색 연필. 연필과 빨간색 연필로 쓴 것은 나중의 집필 단계에 한 것이 분명하다. 따라서 그것들은 조판 방식을 바꾸어 본문에 표시되거나 변경사항 목록에 명시되어 있다.

그렇게 표시한 구절들을 넣은 1863~65년 초고는 온전하게 전하지 않는다. 첫 번째 부분이 빠져 있고, 따라서 마르크스가 해당 본문 구절들을 새로운 초고에 어떻게 삽입했는지 각각의 경우에 대해 확인하는 것이 불가능하다. 그렇지만 여기에서 표시된 인용문과 본문의 많은 부분을 우리는 『자본』 제1권에서 다시 만나게 된다. 『자본』 제1권 원고에서 전해지는 부분인 이른바 제6장에는 1861~63년 초고에서 가져온 부분들이 많이 있다.

새로운 초고에 채택된 구절들은 그 후에 수직선 또는 사선으로 지워졌다. 본문 거의 전체에 그러한 처리 완료 표시가 있다. 마르크스는 보통 단락별로 이 표시를 했다. 이와 함께 종합적인 처리 완료 표시도 있는데 이 경우 마르크스는 초고를 페이지마다 삭제했다. 그는 이 초고 부분을 얼마쯤 문자 그대로 따오지 않은 경우에도 내용상 사용이 끝난 것으로 간주했다. 이 두 가지 처리 완료 표시는 서로 섞여 있다. 처리 완료 표시는 본문에서는 재현하지 않고 변경사항 목록의 일부로 만든 별도의 목록으로 사용된 필기도구를 구별하여 기재했다. 단순화하고 개괄하기 쉽도록 연속하여 나오는 처리 완료 표시는 하나로 모았다.

텍스트를 따올 때의 한 가지 특수한 형태는 1863~65년 초고 가운데 앞서 언급한 제6장에서 볼 수 있다. 마르크스는 1861~63년 초고의 제21노트에서 몇 쪽을 전부 또는 일부를 잘라내서 1863~65년 초고의 해당 부분에 붙였다.

마르크스가 사망한 후 초고는 그가 유언을 통해 딸 엘레노어(Eleanor)와 함께 자신의 유고(遺稿) 관리인으로 지명한 프리드리히 엥겔스 손에 넘어갔다. 마르크스의 생각에는 엥겔스만이 경제학 초고와 『자본』 제2~4권의 다양한 초안들을 인쇄 가능한 형태로 만들 수 있었기 때문이다. 엥겔스는 노트 23권 전체의 대략적인 목차를 만들고 "자본 제4권, '비판을 위하여' 등으로부터"라는 제목으로 별도의 용지에 한 번 더 제6노트부터 제15노트까지의 내용을 기록했다. 『자본』 제2권과 제3권을 출판한 다음 엥겔스는 라우라 라파르그(Laura Lafargue)에게 제4권 작업 계획을 알렸다. 그렇지만 그에게는 그것을 실현하는 것이 허락되지 않았다. 엥겔스는 유언으로 마르크스 자필 원고의 모든 초고, 따라서 이 초고도 엘레노어 마르크스에게 넘길 것을 결정했다. 엘레노어는 1895년 8월 23일 유언 집행인에게 다른 것들과 함께 1861~63년 초고의 수령을 통지했다. 같은 해 엘레노어 마르크스-에이블링(Eleanor Marx-Aveling)은—라우라 라파르그의 양해하에—카를 카우츠키에게 『잉여가치론』 발행을 위임했다. 따라서 그녀는 1861~63년 초고 전체를 카우츠키에게 넘겨주었다. 카우츠키는 1905~10년 사이에 3권으로 『잉여가치론』을 출판했다. 마르크스의 초고는 1920년대 초까지도 카우츠키의 수중에 있다가 마르크스와 엥겔스 유고 대다수가 이미 소장되어 있던 독일 사회민주당(SPD) 아카이브로 넘겨졌다. 1923년 가을 소련 공산당 중앙위원회 마르크스엥겔스연구소는 그때까지 공개되지 않았던 자필 원고와 편지를 유고에서 사진으로 복사할 기회를 얻었다. 모스크바로 가져온 약 7천 장의 복사물 중에는 1861~63년 초고도 들어 있었다. G19

독일에서 파시즘이 집권한 직후 사회민주당 아카이브 대부분은 덴마크로 대피되어 덴마크 사회민주당 아카이브에서 보관하게 되었다. 당도한 아카이브 자산과 목록을 대조하여 1933년 말부터 1934년 2월까지 점검한 결과 다른 것과 함께 1861~63년 초고가—목록에는 정리 번호 121로 되어 있던—없는 것이 확인되었다. 이 초고는 애초에 코펜하겐에 오지 않은 것이 거의 확실하고, 따라서 독일 사민당 아카이브에 있던 마르크스와 엥겔스의 유고에서 1933년 2월 이전에 빠져 있었음이 분명하다.

소련 공산당 중앙위원회 마르크스주의-레닌주의연구소는 1936년에 그 초고 전체를 매입했다. 오랜 준비 작업을 거쳐 처음으로 학술적으로 완벽한 『잉여가치론』이 러시아어로 출판되었다(제1부는 1954년, 제2부는 1957년, 제3부는 1961년). 이 판본을 기초로 하여 독일어판은 1956년부터 1962년까지 독일 사회주의통일당 중앙위원회 마르크스주의-레닌주의연구소가 출판했다. 1861~63년 초고에서 훗날 『자본』 제1권에 속하는 부분—제1노트~제5노트, 제19노트, 제20노트—은 소련 공산당 중앙위원회 마르크스주의-레닌주의연구소가 1973년에 러시아어판 마르크스·엥겔스 전집 제47권으로 처음 완간했다.

원문자료에 대한 기록
제1노트부터 제5노트까지

제1노트 ~ 제5노트

각 노트는 전지를 이분 혹은 사분한 종이들로 만들어졌다. 종이가 같은 종류인데도 크기가 각기 다른 것은 이 때문인 듯하다. 접은 곳이 항상 정확하게 중간에 있지는 않고 일부 전지에서는 접은 곳이 바뀌었다. 이 전지들은 철끈으로 묶여 있었지만 이 철끈은 이미 남아 있지 않고, 노트 구멍 간격은 일정하지 않다. 바깥쪽 전지는 각 노트의 표지를 이루고 있다. 노트들의 보존 상태는 좋다. 가장자리가 닳아서 훼손되어 본문의 일부가 약간 손상된 것도 있다. 몇몇 낱장에는 보존 중에 생긴 얼룩과 잉크 얼룩이 있고 표지는 약간 때가 묻어 있다. 노트들은 1947~50년에 복원되었다.

마르크스는 종이 양면에 검은 잉크로 빼곡하게 써넣었고 한 쪽에 평균 35~40행이 기록되어 있으며 가장자리의 여백은 거의 없다. 초고는 매우 작게 흘려 쓴 필체(독일어 필체와 라틴어 필체 — 외국어의 경우)로 쓰였기 때문에 읽기 매우 어렵다. 많은 단어가 약어로 표기되거나 일부가 생략된 채 표기되어 있다(철자나 모음을 생략하거나 여러 철자를 합쳐버리는 식으로). 정관사와 관계대명사 der, die, das는 격과 성을 가리지 않고 대부분 d.로 축약해서 쓰였다. 소유대명사 sein은 모든 격과 성에서 s.로 쓰였다. 전치사 für, mit, von, vom은 f., m., v.로 쓰였다. 복자음 mm, nn은 당시 흔히 표기하던 방식에 따라 $\overline{m}$, $\overline{n}$으로 표기되었다. 기호 ×(곱하기)는 '곱하기'나 '곱'을 의미한다. 집필하면서도 수정을 많이 했기 때문에 많은 단어와 문장 부분이 지워졌다. 마르크스는 각 행 위에 여러 번 보충을 써넣었고 그것은 때로 노트 가장자리까지 이어졌다. 그는 나중에 일련의 보충을 초고에 덧붙이고 그것들을 적절한 메모와 소속 표시를 이용해 본문의 특정 부분과 연결했다. 나중에 훑어보면서 마르크스는 본문 자체는 거의 수정하지 않았지만 옆줄을 긋거나 가장자리에 뭔가를 써넣었다. 그중에는 연필이나 빨간 연필로 된 것이 많다.

G20

누군가가 거의 모든 쪽에 걸쳐 연필이나 복사용 연필로 NK라는 표시를 하고 일부 쪽에는 번호를 매기기도 했다. 이것은 초고가 독일 사민당 아카이브에 보관되어 있던 시기에 일어난 일이다. 각 장마다 일련번호와 함께 IML/ZPA Moskau 직인이 찍혀 있다.

G21

제1노트 앞표지

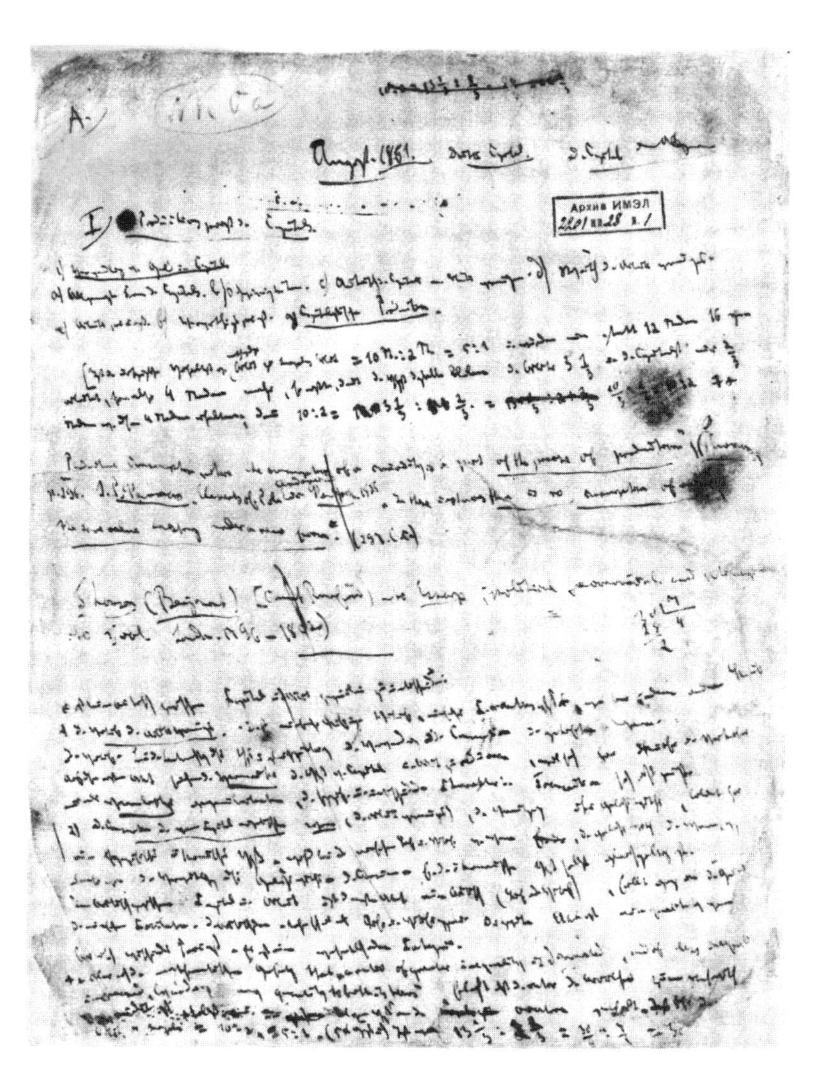

제1노트 A쪽

제1노트

자필 원고 원본(Originalhandschrift). —IML/ZPA Moskau, 정리 번호 f. 1, op. 1, d. 1563.

이 노트는 162×202mm 크기의 28매(56쪽)로 이루어져 있다. 종이는 줄이 없고 연청색인데 약간 누렇게 변색되었으며, 매끄럽고 비교적 두껍다. 투시 무늬가 있는데 25mm 간격의 평행선이며, 각 종이는 2절지마다 "STOWFORD MILLS 1860"이라는 제지공장 상표가 찍혀 있다.

앞표지에는 **"경제학 비판을 위하여. 제3장 자본 일반"**이라는 제목과 노트 번호 "I"이 쓰여 있다. 왼쪽 아래에는 "지레, 바퀴, 차축, 사면, 나사, 도르래, 쐐기"라는 메모가 있다. 이들 기계 요소는 찰스 허턴이 그의 저서 『수학 과정』에서 언급한 것이다. 마르크스는 제19노트 1237쪽에서 이 구절을 인용했다. 노트 앞표지는 제7노트(279쪽 이하)에서의 잉여가치론 작업과 관련된 계산들로 채워져 있다(복사자료를 보라). 뒤표지에는 제7노트 282쪽과 관련하여 많은 계산 이외에 특히 아래의 표가 쓰였다.

		노동일		**추가된 노동**
A. 불변자본	=	2	(생산물 = 3노동일)	1
B	=	4	(생산물 = 6노동일)	2
C)	=	12	(생산물 = 18)	6
D)	=	36	(생산물 = 54)	18
E.	=	108	(생산물 = 162)	54
F.	=	324	(생산물 = 486)	162
		——		——
		486		243

G23 앞표지 뒷면에는 **"1861년 8월"**이라는 연월 표시와 이 노트의 목차 및 여러 가지 보충설명이 있다. 이 면은 "A"로 쪽수가 표기되어 있다(복사자료를 보라). 마르크스는 다음 쪽부터 1~53으로 일련번호를 매겼다.

제2노트

자필 원고 원본. —IML/ZPA Moskau, 정리 번호 f. 1, op. 1, d. 1565.

이 노트는 160×203mm 크기의 22매(44쪽)로 이루어져 있다. 종이는 줄이 없고 연청색인데 약간 누렇게 변색되었으며, 매끄럽고 비교적 두껍다. 투시 무늬가 있는데 25mm 간격의 평행선이며 각 종이는 2절지마다 "SAWSTON 1861"이라는 제지공장 상표가 찍혀 있다.

앞표지에는 **"경제학 비판을 위하여. 제3장 자본 일반"**이라는 제목과 노트 번호 "II"

가 있고 그 아래에 몇 개의 계산이 있다. 앞표지 뒷면인 A쪽에는 이 노트의 목차와『요강』에서 발췌한 부분이 있다. 다음 쪽부터는 54~94까지 번호가 매겨져 있다. 94쪽은 비어 있다. 번호가 없는 뒤표지는 계산들로 가득 차 있다.

제3노트

자필 원고 원본. —IML/ZPA Moskau, 정리 번호 f. 1, op. 1, d. 1566.

이 노트는 24매(48쪽)로 이루어져 있다. 그중 20매는 제2노트와 같은 종류의 종이로 163~170×206~211mm 크기이고, 나중에 삽입된 네 장은 제5노트와 같은 종류의 종이로 157~164×205mm 크기이다. 이 면들은 95~131까지, 삽입된 면들은 124a~124h까지 일련번호가 매겨져 있다. 크기는 아주 균일하지는 않다. 예를 들면 표지가 된 전지는 중간에서 접히지 않아서 앞표지의 너비가 위는 170mm인데 아래는 168mm이고, 높이가 왼쪽은 209mm인데 오른쪽은 211mm이다. 뒤표지는 위 163mm, 아래 165mm이고 높이는 같은 길이로 잘렸다. 그다음 전지는 약간 작고 167×207mm이다. 여기에서도 중간이 정확하게 접히지 않아서 95/96쪽에 해당하는 앞 장의 바깥 가장자리가 129/130쪽에 해당하는 뒷장보다 2mm 돌출해 있다. 안쪽 전지는 111/112쪽에 해당하는 장의 왼쪽 가장자리가 2.5mm 돌출하도록 접혀 있다. 109/110쪽과 115/116쪽에 해당하는 전지는 211mm로 중간 전지보다 3mm 크다. 아래 가장자리에서는 3mm만큼이 색이 많이 바랬다. 나중에 삽입된 전지 중에 가장 바깥쪽 전지는 124a/124b쪽의 너비가 위는 163mm이고 아래는 164mm인데 124g/124h쪽은 159mm 또는 157mm이다. 나중에 삽입된 두 번째 전지도 처음에는 정확하게 접혀 있지 않았고 그 접혔던 자리를 알아볼 수 없다.

앞표지에는 "**경제학 비판을 위하여**"라는 제목과 노트 번호 "**III**"이 쓰여 있고 계산이 조금 있다. 뒤표지에도 계산이 조금 있다. 마르크스는 앞표지 뒷면에 95a와 A로 쪽수를 표시했는데 이 면에는 124쪽에 속하는 인용문과『요강』발췌 부분이 있다. 표지 종이 다음에 이어지는 여섯 쪽은 1) ~ 6)으로 쪽수가 매겨져 있다. 나중에 마르크스가 95~131로 일련번호를 매길 때는 원래의 쪽수 위에 새로운 쪽수를 써넣었다. 6 위에 100을 썼기 때문에 이 숫자를 마르크스는 160으로 읽었다. 그것에 이어 161부터 179까지 계속 쪽수를 쓰다가 마르크스는 실수한 것을 깨닫고 101부터 119까지로 정정했다. 나중에 삽입된 124a부터 124h까지는 처음 다섯 쪽만 a)부터 e)까지로 쪽수를 썼다가 나중에 124를 추가했으며, a)쪽에서 d)쪽까지는 잉크로, e)쪽에는 연필로 썼다. 마지막 세 쪽에는 124와 f), g), h)를 함께 연필로 써넣었다. 124a쪽에는 쪽수 아래에 "**124쪽에 대하여**"라는 메모가 있다. G24

제4노트

자필 원고 원본. —IML/ZPA Moskau, 정리 번호 f. 1, op. 1, d. 1574.

이 노트는 168×210mm 크기로, 제2노트와 같은 종류의 종이 20매(40쪽)로 이루어져 있다. 앞표지에는 "**경제학 비판을 위하여**"라는 제목과 노트 번호 "**IV**"가 쓰여 있다. 아울러 몇 가지 계산과 기하학적 도형 하나가 있다. 마르크스가 138a라고 표시한 앞표지 뒷면에는 148쪽에 대한 보충설명과 『요강』 발췌 부분이 있다. 마르크스는 그 이후의 쪽들에 138~174로 쪽수를 썼다. 그는 제3노트의 마지막 쪽수 131을 137로 읽었음이 분명하다. 뒤표지에는 몇 가지 계산이 있다.

제5노트

자필 원고 원본. —IML/ZPA Moskau, 정리 번호 f. 1, op. 1, d. 1581.

이 노트는 162×206mm 크기의 24매(48쪽)로 이루어져 있다. 종이는 줄이 없고 연청색인데 약간 누렇게 변색되었으며, 매끄럽고 비교적 두껍다. 투시 무늬가 있는데 25mm 간격의 평행선이다. 앞표지에는 "**경제학 비판을 위하여**"라는 제목과 노트 번호 "V"가 쓰여 있다. 마르크스가 175a와 A라고 표시한 앞표지 뒷면에는 『요강』 발췌 부분과 램지 인용문이 있다. 그 이후의 쪽들에 175~219로 쪽수를 쓰면서 원래의 쪽수 위에 겹쳐 썼기 때문에 원래의 쪽수는 알아볼 수가 없다. 뒷표지에는 쪽수를 쓰지 않았다. 175a, 189, 209쪽은 끝까지 다 쓰지 않았다. 208쪽에서는 "**여덟째**"("**일곱째**"를 잘못 쓴 것으로 보인다. G314쪽의 마지막에 이에 관한 변경사항이 있다. —옮긴이) 앞에 꽤 많은 여백을 남겨두었다.

변경사항 목록/교정사항 목록/해설

(내용상 특히 중요한 변경사항은 주 번호 왼쪽에 ˙로 표시했다. — MEGA 편집자)

경제학 비판을 위하여

1 (v) 앞표지에는 이 제목과 노트 번호(I — 옮긴이)가 쓰여 있다. 여백 부분은 나중에 계산으로 채워졌다. 왼쪽 아래에 마르크스는 기계 부품들을 메모했다. "지레, 바퀴, 차축, 사면, 나사, 도르래, 쐐기." 이들 부품은 찰스 허턴이 그의 저서 『수학 과정』, 제12판, 런던, 1841~43년, 174~75쪽에서 거명했다. 마르크스는 제19노트 1237쪽에서 이 구절을 인용했다. 부속자료 G22쪽 복사자료를 보라.

1861년 8월. 제3장 자본 일반.

1 (v) 마르크스는 보통 노트의 처음에 목차를 썼다. 본 초고의 노트 제1노트~제5노트에서는 제1노트와 제2노트의 A쪽, 즉 표지 뒷면에만 그러한 목차들이 발견되는데 이는 나중에 쓴 것이 분명하다.

2 (v) 제1노트의 A쪽에는 초고 목차 외에 다음과 같은 것들이 쓰여 있다. 첫째, S. P. 뉴먼, 『경제학 요강』(앤도버/뉴욕, 1835년)에서 따온 인용문. 이는 G139쪽 19~22행에 대한 변경사항으로 수록되었다. 둘째, 톰프슨(벤저민)(럼퍼드 백작) 외 『정치 · 경제 · 철학 논집』(런던, 1796~1802년)에 대한 지시. 이는 G40쪽 34행~G41쪽 5행에 대한 변경사항으로 수록되었다. 셋째, 『요강』에서의 발췌문. G146쪽 2~22행을 보라("자본과 노동 사이의 교환에서는 … 본질적으로 다른 범주이다." — 옮긴이). 넷째, 필요노동과 잉여노동의 비율에 대한 마르크스의 메모. G318쪽 13~23행을 보라("〔잉여노동과 필요노동의 초기 … =5:1.〕 — 옮긴이).

3 (v) 제2노트의 A쪽에는 목차 항목 I. 1) h) **전화과정의 두 가지 구성요소** 이외에 『요강』에서 발췌한 것이 쓰여 있다. G146쪽 23행~G147쪽 33행을 보라("노동자가 판매하는 것은 … 투쟁이 이를 증명하고 있다." — 옮긴이).

a) G—W—G. 자본의 가장 일반적인 형태

1 (v) "a) G — W — G. 자본의 가장 일반적인 형태"는 새로 삽입된 것.

2 (v) "다시" — 새로 삽입된 것.

3 (e) 카를 마르크스, 『경제학 비판을 위하여』, 제1권, 베를린, 1859년, 제2장 제2절 a) 상품의

형태변화, 65~76쪽.

4 (v) "즉 구매하기" — 새로 삽입된 것.

5 (v) "면화" ← "상품"

6 (v) 이 보충설명 전체는 새로 삽입된 것이다. 이 보충설명은 페이지 아래 여백에서 시작되어 왼쪽 여백까지 계속된다(G7쪽 복사자료를 보라). 원래의 글을 중단하지 않기 위해서 보충설명 형식으로 실었다.

7 (v) 여기에 "동일한 상품"(dieselbe Waare)이라고 썼다가 곧바로 지우고 "동일한"(gleiche) 이라고 썼다가 곧바로 지웠음.

8 (v) "교환행위" ← "교환과정"

9 (v) "교환행위" ← "과정"

10 (v) 처음에 여기에서 문장을 끝내고, 다음 문장을 "이 교환행위에서"로 썼다가 곧바로 지우고 본문과 같이 이어 씀.

11 (v) "각자 … 달성한다"(erfüllen jeder) ← "달성한다"(erfüllen) ← "한다"(machen)

12 (v) "또는 자신의 교환가치를, 즉 화폐의 상이한 형태규정으로서 나타나는 일정한 자립적 형태들을 발전시키기 때문이다" ← "그리고 단지 화폐의 상이한 형태규정을 표시하는 데 불과한, 교환가치의 일정한 자립적 형태들이 발전하기 때문이다"

13 (v) "상품형태에서 다시 가치의 화폐형태로 되돌아가면서는" ← "유통에서 보존되고, 또 유통에서 다시 되돌아가면서는" ← "kehrt"

14 (v) 여기에 "또는 다음의 것을 자본에 가장 가까운 정의*라고 말할 수 있다"라고 썼다가 나중에 지웠음.

* "가장 가까운 정의" ← "가장 일반적인 표현"

15 (v) 여기에 "상품이 되고(상품과 교환되고), 그러나"라고 썼다가 지웠음.

16 (v) "배가되어" ← "배가되고 증대되어" ← "배가되어"

17 (v) "극" ← "원래 형[태]".

18 (v) "이 (가치)형태" ← "그것의 형태"

19 (v) 여기에 "결과로서"라고 썼다가 곧바로 지웠음.

20 (k) "89" — 자필 원고에는 "90"으로 되어 있음.

21 (e) 이 인용문은 「인용문 노트」, 22쪽에서 옮겨 쓴 것. 시스몽디의 원문은 다음과 같다. "그것은 항구적이며, 증식하는 그리고 더 이상 소멸하지 않는 가치였다. 그것은 자본이었다."

22 (v) 이어서 "자본에서 화폐는 자신의 경직성을 상실했고 명[백한]"이라고 썼다가 곧바로 지웠음.

23 (v) "G — W — G를 형태 면에서" ← "G — W — G 형태를"

24 (v) 여기에 "첫 번째"라고 썼다가 곧바로 지웠음.

25 (v) 여기에 "따라서"라고 썼다가 나중에 지웠음.

26 (k) "소재" — 자필 원고에는 "소재들"로 되어 있음.

27 (k) "제2권, 429쪽" — 자필 원고에는 "제1권, 428쪽"으로 되어 있음.

28 (e) 이 인용문은 「인용문 노트」, 22쪽에서 옮겨 쓴 것.

29 (e) 이 인용문은 「인용문 노트」, 78쪽에서 옮겨 쓴 것. 강조는 마르크스가 한 것.

30 (e) 매클라우드의 원문(55쪽)에는 다음과 같이 되어 있음. "통화가 이 방법으로 사용될 때, 즉 통화가 다른 물품의 생산에 이용되도록 의도된 물품을 생산하는 데 사용될 때인데 그것은 보통 **자본**이라 불린다. 자본이라는 단어의 사용은 다른 것들의 생산에서 대리인으로서 활동하도록 생산된 물품 자체에 적용되도록 확대되기도 한다."

31 (v) "곧 사라지는 형태" — 새로 삽입된 것.

32 (v) "유통형태 W — G — W에서는 … 두 형태에서 나타난다"는 새로 삽입된 것.

33 (v) “어떤” — 새로 삽입된 것.

34 (e) 『최근 맬서스가 주장하는 수요의 성질과 소비의 필요에 대한 원리 연구』, 런던, 1821년, 49/50쪽과 55쪽. 또한 제14노트, 777/778쪽을 보라.

35 (e) “거래”(trade) — 『최근 맬서스 씨가 …』에는 “물품”(article)으로 되어 있음.

36 (e) 여기서부터 “그들에게 넘겨준 것이다”까지 인용문은 「인용문 노트」, 87쪽에 있음.

37 (v) 이 문단 전체는 새로 삽입된 것으로, 노트 16~17쪽에서 옮겨 쓴 것. “I. 1. a. **4쪽 2행에 대한 보충설명**”이라는 메모로 삽입할 곳을 지시하고 있다. 이 보충설명은 꺾쇠괄호 안에 들어 있다.

38 (v) 이 문단 전체는 새로 삽입된 것으로, “×(I. 1. a. **4쪽 2행에 대한 보충설명**)”이라는 메모로 삽입할 곳을 지시하고 있다. 이는 노트 17쪽에 마지막으로 쓰인 것으로, 이 아래는 여백이다. 마르크스는 G11쪽 10행~G12쪽 22행(“상품생산에 참여하지 않음에도 불구하고 … 원리 연구』, 런던, 1821년) — 옮긴이)을 삽입한 뒤에 “×(같은 쪽 중간에 있는)를 보라”고 써서 이 삽입 부분을 가리키고 있다. 이 보충설명은 꺾쇠괄호 안에 들어 있다.

39 (v) 여기에 “자기를”이라고 썼다가 곧바로 지웠음.

40 (v) 여기에 “자[본]”이라고 썼다가 곧바로 지웠음.

41 (v) “뿐 아니라” — 새로 삽입된 것.

42 (v) “상품을 매개로 다시 유통에서 꺼내기 위해서” — 새로 삽입된 것.

43 (e) 1767년에 런던에서 처음 출판된 제임스 스튜어트의 『경제학 원리 연구』는 6권짜리 『저작집』에서 인용되었다. 마르크스는 이 판을 제7노트(런던, 1859~62년), 183쪽에 발췌하고 여기에서 이들 인용문을 옮겨 왔다. 마르크스는 제7노트에서 이 판의 출판 연도를 실수로 1805년이 아니라 1801년이라고 적었다. 이 오류는 『자본』의 4개 판에서 전부 계속된다.

44 (k) “1805” — 자필 원고에는 “1801”로 되어 있음.

45 (v) 여기에 “**둘째.**”라고 썼다가 곧바로 지웠음.

46 (v) 여기에 “자립[적]”이라고 썼다가 곧바로 지웠음.

47 (v) 여기에서 행을 바꾸고 “**둘째.**”라고 썼다가 곧바로 지웠음.

48 (v) “일정한 가치액이 화폐로서” ← “일정한 화폐액이나 가치액이”

49 (v) “운동이 시작될 때” — 새로 삽입된 것.

50 (v) “요컨대” — 새로 삽입된 것.

51 (v) “보존되었을 뿐 아니라” — 새로 삽입된 것.

52 (v) “(*surplus value*)” — 새로 삽입된 것.

53 (v) “스스로 **증식하는**” ← “배[가되는]”

54 (v) 여기에 “고수되는”이라고 썼다가 곧바로 지웠음.

55 (v) 여기에 “교환가치로서 작용하는 것”(Als Tauschwerth zu wirken)이라고 썼다가 곧바로 지웠음.

56 (v) 여기에 “사용가치”라고 썼다가 곧바로 지웠음.

57 (k) “포기하자마자”(aufgiebt) — 자필 원고에는 “aufgebe”로 되어 있음.

58 (v) “따라서” — 새로 삽입된 것.

59 (v) 여기에 “이미”라고 썼다가 나중에 지웠음.

60 (v) “직접” — 새로 삽입된 것.

61 (v) 다음에 “그것의”라고 썼다가 곧바로 지웠음.

62 (v) 여기에 “와 그것의 양적”이라고 썼다가 곧바로 지웠음.

63 (v) 여기에 “특정한”이라고 썼다가 나중에 지웠음.

64 (v) 여기에 “일반적인 부의 개념”이라고 썼다가 곧바로 지우고 “일반적인 물질적 부의 개념”이라고 썼다가 곧바로 지웠음.

65 (v) 여기에 "따라서 증식은"이라고 썼다가 곧바로 지웠음.

66 (v) "화폐는 시작할 때 있던 것이 … 동일한 형태로 나온다." — 이 문장 전체가 새로 삽입된 것.

67 (v) "절대적인" — 새로 삽입된 것.

68 (e) 『정치학』(전 8권), 이마누엘 베커 엮음, 『저작집』, 제10권, 옥스퍼드, 1837년, 제9장에서 아리스토텔레스는 경제학(Oekonomik, 가계 운영 기술)과 이재학(Chrematistik, 돈벌이 기술)의 관계에 대해 언급하고 있다. 이 장의 발췌문들은 1858년 여름 런던에서 작성한 「발췌 노트」에 있다. 『경제학 비판을 위하여』의 초고를 집필하면서 마르크스는 이 발췌문들에 의존했다(노트 B″, 8쪽을 보라). 『경제학 비판을 위하여』(베를린, 1859년), 117쪽에서 마르크스는 아리스토텔레스가 "유통의 두 가지 운동 W — G — W와 G — W — G를 '경제학'과 '이재학'이라는 이름 아래 대립시켜" 설명하고 있음을 확인했다. 1861~63년 초고 6쪽의 언급에 따라서 마르크스는 1862년 여름에 아리스토텔레스의 이 저술을 다시 한번, 1858년보다 더 상세하게 발췌했다. 이때 그가 이용한 것은 슈타르 판(라이프치히, 1839년)이었다. 발췌문들은 제7노트(런던, 1859~62년), 238~41쪽에 있다. 마르크스는 이 발췌문들에 기초해서 『자본』 제1권, 113~14쪽의 각주 6을 작성했는데, 여기에서 그는 "경제학"과 "이재학"에 관한 아리스토텔레스의 설명을 요약했다.

69 (v) 여기에 "유통을 통한"이라고 썼다가 나중에 지웠음.

70 (v) "증가하는 전유" ← "증대"

71 (v) "그의 지휘권" ← "그의 처분[권]"

72 (v) "노동의" ← "특정한 노동시간의"

b) 가치의 본성에서 유래하는 난제 등

1 (v) "쉽게" — 새로 삽입된 것.

2 (v) "상품의 형태변화를 보여준다" ← "상품이 형태변화를 겪게 한다" ← "단지 …에 불과하다"(ist nur)

3 (v) "변하지 않으며" ← "…에 머물러 있으며"

4 (v) "그것의 가격으로 표시되는 화폐량" ← "일정량의 화폐"

5 (v) "화폐형태는 상품 자체의 … 아무런 변화가 없다." — 이 문장 전체가 새로 삽입된 것.

6 (k) "W — G — W" — 자필 원고에는 "G — W — G"로 되어 있음.

7 (v) "(W — G)" — 새로 삽입된 것.

8 (v) 여기에 "분명히"라고 썼다가 나중에 지웠음.

9 (v) 여기에 "그 가치대로 구매하지만"이라고 썼다가 나중에 지웠음.

10 (v) "다시" — 새로 삽입된 것.

11 (v) "그를 상대하는 다른 판매자가" ← "다른 판매자가 그에 대해"

12 (v) 여기에 "그리고 우리는"이라고 썼다가 곧바로 지웠음.

13 (v) "오히려" — 새로 삽입된 것.

14 (v) "판매한" ← "판매하는"

15 (v) 여기에 "또는 모든 상품보유자가 … 구매한다면"이라고 썼다가 곧바로 지웠음.

16 (v) "마찬가지이다"의 표현을 "Ebenso" ← "Es ist dasselbe"

17 (v) 여기에 "직접적인 생산물교환, 물물교환을 가정하면, 분명한 것은"이라고 썼다가 곧바로 지웠음.

18 (v) 여기에 "겉보기에"라고 썼다가 곧바로 지웠음.

19 (v) 여기에 "한쪽이 곡물을, 다른 쪽이 철을 생산한다면 전자는 주어진 노동시간에 더 많은 곡물을, 후자는 주어진 노동시간에 더 많은 철을 생산하는 것이 가능하다"고 썼다가 곧바로 지웠음.

20 (e) 이 인용문은 「인용문 노트」, 67쪽에서 옮겨 쓴 것. 강조는 마르크스가 한 것.

21 (v) 여기에 "물론 사용가치는 그것을 구매한 사람에게는 … 사람에게 더 큰* 가치를 갖는 것으로"라고 썼다가 곧바로 지웠음.
* "더 큰" ← "다른"

22 (v) 다음에 "생산하고"라고 썼다가 곧바로 지웠음.
(k) "판매하고" — 자필 원고에는 "판매하고 생산하고"로 되어 있음. 여기에 "생산하고"라고 썼다가 지우는 것을 잊은 듯함.

23 (v) "아마도" — 새로 삽입된 것.

24 (v) "생산하고, B도" ← "생산할 것이다. B는"

25 (v) "일반적으로" — 새로 삽입된 것.

26 (v) "재전화시키는" ← "전화시키는"

27 (v) 여기에 "교환에서 우리가 고찰하는 것은 그 결과이고 교[환]"이라고 썼다가 곧바로 지웠음. "사용가치"에 붙은 정관사 den은 새로 삽입된 것.

28 (e) 이 인용문은 「인용문 노트」, 18쪽에서 옮겨 쓴 것.

29 (v) "교환한다면" — 새로 삽입된 것.

30 (v) 여기에 "자신의 화폐를"이라고 썼다가 곧바로 지웠음.

31 (v) "B에게 화폐로 준" ← "지출한"

32 (k) "A" — 자필 원고에는 "B"로 되어 있음.

33 (v) 여기에 "일반적 노[동]"이라고 썼다가 곧바로 지웠음.

34 (v) 여기에 "일반[적]"이라고 썼다가 곧바로 지웠음.

35 (v) 이 문단 전체가 새로 삽입된 것.

36 (v) "100실링" ← "10탈러"

37 (v) "50실링" ← "그만큼"

38 (v) 여기에 "교환행위 전"이라고 썼다가 나중에 지웠음.

39 (v) 여기에 "오로지 하나의"(nur ein)라고 썼다가 곧바로 지웠음.

40 (v) "분배에서 변동" ← "변화"

41 (v) 여기에 "부당하게"라고 썼다가 나중에 지웠음.

42 (v) 여기에 "가[치]의 감소"라고 썼다가 나중에 지웠음.

43 (v) 여기에 "유통에"라고 썼다가 곧바로 지웠음.

44 (k) "2" — 자필 원고에는 "1"로 되어 있음.

45 (e) 이 인용문은 「인용문 노트」, 67쪽에서 옮겨 쓴 것.

46 (v) "그들의 총자본을 증대하거나" — 새로 삽입된 것.

47 (v) "그러한" ← "이"

48 (e) 카를 마르크스, 『경제학 비판을 위하여』, 제1권, 베를린, 1859년, 15쪽.

49 (v) 여기에 "상품들이 **등가물**로서 교환된다는 것, 그리고 그것들이 등가물을"이라고 썼다가 곧바로 지웠음.

50 (v) 여기에 "증식[되는]"이라고 썼다가 곧바로 지웠음.

51 (v) "한편의 가치가" ← "한편이 자신의 가치를"

52 (k) "1843" — 자필 원고에는 "1823"이라고 썼다가 "1853"으로 고쳤음.

53 (k) "169" — 자필 원고에는 "168"로 되어 있음.

54 (e) 이 인용문은 「인용문 노트」, 75쪽에서 옮겨 쓴 것.

55 (v) "유명한" — 새로 삽입된 것.
56 (e) 이 인용문은 「인용문 노트」, 48쪽에서 옮겨 쓴 것.
57 (v) "구매하려는지" ← "요구하는지"
58 (v) "판매자는 언제나 사용가치를 대표한다." — 이 문장 전체가 새로 삽입된 것.
59 (v) 여기에 "그리고 모든 구매자는"이라고 썼다가 곧바로 지웠음.
60 (v) 여기에 "구매자는 언제나 소비[자]"라고 썼다가 곧바로 지웠음.
61 (v) "교환"(Austausch) ← "거래"(Tausch)
62 (e) 이 인용문은 「인용문 노트」, 8쪽에서 옮겨 쓴 것. 강조는 마르크스가 한 것.
63 (k) "183" — 자필 원고에는 "181"로 되어 있음.
64 (v) "재교환" ← "교환"
65 (e) 추가된 맬서스에 대한 언급은 비생산적 계급들에 관한 그의 이론을 가리킨다. 마르크스는 제13노트, 753~78쪽, 특히 765쪽 이하에서 이 이론을 자세히 논하고 있다.
66 (v) "(**맬서스**를 보라.)" — 새로 삽입된 것.
67 (v) 여기에 "상품보유자가 구매하고"라고 썼다가 곧바로 지우고 "상품보유자가 판매하고"라고 썼다가 곧바로 지우고 "화폐가 구매하고"라고 썼다가 곧바로 지웠음.
68 (v) "또는 이렇게 말하고자 한다면 … 증대했기 때문이다." — 새로 삽입된 것.
69 (v) 여기에 "상품들이"라고 썼다가 곧바로 지웠음.
70 (v) "상품들"(die Waaren)에 붙어 있는 정관사 die는 새로 삽입된 것.
71 (v) 여기에 "더 큰"이라고 썼다가 곧바로 지웠음.
72 (v) "정직한"(ehrbare) — 새로 삽입된 것.
73 (v) 여기에 이어서 "그의 이 마지막 방법에서"라고 썼다가 곧바로 지웠음.
74 (e) 이 인용문은 「인용문 노트」, 48쪽에서 옮겨 쓴 것. 아마도 벤저민 프랭클린, 『지폐의 성질과 필요에 관한 연구』, 『프랭클린 저작집』, 재러드 스파크스 엮음, 제2권, 보스턴, 1836년, 376쪽을 이용한 것 같다. 프랭클린의 원문에는 다음과 같이 되어 있다. "… 끝으로, 국부를 증가시키는 방법은 세 가지밖에 없는 것 같다. 첫째는 **전쟁**에 의한 것이다. 로마인들이 그러했듯이 정복한 이웃을 약탈하는 것이다. 이것은 **강탈**이다. 둘째는 **상업**에 의한 것인데, 이것은 일반적으로 **속임수**이다. 셋째는 **농업**에 의한 것이다. 이것이 유일하게 **정직한 방법**이다. …"
75 (v) "현존형태" ← "형태"
76 (v) "다시 판매하기 위해서 구매하기" ← "구매하는 것보다 더 비싸게 판매하기 또는 판매하는 것보다 더 싸게 구매하기, 이것은 언제나 결국 그가 구매하는 것보다 더 비싸게 판매하는 것이다."
77 (e) 튀르고는 주저 『부의 형성과 분배에 관한 고찰』을 1766년에 집필했다. 이는 뒤퐁 드 느무르에 의해 1769~70년에 처음으로 출판되었다.
78 (e) 이 인용문은 「인용문 노트」, 36쪽에서 옮겨 쓴 것. 튀르고의 원문에는 다음과 같이 되어 있음. "상인들의 서로 다른 주문들, 이 모든 주문이 가진 공통점은 되팔기 위해 구매한다는 것이다. … 어떤 상인은 자신의 상품을 소규모로 개별 소비자에게 판매한다. 다른 상인은 소비자들에게 소매로 파는 다른 상인들에게 대량 판매한다. 그러나 **되팔기 위해 구매한다**는 것은 이들 모두가 가진 공통점이다."
79 (v) 여기에 "그의 운동"이라고 썼다가 곧바로 지웠음.
80 (v) "판매자들과 구매자들" ← "구매자들과 판매자들"
81 (v) 여기에 "교환에서"라고 썼다가 곧바로 지웠음.
82 (v) "그와 거래하는 자들의 손실만으로 구성된" ← "그와 거래하는 자들의 손실만을 나타내는"

83 (v) "산업이" — 새로 삽입된 것.
84 (v) "이루어졌다" ← "이루어진다"
85 (v) "그리고 사회의 경제적 구조가" — 이 구절이 없이 써 나가다가 중단하고 이 구절을 넣고 이어 썼음.
86 (v) "자본의 주요 형태들이 발전하기 오래전에" ← "자본이 본래의 의미에서 발전하기 전에"
87 (v) "자기증식" ← "잉여가치"
88 (v) "가치액" ← "가치크기"
89 (v) "단지 다른 분배 이상이어야" ← "단지 다른 분배가 아니라"
90 (e) 이 인용문은 「인용문 노트」, 18쪽에서 옮겨 쓴 것. 옵다이크의 원문에는 다음과 같이 되어 있음. "그렇다면 생산물의 진정한 가치는 정확하게 확정될 수 없고, 완벽한 척도의 도움을 받을지라도 불변의 등가물의 규칙 아래서는 생산물의 교환이 이익이 되도록 이루어질 수 없다면, 상업은 어떻게, 어떤 규칙에 의해서 가치들의 교환에 지배되고 있는가?"
91 (e) 프리드리히 엥겔스, 「경제학 비판 개요」, 《독일-프랑스 연보》, 제1, 2권, 파리, 1844년, 95/96쪽. "실질가치와 교환가치의 차이의 근저에는 한 가지 사실이 놓여 있다 — 즉 사물의 가치는 상업에서 그것과 교환으로 주어진 이른바 등가물과는 다르다는 것, 즉 이 등가물은 등가물이 아니라는 것이다."
92 (v) "통속적 견해" ← "통상적 관념"
93 (v) 여기에 "요컨대"라고 썼다가 지웠음.
94 (e) "케파라이온" — 사물(Sache). 자본이라는 단어의 어원 형성은 샤를 뒤프렌 뒤캉주가 『중세와 속용 라틴어 어휘』, 제2권, 파리, 1842년, 139~41쪽에서 연구했다. 『요강』, 제5노트, 15쪽도 보라.
95 (e) 제15노트, 891~950b쪽을 보라.
96 (v) "사용할 수 있거나" ← "사용하거나"
97 (v) "뿐 아니라" — 새로 삽입된 것.
98 (v) "**자본** 자체가 독특한 **상품**으로서" ← "자본이 **상품**으로서"
99 (v) "증식력" ← "일반적 형태"
100 (v) "특수한" — 새로 삽입된 것.
101 (v) "자본관계" ← "관계"
102 (v) 여기에 "양도될"이라고 썼다가 곧바로 지웠음.
103 (v) "잉여가치 일체의 존재" ← "잉여가치"
104 (v) "이자 낳는" — 새로 삽입된 것.
105 (v) 여기에 "더 큰"이라고 썼다가 곧바로 지웠음.
106 (v) 여기에 "자급자[족적인]"이라고 썼다가 나중에 지웠음.
107 (v) "요컨대 형식적으로는 **자본**으로" — 이 구절이 없이 써 나가다가 중단하고 이 구절을 넣고 이어 썼음.
108 (v) "**구매하기** 위해서," — 새로 삽입된 것.
109 (v) 여기에 "도"(noch)라고 썼다가 나중에 지웠음.
110 (v) 여기에 "유통"이라고 썼다가 곧바로 지웠음.

α에 대한 보충설명

1 (v) 여기에 다음 절의 제목 "γ) **노동과의 교환. 노동과정. 가치증식과정**"을 썼다가 곧바로

지우고 이 보충설명을 썼음.

2 (v) "α" ← "β"

3 (e) 이하 보충설명은 『요강』(MEGA② II/1.1, 183~85쪽)에서 옮겨 쓴 것. 1861년의 집필 계획 초안에서 마르크스는 "I) 자본의 생산과정. 1) 화폐의 자본으로의 전화. α) 이행" 중 "유통과 유통에서 유래하는 교환가치가 자본의 전제이다"라는 항목에서 『요강』의 몇몇 페이지를 기록했는데, 그중에는 본문을 이 초고로 옮겨 쓴 부분을 포함한 페이지도 있다.

4 (k) 자필 원고에는 행이 바뀌지 않고 제목과 이어져 있음.

γ) 노동과의 교환. 노동과정. 가치증식과정

1 (v) 여기에 "노동시간이 표현되어 있다. 화폐에는 노동시간이 대상화된 노동시간으로서 존재한다"라고 썼다가 곧바로 지웠음.

2 (v) "정도" ← "비율"

3 (v) "있다"(ist der) ← "이 … 존재한다"(existirt dieser).

4 (v) 여기에 "그러나 두 가지 형태에서 … 존재한다"라고 썼다가 지웠음.

5 (e) 카를 마르크스, 『경제학 비판을 위하여』, 제1권, 베를린, 1859년, 제2장, 제2절 c) 주화. 가치표지, 92~95쪽.

6 (v) 여기에 "단순한 현존"이라고 썼다가 곧바로 지웠음.

7 (v) "**대상화된** 노동량" ← "**대상화된** 노동"

8 (v) 여기에 "화폐로의"라고 썼다가 곧바로 지웠음.

9 (v) "전제" ← "조건"

10 (v) "그것은 동일한 내용의 형태변화일 뿐이다." — 이 문장 전체가 새로 삽입된 것.

11 (v) "인간의" — 새로 삽입된 것.

12 (v) "주어진 가치가 보존되거나 증대될" ← "가치가 증[대될]"

13 (v) 여기에 "가치를"이라고 썼다가 곧바로 지웠음.

14 (v) 여기에 "종류의"라고 썼다가 곧바로 지웠음.

15 (v) 자필 원고에는 여기에 "**I 1) a. 4쪽 2행에 대한 보충설명**"이라고 쓰여 있다. 이것은 지시된 곳인 G11쪽 10행에서 G12쪽 22행까지 삽입되었다.

16 (v) "**증대하기**는 더더욱 할 수 없다" — 새로 삽입된 것.

17 (v) 여기에 "가치 증대란 다름 아니라 대상화된 노동의 증대이다. 그러나 대상화된 노동이 증대될 수 있는 것은 살아 있는 노동과의 교환을 통해서만 가능하다. 그 까닭은 가치 증대는 바로 대상화된 더 많은 살아 있는 노동이기 때문이다. 그러나 **살아 있는 노동** 자체는 상품이 아니다. 상품은 교환[되기] 위해서 비로소 생산된다"라고 썼다가 곧바로 지웠음.

18 (v) 자필 원고에는 여기에 "×(I, 1. a. **4쪽 2행에 대한 보충설명)**"이라고 쓰여 있다. 이것은 지시된 곳인 G12쪽 23~31행에 삽입되었다.

19 (v) "교환가치를 증대하는 것을" ← "가치를 증대하는"

20 (v) "직접" — 새로 삽입된 것.

21 (v) 여기에 "노동의 보유자, 우리가 노동능력의 인격화로서 노동자라 부를 수 있으나 그것은 전적으로 다음과 마찬가지로"라고 썼다가 곧바로 지웠음.

22 (v) 여기에 "처분"이라고 썼다가 곧바로 지우고 "사용"이라고 썼다가 곧바로 지웠음.

23 (v) 여기에 "그러나 둘째로 그는 … 해야 한다"라고 썼다가 곧바로 지웠음.

24 (e) "뒤나미스"(δύναμις) — 가능성(Möglichkeit).

25 (v) 여기에 "모든 상품보유자가 … 제[공]하듯이"라고 썼다가 곧바로 지웠음.

26 (v) 여기에 "특유하게"라고 썼다가 곧바로 지웠음.
27 (v) "실현하기" ← "대상화하기"
28 (v) "사용가치로" — 새로 삽입된 것.
29 (v) 여기에 "활[동하는]"이라고 썼다가 곧바로 지웠음.
30 (v) "살아 있는" — 새로 삽입된 것.
31 (v) "그 보유자로부터" — 새로 삽입된 것.
32 (v) "자신을 고수하는 가치의" — 새로 삽입된 것.
33 (v) "자신의 노동능력 외에는 판매할 것이 없는" ← "자신의 노동능력을 판매하기 위해 내놓는" ← "자신의 노동능력만을 시장에"
34 (v) 여기에 "사[회적]"이라고 썼다가 곧바로 지웠음.
35 (v) 여기에 "경제적"이라고 썼다가 나중에 지웠음.
36 (v) 여기에 "전개"라고 썼다가 곧바로 지웠음.
37 (v) "역사적으로 특정한" ← "특정한 역사적"
38 (v) "이것은 사회의 구성원들 사이의 역사적으로 특정한 관계를 전제로 한다." — 이 문장 전체가 새로 삽입된 것.
39 (v) "이고 필연적인" — 새로 삽입된 것.
40 (v) "인 자본주의적 생산양식" — 새로 삽입된 것.
41 (v) "모든 생산물"의 표현을 "jeder Produkt" ← "alle Produkte", "…야 한다"의 표현을 "muß" ← "müssen"
42 (v) "오히려 우리는 부르주아적 생산에서는 … 사실에서 출발한다." — 이 문장 전체가 새로 삽입된 것.
43 (v) "그러나" ← "오히려"
44 (v) "직접적인" — 새로 삽입된 것.
45 (v) "기관들" ← "체제들이나 마[디들]"
46 (v) "역사적" — 새로 삽입된 것.
47 (v) "이들 다양한 화폐기능의 단순한 형태로부터 발생하는" ← "이들 다양한 화폐기능의 단순한 형태 자체를 암시하는"
48 (v) "또는" ← "그리고"
49 (v) 여기에 "역사적으로"이라고 썼다가 나중에 지웠음.
50 (v) "고유한" ← "독특한"
51 (v) "특정한 시기의 토대" ← "사회적으로 특정한 시기"
52 (v) "특정한 역사적 과정의 결과일 수밖에 없고 사회적 생산양식에서 특정한 시기의 토대일 수밖에 없는" ← "특정한 역사적 과정의 산물이자 역사적으로 특정한 생산양식의 토대인" ← "특정한 역사적 과정의 산물이자 역사적 토대인"
53 (v) "가치에" — 새로 삽입된 것.
*54 (v) "노동자의"라는 말 위에 삽입 표시 없이 "주체의"라는 말이 쓰였음.
55 (v) 여기에 "하는 가능성이고"라고 썼다가 곧바로 지웠음.
56 (v) 여기에 "바로 그에 의해서 실[제로]"(in eben der von ihm wirk[lich])라고 썼다가 곧바로 지웠음.
57 (v) 여기에 "과정에서"이라고 썼다가 곧바로 지웠음.
58 (v) "대상적" — 새로 삽입된 것.
59 (e) 카를 마르크스, 『경제학 비판을 위하여』, 제1권, 베를린, 1859년, 3~5쪽.
60 (v) "으로 특징지을" ← "으로 불[릴]"
61 (v) "자체" — 새로 삽입된 것.

62 (v) "그는 그러한 것으로서, 개념에 따라" ← "그는 그러한 것으로서" ← "따라서 그는"
63 (v) 여기에 "단지 화[신]"이라고 썼다가 지웠음.
64 (v) "특정한" ← "부의"(seiner)
65 (v) 여기에 "가치의"라고 썼다가 곧바로 지웠음.
66 (v) "경제학" ← "부르주아 경제학"
67 (v) 이하 구절의 첫머리는 so ist로 시작하는데 이 ist(이다)는 erscheint(나타난다)를 바꾼 것이다.
68 (v) 여기에 "서로에 대하여 유통에서 유일한* 상품으로서의 노동능력을"이라고 썼다가 지웠음.
  * "유일한" — 새로 삽입된 것.
69 (v) 여기에 "해야 한다"라고 썼다가 나중에 지웠음.
70 (v) "한편으로는" ← "먼저"
71 (v) "그는 단순한 노동능력으로서 대상적, 실제적 부에 맞서 있다는 것" — 새로 삽입된 것.
72 (v) "있고"(steht) — 새로 삽입된 것.
73 (v) "부의" — 새로 삽입된 것.
74 (v) 여기에 "가능성으로 보아"라고 썼다가 곧바로 지웠음.
75 (e) 1861년 집필계획 초안에서 이것은 "5) 임노동과 자본" 절이다.

노동능력의 가치. 최저임금 또는 평균임금

1 (v) "필요한" ← "존재하는"
2 (v) "필요" — 새로 삽입된 것.
3 (v) "다른 어떤 사용가치의 가치와 마찬가지로" — 새로 삽입된 것.
4 (v) 여기에 "가치는"이라고 썼다가 곧바로 지웠음.
5 (v) "다음 날 아침에도" ← "다음 날에도"
6 (v) "노동할 수 있기 전에 살아 있어야 한다" ← "그것을 개발하기 위해서 살아 있어야 한다"
7 (v) "자기 자신의" — 새로 삽입된 것.
8 (v) "신선한" ← "새로운"
9 (v) "충분히" — 새로 삽입된 것.
10 (v) 여기에 "나아가 마지막으로 얼마간 필요한 것은"이라고 썼다가 곧바로 지웠음.
11 (v) "본성" ← "생명[성]"(lebendigk[eit])
12 (v) "있게 되도록" ← "있도록"
13 (v) 여기서 문장을 끊고 "So richtig"라고 썼다가 곧바로 지우고 본문처럼 이어 썼음.
14 (v) "노동자로서 살고" — 새로 삽입된 것.
15 (v) 여기에 "필요노동시간"이라고 썼다가 곧바로 지웠음.
16 (v) "또는 사용가치" — 새로 삽입된 것.
17 (v) 여기에 "그 생활수단들이 포함하는 가치는 노동생산력의 변화에 따라 많거나 적은"이라고 썼다가 곧바로 지웠음.
18 (v) 여기에 "매일"이라고 썼다가 나중에 지웠음.
19 (v) "이를테면 식량, 의복, 주택, 난방" — 새로 삽입된 것.
20 (v) "마찬가지로 이른바 일차적 생활욕구의 범위와 그 충족방식도 사회의 문화 상태에 상당 부분 좌우되므로 — 그 자체가 역사적 산물이므로" ← "마찬가지로 이른바 필요 욕구의

범위는 그 충족방식 자체와 마찬가지로 *1)사회의 문화 상태와 함께 변화 — 그 대부분은 그 자체가 우선 첫째로 민족의 역사적 *2)기원 등과 관련되어 있다 — 하기 때문에" ← "마찬가지로 *3)본래적 욕구는 부분적으로 … 방식과 내용에 … 하므로"

* 1) 여기에 "일부는 역사적인"이라고 썼다가 곧바로 지웠음.
* 2) "기원" ← "발전"
* 3) "본래적" — 새로 삽입된 것.

21 (v) "같은 나라에서 부르주아 시대의 상이한 국면들을 비교하면 노동의 **가치** 수준마저도 상승하거나 하락한다" ← "노동의 **가치** 수준은 *부르주아 시대 자체의 상이한 시기를 비교하면 상승하거나 하락한다"

* 여기에 "일정한 … 내부에는"이라고 썼다가 곧바로 지우고 "결코 현저하지는 않지만"이라고 썼다가 곧바로 지웠음. 또 "동일한 생산 내에서"라고 썼다가 곧바로 지웠음.

22 (v) "노동능력의 시장가격은 그 **가치** 수준 이상으로 상승하기도 하고 그 이하로 하락하기도 한다" ← "노동자가 받는 시장가격은 때로는 실제 가치 수준 이상으로 상승하기도 하고 그만큼 자주 그 이하로 하락하기도 한다"

23 (v) "그것들의" — 새로 삽입된 것.

24 (v) "따라서 상품들의 가치는 요컨대 시장가격의 이러한 변동 자체에서" ← "요컨대 이들의 변동 자체에 의해"

25 (v) "노동자 욕구 수준의 이러한 운동에 관한 문제*1)는 노동능력의 시장가격이 이 수준 이상 또는 이하로 상승 또는 하락하는 문제와 마찬가지로" ← "노동능력의 가치 수준*2)의 운동에 관한 이들 연구는 그것의 시장가격의 상승 또는 하락과 마찬가지로"

* 1) "문제" ← "서술"
* 2) "가치 수준" ← "수준"

26 (v) "수준" ← "가치"

27 (v) "가정하든" ← "설정하든"

28 (v) 여기에 "언제나"를 새로 삽입했다가 나중에 지웠음.

29 (v) "결정된 것으로" — 새로 삽입된 것.

30 (v) 여기에 "얼마나 그 수준 자체가 다시 … 형태"라고 썼다가 곧바로 지웠음.

31 (v) "그 수준에 주어진 크기가 아니라 가변적인 크기로 관계하는" ← "그것을 주어진 크기가 아니라 가변적인 크기로 간주하는*"

* "간주하는"의 표현을 "ansehen" ← "betra[chten]"

32 (v) 여기에 "특[수한]"이라고 썼다가 곧바로 지우고 "이에 대해 우리는 여기에서 단지"라고 썼다가 곧바로 지웠음.

33 (v) 여기에 "덧붙여 말하자면 다음은 사태의 본성으로부터 당연한 것으로"라고 썼다가 곧바로 지웠음.

34 (e) 이 인용문은 「인용문 노트」, 7쪽에서 옮겨 쓴 것.

35 (e) 리카도의 원문에는 여기서 행이 바뀜.

36 (e) "자신의" — 리카도의 원문에는 "노동자 수를 유지하는 데 필요한"으로 되어 있음.

37 (e) 리카도의 원문에는 여기에 "습관에 의해 그에게 필수적이 된"이라고 되어 있음.

38 (e) "따라서" — 리카도의 원문에는 없음.

39 (e) "하락한다" — 리카도의 원문에는 "하락할 것이다"로 되어 있음.

40 (e) 이 인용문은 「인용문 노트」, 19쪽에서 옮겨 쓴 것.

41 (v) "요컨대 500년간" — 이 구절이 없이 써 나가다가 중단하고 이 구절을 넣고 이어 썼음.

42 (e) 맬서스의 원문에는 다음과 같이 되어 있음. "에드워드 3세 통치 이래 노동의 곡물임금에 관한 검토. … 우리가 이 검토에서 이끌어낼 수 있는 다른 추론은 거의 500년이 흐르는

동안 이 나라에서 일일 노동의 임금이 밀 1펙보다 높은 경우보다 낮은 경우가 더 빈번하다는 것, 밀 1펙은 수요와 공급에 따라 변동하는 노동의 곡물임금이 그것을 둘러싸고 변동해 온 중점과 같은 것, 또는 더 정확히 말하면 중점을 상회하는 점이라는 것 … 이다."

43 (v) "노동자의 주요 생활수단을 이루었던"—이 구절이 없이 써 나가다가 중단하고 이 구절을 넣고 이어 썼음.

*44 (v) "가치 있는"—이 위에 삽입 표시 없이 "더 비싼"이라고 썼음.

45 (v) "과 호밀"—새로 삽입된 것.

46 (v) "생활수단 … 요컨대 욕구의 범위" ← "욕구"

47 (e) 여기서부터 이 문단 끝까지는 「인용문 노트」, 59쪽에서 옮겨 쓴 것.

48 (e) 프레드릭 모턴 이든, 『빈곤 상태』, 503쪽.

49 (v) 제1노트의 A쪽(표지 뒷면)에는 다음과 같은 메모가 있다. "톰프슨 (벤저민) (럼퍼드 백작) 외, 『정치·경제·철학 **논집**』, 전 3권, 런던, 1796~1802년." 부속자료 22쪽 복사자료를 보라.

(e) 여기서부터 이 문단 끝까지는 벤저민 [톰프슨] 럼퍼드 백작, 『정치·경제·철학 논집』, 제1권, 런던, 1796년, 294쪽에 의함.

50 (v) "작위를 받은 양키"—새로 삽입된 것.

51 (v) "조리법을 실은"—새로 삽입된 것.

52 (v) "철학자" ← "박애주의자"

53 (k) "1인분당 $\frac{1}{4}$ 펜스"—자필 원고에는 "$\frac{1}{4}$ d. Kopf per Portion"으로 되어 있음.

54 (v) "감축할"의 표현을 "herabdrücken" ← "drücken"

55 (e) G24쪽 22행에 관한 해설을 보라.

56 (e) 이 인용문은 「인용문 노트」, 59쪽에서 옮겨 쓴 것.

57 (v) 여기서부터 다음 문단까지는 새로 삽입된 것. 노트 26쪽에서 가져옴. "**23쪽에 대한 보충설명**"이라는 표시로 이 자리를 가리킴.

58 (v) 여기에 "구매자가"라고 썼다가 곧바로 지웠음.

59 (e) 토머스 배빙턴 매콜리, 『제임스 2세 이후의 영국사』, 제10판, 제1권, 런던, 1854년, 417쪽을 보라.

60 (e) "좋았던 과거 시대의 찬미자"(laudator temporis acti)—호라티우스, 『시학』.

61 (v) 여기에 "거기에서 … 과거 … 드러난다"(darin zeigt d. Vergangenheit)라고 썼다가 곧바로 지웠음.

62 (v) "오로지"—새로 삽입된 것.

63 (e) 제19노트 1228쪽에서 마르크스는 공장에서의 아동노동에 대해서 설명한다. 거기에서는 다른 것들과 함께 『공장감독관 보고서. 1856년 10월 31일까지의 반기(半期) 보고서』(런던, 1857년)가 인용되었다.

64 (v) 여기에 "10월 31일"이라고 썼다가 나중에 지웠음.

65 (v) 여기에 "—가치로의 …에 의해"(—durch die zur Werth)라고 썼다가 곧바로 지웠음.

66 (v) 여기에 "그 첫걸음"이라고 썼다가 곧바로 지웠음.

67 (v) 여기에 "또는 화폐로 표현[해서]"라고 썼다가 곧바로 지웠음.

68 (v) "일체"(überhaupt)—새로 삽입된 것.

69 (v) 여기에 "최근의 추종적이고 미화하며 절충적인 경제학에서 특징적인 사실은 중농주의자들*에서부터 리카도까지 모든 고전경제학자들이 오히려 …에 대해서"라고 썼다가 곧바로 지웠음.

* "중농주의자들" ← "이탈리아인들"

70 (e) 이 인용문은 「인용문 노트」, 46쪽에서 옮겨 쓴 것. 강조는 마르크스가 한 것.

71 (v) "어떤 사용가치에" — 새로 삽입된 것.

72 (v) 여기에 "피할 수 없다"라고 썼다가 곧바로 지웠음.

73 (v) "살아 있는" — 새로 삽입된 것.

74 (v) "노동자" ← "노동능력"

75 (v) 여기에 다음 절 첫머리를 다음과 같이 썼다가 곧바로 지웠음.
"|25| **자본과 노동능력의 교환.**
다른 모든 상품의 가치와 마찬가지로 노동능력의 가치를 화폐로 표현하면 노동능력의 **가격**이다. 자본가가 노동능력에 대해 이 가격을 지불하면 그는 노동능력 자체의 가치를 지불하는 것이다."

76 (v) "생활수단의 양" ← "노동생산[물]의 총액"

77 (v) 여기에 "식량"이라고 썼다가 곧바로 지웠음.

78 (v) "비누(청결)" — 새로 삽입된 것.

79 (v) 여기에 다음과 같이 썼다가 곧바로 지웠음. "그러나 노동자가 이를테면 1년간 필요한 생활수단 총액의 일일 평균을 본다면 필요생활수단의 일일 총액은 그가 매일 소비하는 생활수단, 이를테면 식량의 일부이고 다른 부분은 비례분할적 부분을" ← "그러나 평균일을 본다면 가치도 따라서 평균가치이고 단지 … 총액"

80 (v) "365일이면 365A" ← "90일이면 90A" ← "30일이면 30A"

81 (v) "3번" ← "2번"

82 (v) 여기에 "그가 매일 1탈러를 지출하는 것은 아니라고 한다면, 왜냐하면 그는 매일"이라고 썼다가 곧바로 지웠음.

83 (v) "생활욕구의 연간 총액은 주어져 있다." ← "생활욕구의 가격 또는 가치를 365로 나누면, 즉 일[일]" ← "생활욕구의 연간 총액을* 365로 나누면, 즉 일[일]"
* "연간 총액을" ← "연간 평균을"

84 (v) 여기에 "노동자가 매일 평균적으로 지출하는 …"이라고 썼다가 곧바로 지웠음.

화폐와 노동능력의 교환

1 (v) "화폐와" ← "자본과"

2 (v) "특정한 대상" ← "특정한 사물"

3 (v) "특수한" ← "특정한"

4 (v) "노동능력의" ← "노동의"

5 (v) 여기에 "노동능력을 평균적으로 유지하기"라고 썼다가 곧바로 지웠음.

6 (v) "노동능력이 매일 완전히 소비하는" ← "노동능력이 매일 소비하고, 자신의 현존에서 재생산하는"

7 (v) 여기에 "die"이라고 썼다가 지웠음.

8 (v) "사용하기는"(gebrauchen) ← "소모하기는"(verbrauchen)

9 (v) "1년 이내에 한 차례만" ← "1년 이내에 두 차례" ← "반년 이내에" ← "1년 이내에"

10 (v) "…라도"(wenn auch) — "auch"는 새로 삽입된 것.

11 (v) 여기에서 괄호를 닫았다가 나중에 지웠음.

12 (v) "의복처럼" — 새로 삽입된 것.

13 (v) "은 더욱 그러하다" ← "도 마찬가지이다"

14 (v) 여기에 "노동자는 매일 … 해야 할 것이다"라고 썼다가 곧바로 지우고 "그리고 이를테면 $\frac{1}{6}$"이라고 썼다가 곧바로 지우고 "매일의 의복에 대한 욕구는 계산되어야 할 것이다"라

고 썼다가 곧바로 지우고 "매일의 노동일은 … 해야 할 것이다"라고 썼다가 곧바로 지우고 "여전히 … 해야 할 것이다"라고 썼다가 곧바로 지웠음.

15 (v) "1년이 경과한 다음" — 새로 삽입된 것.

16 (v) "마모된" ← "낡은"

17 (v) 여기에 "일일 지출에"라고 썼다가 곧바로 지웠음.

18 (v) "일할분" ← "일일 평균"

19 (v) "평균적으로" — 새로 삽입된 것.

20 (v) "가격의 일일 평균" ← "가치의 비례분할적 부분"

21 (v) 자필 원고에는 여기에 "**23쪽에 대한 보충설명**"이라는 말이 이어진다. 이는 지시된 위치인 G41쪽 12~33행에 삽입되었다.

22 (v) "그의 노동능력"의 표현을 "seines Arbeitsvermögens" ← "desselben"

23 (v) 여기에 "그러나 유기체는 매일"이라고 썼다가 곧바로 지우고 "그러나 유기적인 것은"이라고 썼다가 곧바로 지우고 "그러나 이것은"이라고 썼다가 곧바로 지웠음.

24 (v) "공급하는"(feilbietet) ← "제[공해야 하는]"(anzubiet[en hat]) ← "제[공하는]"(anb[ietet])

25 (v) "살아 있는 신체 …에 재능, 증식력으로서" ← "살아 있는 인간 안에"

26 (v) 여기에 "다만 특유한 차이와 함께"라고 썼다가 곧바로 지웠음.

27 (v) "노동능력의 사용가치로서의 기능" ← "사용가치"

28 (v) 여기에 "식량으로서"라고 썼다가 곧바로 지웠음.

29 (v) "말고는 … 없다"(nichts weiter) ← "마찬가지로 … 없다"(ebensowenig)

30 (v) "다른 모든 상품과 마찬가지로" — 새로 삽입된 것.

31 (v) "노동자" ← "노동능[력]"

32 (v) "역사적으로" — 새로 삽입된 것.

33 (v) "로 해석되는"(umschrieben sind) ← "만으로 [국한]되는"(sich be [schränken])

34 (v) "실제" — 새로 삽입된 것.

35 (v) "노동능력이라는 이 특수한 상품" ← "이 특수한 노동능력"

36 (v) 여기에 "단지"(nur)라고 썼다가 나중에 지웠음.

37 (v) "단순한 가능성" — 새로 삽입된 것.

38 (v) "현실적" — 새로 삽입된 것.

39 (v) 여기에 "비로소"라고 썼다가 곧바로 지웠음.

40 (v) "산발적인" ← "통상적인"

41 (v) 여기에 "상품"이라고 썼다가 곧바로 지웠음.

42 (v) 여기에 "이미 살펴본 것처럼 전제에 따르면 그는"이라고 썼다가 곧바로 지웠음. 이어서 "화폐보유자가 … 지불하는"(er zahlt) ← "그럼에도 화폐보유자가 … 지불하는"(indeß zahlt er)

43 (v) "일일 임금" ← "임금"

44 (v) 여기에 "만큼의 화폐를"(soviel Geld als)이라고 썼다가 곧바로 지웠음.

45 (v) 여기에 "필요한"이라고 썼다가 곧바로 지웠음.

46 (v) "특수한"(besondre) — 새로 삽입된 것.

47 (v) "실질적" — 새로 삽입된 것.

48 (e) 카를 마르크스, 『경제학 비판을 위하여』, 제1권, 베를린, 1859년, 제1장 「상품」, 25~27쪽.

49 (v) 이어서 다음과 같이 썼다가 나중에 지웠음. "노동자가 사실상 화폐보유자*에게 판매한 것은 그의 노동능력에 대한 처분이므로 그는 노동능력을 그것의 본성에 맞게, 그것의 특정

한 성격에 맞게 사용해야 한다. 어떤 한계 내에서인지는 뒤에서 밝혀질 것이다."
* "화폐보유자" ← "자본가"

노동과정

1 (v) "노동과정" — 새로 삽입된 것.
2 (v) "노동자가 판매하는 이 특유한 상품의 **소비과정**은" ← "이 특유한 상품의 **소비과정**은"
3 (v) "구매자" ← "자본가"
4 (v) 여기에 "이 생[산]"이라고 썼다가 곧바로 지웠음.
5 (v) "따라서 노동하는 것은 … 노동능력이다." — 이 문장 전체가 새로 삽입된 것.
6 (v) "상품유통을 전제로 하므로" ← "상품유통과 화폐유통을 전제로 하므로"
7 (v) "(나타나는)" — 새로 삽입된 것.
8 (v) "방식으로"의 표현을 "in der Art" ← "in dem Sinne"
9 (v) 여기에 "서로 보완되는"이라고 썼다가 나중에 지웠음.
10 (v) "하나의 특수한 노동영역에 배타적으로 속한다" ← "하나의 특수한 노동영역에 속한다" ← "이미 매우 각별한 것이다"
11 (v) "분석" ← "고찰"
12 (v) "노동의 특정한 내용이나 목적, 따라서 특정한 노동방식" ← "특정한 내용과 행위"
13 (v) 여기에 "따라서"라고 썼다가 나중에 지웠음.
14 (v) "본질적으로 자본의 특성에 속하는" ← "자본의 본질적 특[성]"
15 (v) "〔상품의 **사용가치** … **기술학**(*Technologie*)에 속한다.〕" — 문장 전체가 새로 삽입된 것.
16 (v) "노동과정으로서의 그것에 해당되는" — 새로 삽입된 것.
17 (v) "해당되는" ← "공통된"
18 (v) "전적으로" — 새로 삽입된 것.
19 (v) 여기에 "노동자는 … 할 수 있다"라고 썼다가 곧바로 지웠음.
20 (v) 여기에 "나타난다"라고 썼다가 곧바로 지웠음.
21 (v) "그것들과 연결되기" — 새로 삽입된 것.
22 (v) "그래서 인간 활동의 안내자로 기여하는" — 새로 삽입된 것.
23 (v) 여기에 "우리가 최초의 자연 상태를 뛰어[넘는] 한에서는"이라고 썼다가 곧바로 지웠음.
24 (v) "노동수단"의 표현을 "ein Arbeitsmittel" ← "Arbeitsmittel"
25 (v) 여기에 "…이지만"(obgleich)이라고 썼다가 지웠음.
26 (v) 여기에 "사회의 최초 유아 상태에서는 *토지의 완성된 생산물이 노동재료이고, 그것을 전유하는 노동수단은 인간의 수족 자체이다"라고 썼다가 곧바로 지웠음.
* 여기에 "토지는 이미 …로서"라고 썼다가 곧바로 지웠음.
27 (v) 여기에 "…에서 … 하는 재료"라고 썼다가 곧바로 지웠음.
28 (v) "인간노동을 추가하지 않아도" — 새로 삽입된 것.
29 (v) 여기에 "인간노동의 산물로서"라고 썼다가 곧바로 지웠음.
30 (v) 여기에 "완성되어"라고 썼다가 곧바로 지웠음.
31 (v) "자신의 노동 목적을 위해서 이미 정돈되고 조정되며, 전도체로서 자신의 의지에 종속된 자연을 중간에 삽입함으로써 자신의 직접적인 노동이 자연성에 미치는 영향을" ← "자신의 노동 목적을 위해서 이미 규율되고 그 자신에 의해서 완[성된] 자연을 중간에 삽입함으로써 자신의 직접적인 노동이 미치는 영향을 얼마나 이해하고 있는가"
32 (v) 여기에 "은 단순히 직접적인 **생산도구**로만 이해해서는 안 되고"라고 썼다가 곧바로 지

웠음.

33 (v) "나 용기" — 새로 삽입된 것.

34 (v) "또는 씨가 뿌려지는 경지" — 새로 삽입된 것.

35 (v) "의 진행" — 새로 삽입된 것.

36 (v) 여기에 특유하게 노동과정에 들어가는 그 진행 자체의 기능들"이라고 썼다가 곧바로 지웠음.

37 (v) "**노동수단**에는 … 염소 등도 포함된다." — 이 문장 전체가 새로 삽입된 것.

38 (v) 여기에 "와 노동수단"이라고 썼다가 곧바로 지우고 "은 …일 수 있고 언제나 …이다"라고 썼다가 곧바로 지우고 "몇몇 특수한 산업을 제외하고"라고 썼다가 곧바로 지우고 "는 원료 생산(이를 위해 언제나 스스로 새롭게 가공[된])을 제외하고"라고 썼다가 곧바로 지웠음.

39 (v) "이전의" — 새로 삽입된 것.

40 (v) "통제" ← "영향"

41 (v) "결과" ← "산물"

42 (v) "한시적" ← "부분적"(stückweise)

(k) 자필 원고에서는 "부분적"(stückweise)을 지우는 것을 잊은 듯함.

43 (v) "나아갈"의 표현을 "fortschreiten" ← "gehen"

44 (v) 여기에 "그것으로서 소비되어야 하는"이라고 썼다가 곧바로 지웠음.

45 (v) "더 높은" ← "새로운"

46 (v) "실제" — 새로 삽입된 것.

47 (v) "생산하기" — 새로 삽입된 것.

48 (v) 여기에 "아마포와의 관계는 아니다. 또 그것이 관계를 맺는 것은"이라고 썼다가 곧바로 지웠음.

49 (v) "인 한에서" ← "로서"

50 (k) 자필 원고에는 여기에서 아마실을 가리키는 cs를 sic로 잘못 표기한 곳이 두 군데 있음.

51 (v) "그 속성들을 이용해서 그가 그것을 변형하는, 주어진 사물" ← "일정한 속성들 — 그 속성들 … 어떤 노동의 원료로서 …의 재료 … — 을 지닌 사물"

52 (v) "따라서" — 새로 삽입된 것.

53 (v) "실제" — 새로 삽입된 것.

54 (v) 여기에 "노동은"이라고 썼다가 곧바로 지웠음.

55 (v) "노동수단" ← "수단이나 도구"

56 (v) 여기에 "그 자신의 전[유 기관]으로"라고 썼다가 곧바로 지웠음.

57 (v) "반드시" — 새로 삽입된 것.

58 (v) "새롭게" — 새로 삽입된 것.

59 (v) "그렇게 해서"(die sich so) ← "그렇게 해서 형태로서"(sich so als Form)

60 (v) 여기에 "그것의 일반적 요소들이나 그것과 일반적인 …과의 연관으로부터"라고 썼다가 곧바로 지웠음.

61 (v) "노동대상" ← "재료"

62 (v) "노동수단" ← "도구"

63 (v) "사용" ← "이용"

64 (v) 여기에 "나중에 밝혀지는 것처럼 기계류에서는 단순한 주관적인 …이므로"라고 썼다가 곧바로 지웠음.

65 (v) "노동이 주체가 되고 노동이 작용을 가하는 노동재료와 노동이 작용할 때 이용하는 노동수단을 요소들로 하는" ← "노동이 그 주체가 되고 노동재료와 노동수단이 그 요소로 나

타나는"

66 (v) "생활수단" ← "대[상]"

67 (v) 여기에 "…를 위한 노동재료"라고 썼다가 곧바로 지웠음.

68 (v) "노동과정" ← "과정"

69 (v) 여기에 "말 사료로서라면"이라고 썼다가 곧바로 지웠음.

70 (v) "복잡한" — 새로 삽입된 것.

71 (v) 여기에 "포도"라고 썼다가 곧바로 지우고 "예를 들면 사과는 사과주를 위해"라고 썼다가 곧바로 지웠음.

72 (v) "자신이 생산물로서 벗어난" ← "하나 또는 다수의, 그것이 자신의 생산물로서 나타나는"

73 (v) "구별되는 다른" ← "상이한 다른" ← "상이한"

74 (v) 여기에 "노동[재료]로 다시"라고 썼다가 곧바로 지웠음.

75 (v) 여기에 "야 하는"이라고 썼다가 곧바로 지웠음.

76 (v) 여기에 "결[과]"라고 썼다가 곧바로 지웠음.

77 (v) "내재적" — 새로 삽입된 것.

78 (v) 여기에 "사용가치"라고 썼다가 곧바로 지웠음.

79 (v) "의 제약" — 이 구절이 없이 써 나가다가 중단하고 이 구절을 넣고 이어 썼음.

80 (v) "소재적" — 새로 삽입된 것.

81 (v) "사용가치" ← "생산물"

82 (v) "노동과정에서 노동수단이나 노동재료로 기여하는 사용가치에 대해서" — 이 구절이 없이 써 나가다가 중단하고 이 구절을 넣고 이어 썼음.

83 (v) "자연소재" ← "원[료]"

84 (v) "정황" — 새로 삽입된 것.

85 (v) "구체적" — 새로 삽입된 것.

86 (v) 여기에 " — 그것은 대상에 대한 형태로서 …이지만"이라고 썼다가 곧바로 지웠음.

87 (v) 여기에 "형성하기 위한"이라고 썼다가 곧바로 지웠음.

88 (v) "**방직에서 직기와 면사**[*1)]**는**" ← "방적에서 방추와 면화[*2)]는"

*1) "**면사**" ← "실"

*2) "면화" ← "**실**"

89 (v) 여기에 "속[성들]"이라고 썼다가 곧바로 지웠음.

90 (v) 여기에 "이들 속[성]이"라고 썼다가 곧바로 지웠음.

91 (v) 여기에 "속[성들]"이라고 썼다가 곧바로 지웠음.

92 (v) "과거의 특정한 노동과정" ← "과거의 생산적 노동"

93 (v) "특정한"의 표현을 "bestimmten" ← "gewissen"

94 (v) "그러나 다음에는 … 관점에서 고찰된다." — 이 문장 전체가 새로 삽입된 것.

95 (v) "노동에 의해서" — 새로 삽입된 것.

96 (v) 여기에 "직접적이거나 간접적인 생활수단이라는, 일반적인 의미에서"라고 썼다가 나중에 지웠음.

97 (v) "노동재료와 노동수단" ← "대상"

98 (v) 이 문장의 앞뒤 괄호는 새로 삽입된 것.

99 (v) 여기에 "특정한"(einer bestimmet[en])이라고 썼다가 곧바로 지웠음.

100 (v) 여기에 "생산물"이라고 썼다가 곧바로 지웠음. 원문에는 "Grad"(정도)라는 말로 시작됨.

101 (v) "좋고 나쁨 … 대소 … 여하"의 표현을 "grössren oder geringren" ← "grossen oder geringen"

102 (v) "들어가도록" ← "기여하도록"

103 (v) "기여하기" ← "나뉘어 들어가기"

104 (v) "추가로" ← "새로운"

105 (v) "죽은 철과 목재이다" — 새로 삽입된 것.

106 (v) 여기에 "그것이 이전 노동의 생산물이고 그 물적 실체 자체가 …인 한에서뿐 아니라"라고 썼다가 곧바로 지웠음.

107 (v) "상한"의 표현을 "verdorbne" ← "verderbte"

108 (v) "만" — 새로 삽입된 것.

109 (v) "이전" — 연필로 새로 삽입된 것.

110 (v) "유용한" — 새로 삽입된 것.

111 (v) "마치" — 새로 삽입된 것.

112 (v) 여기에 "이 과[정]을 통해"라고 썼다가 곧바로 지웠음.

113 (v) "요소들"의 표현을 "Faktoren" ← "El[emente]"

114 (v) "해체" ← "파괴"

115 (v) 여기에 "새로운 대상으로 이[행한]"이라고 썼다가 곧바로 지웠음.

116 (v) "이전 노동의 결과" ← "노동"

117 (v) "살아 있는" — 새로 삽입된 것.

118 (v) "특정한" — 새로 삽입된 것.

119 (v) "똑같이" — 새로 삽입된 것.

120 (v) "그 일반적 형태" ← "그 일반적 요소들"

121 (v) "일반적 형태" ← "일반적 과정"

122 (v) 여기에 이어서 "화폐보유자는 첫째로 노동능력의 처분권을 구매했고, 둘째로는 노동능력을 사용하기 위한 대상적 조건들 — 노동재료와 노동수단을 구매한 것에 의해"라고 썼다가 곧바로 지웠음.

123 (v) "노동"(Arbeiten) ← "노동 일체"(Arbeit überhaupt)

124 (v) "노동재료" ← "원[료]"

125 (v) "일시적으로" — 새로 삽입된 것.

126 (v) "형태"(Form) ← "형[체]"(Ge[stalt])

127 (v) "노동과정에 들어간다는 것이다" — 이 구절이 없이 문장을 끝내고 다음 문장을 써 나가다가 중단하고 이 구절을 넣고 다음 문장을 이어 썼음.

128 (v) 여기에 "조건들 또는"이라고 썼다가 나중에 지웠음.

129 (v) 여기에 "요컨대 이"라고 썼다가 곧바로 지우고 "일반적 관계들"이라고 썼다가 곧바로 지우고 "일반적 규정"이라고 썼다가 곧바로 지웠음.

130 (v) "노동과정" ← "생산과정"

131 (v) 여기에 "das"라고 썼다가 곧바로 지웠음.

132 (v) 여기에 "나타[난다]"라고 썼다가 곧바로 지웠음.

133 (v) "즉 개인적 소비를 위한 생산물뿐 아니라 생산적 소비를 위한 생산물도" — 이 구절 전체가 새로 삽입된 것.

134 (v) "자연 생산물" ← "생산물"

135 (v) 여기에 "자연에서"라고 썼다가 곧바로 지웠음.

가치증식과정

1 (v) "결합"의 표현을 "Verbindung" ← "Kombination"

2 (v) 여기에 "노동재료가 … 형태를 얻었다"라고 썼다가 곧바로 지웠음.

3 (v) 여기에 "노동[과정]으로부터"라고 썼다가 곧바로 지웠음.

4 (v) 여기에 "노동능력의 구매와 …를 통해서"라고 썼다가 곧바로 지웠음.

5 (v) "**사용가치**" ← "생산[물]"

6 (k) 자필 원고에는 여기에 "구매함"이라고 되어 있음.

7 (v) "그 법칙에 따라서" — 새로 삽입된 것.

8 (v) "그것들의 가격으로" ← "가격으로"

9 (v) "그의 화폐가" ← "화폐가"

10 (v) 여기에 "상품이 아니라"라고 썼다가 곧바로 지웠음.

11 (v) "기존의 사용가치" ← "기존의 상품"

12 (v) "노동능력" ← "상품"

13 (v) "사용가치" ← "생산[물]"

14 (v) 원문에는 여기에 "고찰된다"라는 말이 오지만 여기에는 "나타[난다]"고 썼다가 곧바로 지웠음.

15 (v) 여기에 "노동과정에, 생산에 … 하는 가치가"라고 썼다가 곧바로 지웠음.

16 (v) "상품들" ← "사[용가치들]"

17 (v) "사용가치" ← "요[소들]"

18 (v) 여기에 "화폐보유자가 상품들을 구매한다"라고 썼다가 곧바로 지웠음. 이때 "상품들"은 처음에는 무관사였다가 다음에 die를 붙였음.

19 (v) "공장생산에서" ← "예를 들면 매뉴팩처 산업에서"

20 (v) "가장 완벽하게" ← "자립적으로"

21 (k) "전혀 … 않는다"(nichts) — 자필 원고에는 "nicht"로 되어 있음.

22 (v) 여기에 "그것이 상품으로서, 재고로서 역할을 하는 한"이라고 썼다가 곧바로 지웠음.

23 (v) "요소"의 표현을 "Faktor" ← "Element"

24 (v) "노동재료" ← "노동도구"

25 (v) "크다고 해도" ← "커도 좋다"

26 (v) "타인의" — 새로 삽입된 것.

27 (v) "주목적" ← "목적"

28 (v) "판매되는" ← "구매되는"

29 (v) "그럼으로써 이것들이" — 새로 삽입된 것.

30 (v) "또는 획일적인" — 새로 삽입된 것.

31 (v) 여기에 "생[산양식]"이라고 썼다가 곧바로 지웠음.

32 (e) 이 문단에 대해서는 MEGA② II/1.1, 21~35쪽과 제14노트, 793쪽을 보라.

33 (v) 여기에 "생산물로서 노동과정에서 배출된 **사용가치**의 교환가치는"이라고 썼다가 곧바로 지웠음.

34 (v) 여기에 "대상[화된]"이라고 썼다가 곧바로 지웠음.

35 (v) "노동재료" ← "원료"

36 (v) 여기에 다음과 같이 썼다가 곧바로 지웠음. "그러나 이 가치는 노동재료*1)가 구매된 가격, 예를 들면 100탈러에 이미*2) 표현되어 있다. 이 100탈러를 포함하는 …라고 가정하자."

*1) "노동재료" ← "원료"

*2) "이미" — 새로 삽입된 것.

37 (v) "100" ← "15" ← "$33\frac{1}{3}$"

38 (v) "탈러" ← "일"(Tagen)

39 (v) "이를테면 100탈러의 가격에" — 이 구절이 없이 문장을 끝내고 다음과 같이 쓴 뒤에

다시 지우고 이 구절을 썼음. "100탈러로 표현된 은 중량을 생산하기 위해서 100*노동일이 필요한 경우에는, 이 노동재료의 가격은 100탈러이다. 다시 말하면 화폐보유자는 원료를 100탈러에 구매했다" ← "이 가격은 … 금액을 표현한다" ← "이 가격은 …이다"

* "100" ← "50"

40 (v) 여기에 "도구는"이라고 썼다가 곧바로 지웠음.

41 (v) 여기에 이어서 다음과 같이 썼다가 곧바로 지웠음. "이렇게 그것에 포함된 노동시간, 예를 들면 16일은 그것의 가격 16탈러에 표현되어 있다. 따라서 생산물의 이 가격은 116탈러라는 가격을 갖고, 이 가격에서는 그것에 포함된 노동시간이 화폐재료에 의해 화폐(여기서는 은)로 평가되어 *1)있고, 따라서*2) 일반적인 사회적 노동시간의 양으로서 표현되어 *3) 있는 것이다."

*1), *3) 처음에는 여기에 "ist"라고 썼다가 지웠음.

*2) "따라서" ← "그리고"

42 (e) [프랑수아] 케네, 『농업국가의 경제정책의 일반적 원칙과 그에 관한 주석』, 『중농주의자 …』, 외젠 데르 엮음, 제1부, 파리, 1846년, 288쪽 이하를 볼 것. 또한 케네, 『경제표 분석』, 『중농주의자 …』, 57쪽 이하를 볼 것.

43 (v) "재료" ← "원료"

44 (v) 여기에 "노동이 소재적 구성부분들에 … 한해서"라고 썼다가 곧바로 지웠음.

45 (v) "노동수단" ← "도구"

46 (e) 이 문단은 『요강』(MEGA② II/1.1, 229쪽)에서 옮겨 쓴 것.

47 (v) 여기에 "효과적인* 노동, 또는 같은 말이지만, 합목적적 활[동]은"이라고 썼다가 곧바로 지웠음.

* "효과적인" — 새로 삽입된 것.

48 (v) 여기에 "예를 들면 목재에 형태를"이라고 썼다가 곧바로 지웠음.

49 (v) 여기에 "사[회적인]"이라고 썼다가 곧바로 지웠음.

50 (v) "소재적 규정성" ← "특정한 품질"

51 (v) 여기에 "특정한 사용가치를 생산하기 위해서"라고 썼다가 곧바로 지웠음.

52 (v) "사용된" — 새로 삽입된 것.

53 (v) "동일한 노동과정의" ← "동일한"

54 (v) 여기에 "생산물은 아니다"라고 썼다가 곧바로 지우고 "생산물에는 무엇보다도 … 노동시간이 포함된"이라고 썼다가 곧바로 지웠음.

55 (v) 여기에 "…로서가 아니라"(nicht als ein gegenst)라고 썼다가 곧바로 지웠음.

56 (k) "에 지나지 않았으며"(nichts als) — 자필 원고에는 "nicht als"로 되어 있음.

57 (v) "실제" — 새로 삽입된 것.

58 (v) "사용가치의" ← "그것의 사용가치의"

59 (v) "필요한" — 새로 삽입된 것.

60 (v) "필요한 양" ← "양"

61 (v) 여기에 "동일한 노동[시간]을"이라고 썼다가 곧바로 지웠음.

62 (v) "교환한다면" ← "판매한다면"

63 (v) 여기에 "바로 사용가치로서의 형체에만 관계하기"라고 썼다가 곧바로 지웠음.

64 (v) "방추" ← "면사"

65 (v) "…도 … 않는다"(weder) ← "…가 … 않는다"(kein)

66 (v) "새로운" — 새로 삽입된 것.

67 (v) 여기에 "노동[재료]…를 생산하는 데"라고 썼다가 곧바로 지웠음.

68 (v) "최종" — 새로 삽입된 것.

69 (v) 여기에 "살아 있는"이라고 썼다가 나중에 지웠음.
70 (v) "실체" ← "형태"
71 (v) 여기에 "가치는"이라고 썼다가 곧바로 지웠음.
72 (v) "실제적인" — 새로 삽입된 것.
73 (v) 여기에 "사용가치의 형태"(Form des Gebrauchswerths)라고 썼다가 곧바로 지웠음.
74 (v) 여기에 "이것의 일반적 형[태]로서"라고 썼다가 나중에 지웠음.
75 (v) 여기에 "특정한 형[태]"라고 썼다가 곧바로 지우고 "소[재적]"이라고 썼다가 곧바로 지웠음.
76 (v) 여기에 "단지"라고 썼다가 나중에 지웠음.
77 (v) 여기에 "전화"라고 썼다가 곧바로 지웠음.
78 (v) "지속적인" — 새로 삽입된 것.
79 (v) 여기에 "교환"이라고 썼다가 곧바로 지웠음.
80 (e) 제23노트, 1446~47쪽을 보라.
81 (v) 여기에 "사용[가치]"라고 썼다가 곧바로 지웠음.
82 (v) 여기에 "과 유[통]"이라고 썼다가 곧바로 지웠음.
83 (v) **"살아 있는 노동은"** ← **"그것은"**
84 (v) "가치 총액" ← "가치"
85 (v) "교환가치" ← "가치"
86 (v) 여기에 "특수한"이라고 썼다가 곧바로 지웠음.
87 (v) "유용" — 새로 삽입된 것.
88 (v) "실제" — 새로 삽입된 것.
89 (v) 여기에 "이 노동에서만 이들 특수한 사용가치가 노동재료와 노동수단과의 관계에서 사용되어"라고 썼다가 곧바로 지웠음.
90 (v) "노동" ← "활동"
91 (v) "라는 사용가치" — 새로 삽입된 것.
92 (v) "사용가치인" — 새로 삽입된 것.
93 (v) 여기에 "노동과정에서"라고 썼다가 곧바로 지웠음.
94 (v) 여기에 "그것의 본성에 맞는 관[계]에서"라고 썼다가 곧바로 지우고 "살아 있는 …에 의해"라고 썼다가 곧바로 지웠음.
95 (v) "개념적" ← "개념에 [따른]"
96 (v) 여기에 "실[제]"라고 썼다가 곧바로 지우고 "노동"이라고 썼다가 곧바로 지웠음.
97 (v) **"특수"** — 새로 삽입된 것.
98 (v) "특수하게" — 새로 삽입된 것.
99 (v) 여기에 "능동적으로 그것들에, 그리고"라고 썼다가 곧바로 지웠음.
100 (v) "그것들의" — 새로 삽입된 것.
101 (v) 여기에 "특[정한]"이라고 썼다가 곧바로 지웠음.
102 (v) "또는" — 새로 삽입된 것.
103 (v) 여기에 "새로운"이라고 썼다가 곧바로 지웠음.
104 (v) 여기에 "면화의"라고 썼다가 곧바로 지웠음.
105 (v) 여기에 "면화의"라고 썼다가 곧바로 지웠음.
106 (v) "방적공이" — 새로 삽입된 것.
107 (v) 여기에 "절반의 노동시간에"라고 썼다가 곧바로 지웠음.
108 (v) "면사" ← "생산[물]"
109 (v) 여기에 "새로운"이라고 썼다가 나중에 지웠음.

110 (v) "보존될"(erhalten) ← "포[함될]"(ent[halten])
111 (k) "전화함으로써"(verwandelt worden ist) — 자필 원고에는 "ist"가 "sind"로 되어 있음.
112 (v) 여기에 "방적과정에서 방적공의"라고 썼다가 곧바로 지웠음.
113 (v) "동일한"(gleiche) — 새로 삽입된 것.
114 (v) 여기에 "그것의 새로운"이라고 썼다가 곧바로 지웠음.
115 (v) "사용된" — 새로 삽입된 것.
116 (v) 여기에 "… 접촉에 의해"라고 썼다가 곧바로 지웠음.
117 (v) "이 특유한" — 새로 삽입된 것.
118 (v) 여기에 "면사와"라고 썼다가 곧바로 지웠음.
119 (v) "특수한 실제" ← "살아 있는 실제"
120 (v) 여기에 "그것들의 개념적으로 규정된"이라고 썼다가 곧바로 지웠음.
121 (v) "**사용**" ← "**소[비]**"
122 (v) 여기에 "기존의"라고 썼다가 곧바로 지웠음.
123 (v) "생산물" ← "사용가치"
124 (v) 여기에 "자신의 재료와 자신"이라고 썼다가 곧바로 지웠음.
125 (v) "특정한 사회적 정식으로 환원된 실제 노동"은 "실제 노동"으로 시작하지만 처음에 여기에 "노동"이라고 썼다가 곧바로 지웠음.
126 (v) 여기에 "아무런 비용도"라고 썼다가 곧바로 지웠음.
127 (v) "전제된" ← "기존의"
128 (v) "산업" — 새로 삽입된 것.
129 (v) "이들 생산물"(diese Producte) ← "그것들"(sie)
130 (v) "이들 생산물의"의 표현을 "von Produkten" ← "der Produkte"
131 (v) "물질화된" ← "포함된"
132 (v) 여기에 "필요한"이라고 썼다가 나중에 지웠음.
133 (v) "필요한 노동시간"(der Arbeitszeit, die notwendig) — 여기에 "der nothwendigen Arbeitszeit"라고 썼다가 곧바로 지우고 본문처럼 썼음.
134 (v) "변화" ← "발[전]"
135 (v) "의 크기" — 새로 삽입된 것.
136 (k) "이다"(waren) — 자필 원고에는 "war"로 되어 있음.
137 (v) "이제"(nun) — 새로 삽입된 것.
138 (v) "구성부분"(Bestandtheile) ← "요[소]"(Elem[ente])
139 (v) "불평등한" ← "상[이한]" — 새로 삽입된 것.
140 (v) "일정한 기간(Zeitabschnitt)" ← "일정한 시간(Zeit)"
141 (v) 여기에 "주어진 일반적 생산[조건]하에서"라고 썼다가 곧바로 지웠음.
142 (v) "12시간이라는" — 새로 삽입된 것.
143 (v) "일반적" — 새로 삽입된 것.
144 (v) "특정한" — 새로 삽입된 것.
145 (v) "(귀금속 … 그렇듯이)" — 이 구절이 없이 써 나가다가 중단하고 이 구절을 넣고 이어 썼음.
146 (k) 자필 원고에는 여기에 "ist"라는 불필요한 단어가 있음.
147 (v) "지속되는 시간" ← "지속되는 노동시간"
148 (v) 여기에 "노동의 대상화가 노동시간에 의해 정확하게 측정된다"라고 썼다가 곧바로 지웠음.
149 (v) "대상화되는" ← "물화되는"

150 (v) 여기에 "면화 6파운드를 하루 12시간 동안에 방적하는데 …한다면"이라고 썼다가 곧바로 지웠음.
151 (v) 여기에 "다음과 같은 정도로"라고 썼다가 곧바로 지웠음.
152 (k) "시간당"(per Stunde) — 자필 원고에는 "per Stunden"으로 되어 있음.
153 (k) "$6\frac{2}{3}$" — 자필 원고에는 "$6\frac{3}{4}$"으로 되어 있음.
154 (k) "$6\frac{2}{3}$" — 자필 원고에는 "$6\frac{3}{4}$"으로 되어 있음.
155 (v) "우리는 … 관심이 있다." — 이 문장 전체가 새로 삽입된 것.
156 (v) "동일한 노동시간이 … 전혀 무관하다." — 이 문장 전체가 새로 삽입된 것.
157 (v) 여기에 "그것[의]"(zu sein[er])라고 썼다가 곧바로 지웠음.
158 (v) 여기에 "그의 평균노동이 동일한"이라고 썼다가 곧바로 지웠음.
159 (v) 여기에 "원래는"이라고 썼다가 나중에 지웠음.
160 (v) "새로 추가된"(neuzugefügten) ← "첨[부된]"(beigef[ügten])
161 (v) "그러면" — 새로 삽입된 것.
162 (v) 여기에 "노동시[간]"이라고 썼다가 곧바로 지웠음.
163 (v) "그것을" — 새로 삽입된 것.
164 (k) "거주하기"(bewohnen) — 자필 원고에는 "wohnen"으로 되어 있음.
165 (v) "지불한다"의 표현을 "zahlt" ← "bezah[lt]"
166 (v) "노동시간" ← "시간 [수]"
167 (v) "노동과정의" ← "생산[과정의]"
168 (k) "132" — 자필 원고에는 "133"으로 되어 있음.
169 (k) "132" — 자필 원고에는 "133"으로 되어 있음.
170 (k) "132" — 자필 원고에는 "133"으로 되어 있음.
171 (v) 여기에 "노동능력"이라고 썼다가 곧바로 지웠음.
172 (k) "132" — 자필 원고에는 "133"으로 되어 있음.
173 (k) "132" — 자필 원고에는 "133"으로 되어 있음.
174 (v) 여기에 "완전히 동[일한]"이라고 썼다가 곧바로 지웠음.
175 (v) 여기에 "더 긴"이라고 썼다가 곧바로 지웠음.
176 (v) 여기에 "만"이라고 썼다가 나중에 지웠음.
177 (v) "그 요소들과" ← "그것과"
178 (v) "132" ← "133"
179 (k) "132" — 자필 원고에는 "133"으로 되어 있음.
180 (v) "대상" ← "상품"
181 (v) "정립하고"(setzt) ← "창출하[고]"(schaff[t])
182 (v) 여기에 "가치를 중시[하는]"이라고 썼다가 곧바로 지웠음.
183 (v) 여기에 "더 긴 시간을"이라고 썼다가 곧바로 지웠음.
184 (v) "측정하는" ← "형성[하는]"
185 (v) "노동시간" ← "노동"
186 (v) "노동시간" ← "노동"
187 (v) 여기에 "이제 분명한 것은 화폐보유자는 …로서"라고 썼다가 곧바로 지웠음.
188 (v) "(결과)" — 새로 삽입된 것.
189 (k) "16" — 자필 원고에는 "15"로 되어 있음.
190 (k) "143" — 자필 원고에는 "142"로 되어 있음.
191 (v) 여기에 "(일반적으로 노동재료와 노동도구는 …라고 가정되는 한에서"라고 썼다가 곧바로 지웠음.

192 (v) "도"(auch) — 새로 삽입된 것.

193 (v) "노동수단" ← "수단"

194 (v) "필요하다면 얼마나 필요한지" — 새로 삽입된 것.

195 (v) "새로운" — 새로 삽입된 것.

196 (v) "노동" ← "노동시간"

197 (v) "노동재료" ← "재[료]"

198 (v) "농부(Feldbauer) 또는 기계공(Maschinenbauer)의" ← "농노(Ackerknecht) 또는 기사(Ingenieur)의"

199 (v) 여기에 "이 특유[한]"이라고 썼다가 곧바로 지웠음.

200 (e) 이 인용문은 「인용문 노트」, 7쪽에서 옮겨 쓴 것. 강조는 마르크스가 한 것.

201 (v) "포함된" ← "표현된"

202 (v) "그가" — 새로 삽입된 것.

203 (v) "가치증식과정" ← "생산과정"

*204 (v) "그러나 … [재]현되는"(aber erscheint)이라는 말 위에 삽입 표시 없이 "(부분생산물)"이라고 썼음.

205 (v) 여기에 "등가물"이라고 썼다가 곧바로 지웠음.

206 (v) "초과량"(Mehrquantum) ← "양"(Quantum)

노동과정과 가치증식과정의 통일(자본주의적 생산과정)

1 (k) "가치증식과정의"(Verwertungsprocesses) — 자필 원고에는 "Verwertungsproceß"로 되어 있음.

2 (v) "위한"의 표현을 "zur" ← "für die"

3 (v) 여기에 "생산양식과"라고 썼다가 곧바로 지웠음.

4 (v) "특수한"(besondren) ← "특[정한]"(best[immten])

5 (v) 여기에 "포섭된"이라고 썼다가 곧바로 지웠음.

6 (v) 여기에 "전화시켜"라고 썼다가 곧바로 지웠음.

7 (e) 애덤 스미스, 『국부의 성질과 원인에 대한 연구』, 제1권, 파리, 1802년, 59쪽 이하. MEGA② II/3.2, 368쪽 이하를 보라.

8 (v) 여기에 "살아 있는"이라고 썼다가 곧바로 지웠음.

9 (v) "생명외화"(Lebensäußerung) ← "외화"(Äußerung)

10 (v) 여기에 "완성된"이라고 썼다가 나중에 지웠음.

11 (v) "대상" ← "노동대상"

12 (v) "하나의"(eine) ← "die"(정관사)

13 (v) 여기에 "그의 노[동능력]을"이라고 썼다가 곧바로 지웠음.

*14 (v) "으로서"(als) 위에 삽입 표시 없이 "…로서"(qua)라고 씀.

15 (v) 여기에 "새로운 생산을 위해 사용되는"이라고 썼다가 곧바로 지웠음.

16 (v) 여기에 "so wird ihm"이라고 썼다가 곧바로 지웠음.

17 (e) 데이비드 리카도, 『경제학과 과세의 원리』, 제3판, 런던, 1821년, 499쪽을 보라. 제12노트, 653쪽도 보라.

18 (v) "지출된" ← "사용된"

19 (v) "직접" — 새로 삽입된 것.

20 (k) "이룬다"(bildet) — 자필 원고에는 "bilden"으로 되어 있음.

21 (v) "증대된다" ← "실현된다"

22 (v) "입증되는"(bewährender) ← "증[식되는]"(verwer[thender])

23 (e) 여기서부터 이 문단 끝까지는 「인용문 노트」, 22쪽에서 옮겨 쓴 것.

24 (k) "1835" — 자필 원고에는 "1845"로 되어 있음.

25 (v) 여기에 "…로서"라고 썼다가 지웠음.

26 (v) "노동능력 자체에 대해" — 새로 삽입된 것.

27 (v) "현존"(Dasein) ← "현[상]"(Erschei[nung])

28 (v) 여기에 "형식적 관[계]"라고 썼다가 곧바로 지웠음.

29 (v) 여기서부터 이 문단 끝까지는 새로 삽입된 것.

30 (e) 이 인용문은 「인용문 노트」, 37쪽에서 옮겨 쓴 것. 콜랭, 『경제학. 혁명과 이른바 사회주의 유토피아의 원천』, 제3권, 파리, 1857년, 358쪽에서 재인용.

31 (v) "아주" — 새로 삽입된 것.

32 (v) "자연소재" ← "소재"

33 (e) 튀르고, 『부의 형성과 분배에 관한 고찰』, 『저작집』, 파리, 1844년, 34~35쪽. MEGA② II/3.2, 352쪽. 7~17행도 보라.

34 (e) 이 표현을 마르크스는 『노동을 줄이기 위한 기계 사용의 유용성과 정책에 관한 서한. 지난 랭커셔 소동으로 야기된 …』(런던, 1780년)에서 인용했다. 이 익명 저서의 저자는 토머스 벤틀리다. 제7노트(런던, 1859~62), 155쪽에서 마르크스는 이 저작의 2~3쪽을 인용하고 있다. "인간은 여러 가지로 정의되어왔다. … **도구를 만드는 동물**, 또는 **엔지니어**(프랭클린)라는 정의는 인간에 대해 가장 좋고 특징적인 정의로 채택되기도 했다."

35 (v) "생산된" — 새로 삽입된 것.

36 (e) 제7노트, 런던, 1859~62년, 153, 154쪽을 가리킴.

37 (e) 여기서부터 다음 두 문단까지 제임스 밀의 인용문은 제7노트(런던, 1859~62년), 156쪽에서 옮겨 쓴 것. 「인용문 노트」는 67쪽과 78쪽에 이 인용문들을 줄여서 실었다.

38 (v) "대상" ← "재료"

39 (v) "매우" ← "다만"(nur)

40 (e) "**노동**" — 강조는 마르크스가 한 것.

41 (k) 자필 원고에는 이 부분의 닫는 괄호가 빠져 있음.

42 (e) G134쪽 2~6행("**자본은 본질에서 언제나** … 상업상의 **개념**이다." — 옮긴이)을 보라.

43 (e) G136쪽 21행~137쪽 38행("무엇이 **생산물 관념**을 갑자기 … 제화공에게는 자본이다." — 옮긴이)을 보라.

44 (e) "**노동의 소유주이기도**"—강조는 마르크스가 한 것.

45 (v) "화폐의" — 새로 삽입된 것.

46 (v) "[부]응한다"(entspricht)는 종이가 손상되어 텍스트가 손실된 부분(-ents)을 MEGA 편집자가 보충한 것.

47 (v) "사회적" — 새로 삽입된 것.

48 (v) 여기에 "화폐 자체가 여기에서는 … 나타난다"라고 썼다가 곧바로 지웠음.

49 (e) "**총액**" — 강조는 마르크스가 한 것.

50 (e) "**화폐로 표현해서**" — 강조는 마르크스가 한 것.

51 (e) "예를 들면 어떤 해에 … 마찬가지이다." — 찰머스의 원문은 다음과 같다. "그가 1년간 사업으로 그의 재산을 20,000파운드스털링에서 24,000파운드스털링으로 늘릴 수 있었다고 해도, 화폐가치 하락으로 인해 그는 이 증대에 의해 향락과 생활의 편의에 대한 지휘권을 증가시키지 못했을 수 있다. 그럼에도 사업에 종사해온 것은 화폐가 하락하지 않았을 때와 같은 정도로 그의 이익이다."

52 (e) "…" — 찰머스의 원문은 다음과 같다. "만약 그가 처음과 같은 상태로 유지하는 데 그치더라도 그에게는 그가 했던 것처럼 일하는 것이 이 기반을 잃는 것보다 낫다. 그러므로 사업을 운영하는 모든 자본가의 목표는 화폐로 평가되는 재산을 증가시키는 것이다."

53 (e) "요컨대 상품은 … 최종 목표가 아니다." — 찰머스의 원문은 다음과 같다. "상품은 그의 소득의 지출일 경우와 그가 소비를 위해 구매하는 경우를 제외하고 그의 최종 목표가 아니다."

54 (e) "**그가 자본을 … 최종 목표이다.**" — 강조는 마르크스가 한 것.

55 (k) "165" — 자필 원고에는 "164"로 되어 있음.

56 (e) 이 인용문은 「인용문 노트」, 75쪽에서 옮겨 쓴 것.

57 (v) "가치크기" ← "가치"

58 (k) 자필 원고에는 닫는 괄호가 빠져 있음.

59 (v) "자신과"(an sich) — "an"은 새로 삽입한 것.

60 (e) "(리카도주의자들)(그리고 리카도 자신)" — 괄호 안 내용은 마르크스가 언급한 것.

61 (v) "[만일 A에]" — 종이가 손상되어 텍스트가 손실된 부분을 MEGA 편집자가 보충한 것.

62 (v) "[된다면]" — 종이가 손상되어 텍스트가 손실된 부분을 MEGA 편집자가 보충한 것.

63 (e) 이 인용문은 제7노트(런던, 1859~62년), 142쪽에서 「인용문 노트」, 75쪽으로 옮겨졌고 여기에서 이 초고로 옮겨졌다. 강조는 마르크스가 한 것.

64 (e) 마르크스는 리카도에 대한 베일리의 논박에 대해 말하고 있다. 리카도, 『경제학과 과세의 원리』 제3판, 런던, 1821년, 14쪽을 보라. "따라서 상이한 시기의 동일한 상품가치를 비교할 때 그 특정 상품에 필요한 노동의 비교 숙련과 강도를 고려하는 것을 주목해야 하는 경우는 드물다. 그것은 두 시기에 동등하게 작용하기 때문이다." 제14노트, 831쪽도 보라.

65 (v) 여기에 "가[치]"(W[erth])라고 썼다가 곧바로 지웠음.

66 (v) "이 양은 자본의 구성부분이며" — 처음에는 여기에서 문장을 끝내고 마침표를 찍었다가 쉼표로 바꾸고 본문처럼 이어 썼음.

67 (k) "6" — 자필 원고에는 "10"으로 되어 있음.

68 (v) "지불할" ← "표현할"

69 (v) "지출된" ← "규정된"

70 (v) "더 많은 상품을 유통에 던져 넣으며" ← "더 많은 상품을 자본으로부터 빼내며"

71 (v) "이미 … 포섭하고"(subsumirt hat) — "hat"는 새로 삽입된 것.

72 (v) 여기에 "…의 토대 위에서"라고 썼다가 곧바로 지웠음.

73 (v) 여기에 "일반적으로"라고 썼다가 나중에 지웠음.

74 (v) 여기에 "화폐"라고 썼다가 곧바로 지웠음.

75 (v) 여기에 다음과 같이 썼다가 곧바로 지웠음. "노동과정 자체에서 자본은 사용가치로서만 나타난다. 자본의 소비는 노동의 소비이고 또 *사용가치는 노동에 의해서 재료나 수단으로서만 소비될 수 있기 때문이다."
＊여기에 "이것들의"라고 썼다가 나중에 지웠음.

76 (v) "여기에서는 … 나타난다." — 이 문장 전체가 새로 삽입된 것.

화폐의 자본으로의 전화가 분할되는 두 가지 구성요소

1 (v) 제2노트의 표지 뒷면에 마르크스는 이 절 제목을 "h) 전화과정의 두 가지 구성요소"라고 붙였다. G4쪽을 보라.

2 (v) 여기에 "단순 행위"라고 썼다가 곧바로 지웠음.

3 (v) 여기에 "단순"이라고 썼다가 나중에 지웠음.
4 (v) "판매" ← "판매과정"
5 (v) 여기에 "다음에 기초[하는]"이라고 썼다가 곧바로 지웠음.
6 (v) 여기에 "은 상품이며, 사용가치가 아닌"이라고 썼다가 곧바로 지웠음.
7 (v) "에서" — 새로 삽입된 것.
8 (v) 여기에 "와 판매가"라고 새로 삽입했다가 나중에 지웠음.
9 (v) "구매자" ← "화폐보유자"
10 (v) 여기에 "아무런 판매도"라고 썼다가 곧바로 지웠음.
11 (v) "구매자" ← "화폐보유자"
12 (v) 여기에 "약정했다고"라고 썼다가 곧바로 지웠음.
13 (v) 여기에 "화폐를"이라고 썼다가 곧바로 지웠음.
14 (v) 여기에(원문에서는 이하 문장의 첫 단어가 "존재한다existirt"임) "상실한다"(verliert) 라고 썼다가 곧바로 지웠음.
15 (v) "단지" ← "내재적으로"
16 (v) "이제 더는" — 새로 삽입된 것.
17 (v) "상품의 경우에는" ← "상품은"
18 (v) "일단" — 새로 삽입된 것.
19 (v) "어떻게 남용할지와 마찬가지로" — 이 구절이 없이 써 나가다가 중단하고 이 구절을 넣고 이어 썼음.
20 (v) 여기에 "그러나 대상화되는"이라고 썼다가 곧바로 지웠음.
21 (v) "교환가치 형태로 존재하려면" — 이 구절이 없이 써 나가다가 중단하고 이 구절을 넣고 이어 썼음.
22 (v) "화폐로 실현되어야" — 이 구절이 없이 써 나가다가 중단하고 이 구절을 넣고 이어 썼음.
23 (v) "뿐 아니라" — 새로 삽입된 것.
24 (v) "에 대한 지불채무를" — 새로 삽입된 것.
25 (v) 여기에 "대상[화된] …의"이라고 썼다가 곧바로 지웠음.
26 (v) 여기에 "할인이 있다면"이라고 썼다가 곧바로 지웠음.
27 (v) 여기에 "그에게"라고 썼다가 나중에 지웠음.
28 (v) "자체가" ← "가 언제나"
29 (v) 여기에 "덧붙여 말하자면 상품이 150탈러라면, *두 가지"라고 썼다가 곧바로 지우고 "자본가는 그것을 이미 판매하거나(주문할 때처럼) 또는 판매하지 않았다. 첫 번째 경우에"라고 썼다가 곧바로 지웠음.
* 여기에 "자본가가"라고 썼다가 곧바로 지웠음.
30 (v) 여기에 "완성된"이라고 썼다가 나중에 지웠음.
31 (v) 여기에 "화폐를"이라고 썼다가 곧바로 지웠음.
32 (v) "벌거벗은"(bloses) — 새로 삽입된 것.
33 (v) 여기에 "자신이 생산물에"라고 썼다가 곧바로 지웠음.
34 (v) "받았다면"의 표현을 "Hätte" ← "Hat"
35 (v) "생산물에 **대상화된 노동**" ← "**대상화된 노동**"
36 (v) "노동을 통제하는 (**필요**노동만을 지불하는)" — 새로 삽입된 것.
37 (v) "노동자가 … 10시간을 …다면" ← "노동자가 10시간만 노동하는지"
38 (v) 여기에 "화[폐]로 대상화되면"이라고 썼다가 곧바로 지웠음.
39 (v) 여기에 "내가 이제 노동자에게 개당 $\frac{3}{6}$ 펜스 = $\frac{1}{2}$ 펜스를 지불한다면"이라고 썼다가 곧바로 지웠음.

40 (v) "대부분" ← "언제나"

41 (v) 여기에 "사용가치 속에"라고 썼다가 곧바로 지웠음.

42 (v) 여기에 "교환을 통해서"라고 썼다가 곧바로 지웠음.

43 (v) "자신의 소유물로서" — 새로 삽입된 것.

44 (v) "자급자족하는"(zu eignem Gebrauch wirthschaftender) ← "스[스로 경작하는]"(selb[st wirthschaftender])

45 (v) "소유자이기를 중지해야 한다. … 마주 선다고 전제된다" — 새로 삽입된 것. 이 보충은 행의 위쪽에 쓰이기 시작해서 다음 문장은 페이지 아래 여백에 쓰였고, ++로 위치가 지시되어 있다.

46 (v) 여기에 "형태"라고 썼다가 곧바로 지웠음.

47 (v) "타인의 소유로서" — 새로 삽입된 것.

48 (v) "**이기적**(*selbstisches*)" ← "자립[적]"(selbständig[es])

49 (v) 여기에 "가치에 따라 고찰하면"이라고 썼다가 나중에 지웠으나 새로 삽입한 것(어떤 이유에서인지는 알 수 없으나 본문에는 없다. — 옮긴이)

50 (v) 여기에 "자기 자신의 노동능력에 포함된, 바꿔 말하면 노동능력을 … 아래서 유지하기 위해 필요한"이라고 썼다가 곧바로 지웠음.

51 (e) "몸속에 열정을 품은 것처럼"(als hätt'es Lieb im Leibe) — 괴테의 『파우스트』 제1부, 「라이프치히에 있는 아우어바흐의 술집」에서 수정해 인용함.

52 (v) "마찬가지로 … 발전이 된다" — 이 문장 전체가 새로 삽입된 것.

53 (v) 여기에 "이것은 크거나 또는"이라고 썼다가 곧바로 지웠음.

54 (v) "노동자의" ← "노동능[력]의"

55 (v) "교환가치" ← "가치"

56 (v) "후자의" — 새로 삽입된 것.

57 (v) 여기에 "노동에 마주 서야 하는, 그리고 이것들은 타인 점유의 상품으로서"라고 썼다가 곧바로 지웠음.

58 (k) "관계하는" — 자필 원고에는 "verhält"가 "erhält"로 되어 있음.

59 (v) "임금제도의 형태" ← "임금제도"

60 (v) 여기에 "기다릴 수 있다면"이라고 썼다가 곧바로 지웠음.

61 (e) 제21노트, 1326쪽을 보라. 또한 『요강』(MEGA② II/1.1), 239쪽을 보라.

62 (v) 여기에 "생활수단을 얻고"라고 썼다가 곧바로 지웠음.

63 (k) "조건"(der) — 자필 원고에는 "그것들"(denen)로 되어 있음.

64 (e) 에드워드 기번 웨이크필드, 『식민의 방법에 관한 견해』, 런던, 1849년.

65 (v) 이 문단 전체가 새로 삽입된 것. 이 삽입구는 초고 61쪽 하단과 62쪽 하단에 있고, 가로줄을 그어 다른 본문과 구분되어 있다. 마르크스는 이 삽입구 맨 처음에 "++60쪽에"라고 썼다. 또한 앞 문단 끝부분 "(웨이크필드.)"의 뒤에도 +기호를 붙였다.

66 (k) "1843" — 자필 원고에는 "1841"로 되어 있음.

67 (e) 이 인용문은 「인용문 노트」, 72쪽에서 옮겨 쓴 것. 마르크스가 이용한 판본은 찾을 수 없었다. 이 인용문은 1852년판에 따라 검토했다.

68 (e) 윌리엄 토머스 손턴, 『과잉 인구와 그 해결책』, 런던, 1846년, 제2장, 19쪽 이하. 이 책에서 따온 광범한 인용문들이 제13노트(런던, 1851년), 14~21쪽에 있다.

69 (v) 여기에 "최소[치]가 더 많은지 또는 더 적은지에"라고 썼다가 곧바로 지웠음.

70 (v) "자본의" — 이 구절이 없이 써 나가다가 중단하고 이 구절을 넣고 이어 썼음.

71 (e) G119쪽 이하를 보라.

72 (v) "상품들의" — 새로 삽입된 것.

73 (v) "원천" ← "담지자"
74 (v) "으로"(in) ← "에 대하여"(gegen)
75 (v) "생활수단" ← "교환수단"
76 (v) "뿐 아니라" — 이 구절이 없이 써 나가다가 중단하고 이 구절을 넣고 이어 썼음.
77 (v) "움직여야" ← "노[동해야]"
78 (v) "시간" ← "마모시간"
79 (v) "…하는"(wäre) ← "…할"(würde)
80 (v) "원래의 가치는 변하지 않고 생산물에서 재현된다" — 새로 삽입된 것.
81 (v) 여기에 "일부[는] … 분해된다"라고 썼다가 곧바로 지웠음.
82 (v) "새로" — 새로 삽입된 것.
83 (e) 계산을 진행하면서 마르크스는 전제를 변경했다. 먼저 그는 다음과 같은 전제에서 출발한다. 원료 2파운드 10실링, 기계류의 마모 1파운드스털링, 임금 1파운드스털링, 잉여가치 10실링. 나중에는 원료에 대해 1파운드 10실링만 계산했기 때문에 전체 불변자본이 2파운드 10실링, 즉 50퍼센트에 달한다. 그러면 새로 창출된 가치는 마찬가지로 50퍼센트, 임금으로 1파운드 5실링, 잉여가치로 1파운드 5실링이 된다. 계산 끝부분에서 마르크스는 $\frac{3}{10}$이 아니라 잘못해서 $\frac{10}{3}$이라 적었고 이 가분수를 $3\frac{1}{3}$로 대분수로 고쳤다.
84 (v) "보존되는"(erhalten) ← "대체되는"(ersezt)
85 (v) 여기에 "원료에만"이라고 썼다가 곧바로 지웠음.
86 (v) 여기에 "그는 이렇게 계산한다"라고 썼다가 곧바로 지웠음.
87 (v) "와 기계류" — 새로 삽입된 것.
88 (k) "$\frac{3}{10}$" — 자필 원고에는 "$3\frac{1}{3}$"로 되어 있음.
89 (v) 이어서 다음과 같이 썼다가 곧바로 지웠음. "30실링, 즉 면화의 총가치를 갖기 위해서 $3+\frac{3}{9}$시간을 *소비한다. 이 30실링은 실제로는 …로 구성된다."
* "소비한다"(verbrauchen) ← "필요로 한다"(brauchen)
90 (v) "12" ← "1"
91 (v) "임금" ← "노동"
92 (v) "화폐" ← "은"(銀)
93 (v) "노동과정에 실제로" ← "실제의 노[동과정]에"
94 (v) "가치 부분" ← "가치"
95 (v) "처음" — 새로 삽입된 것.
96 (v) 여기에 "…했을 뿐이다"라고 썼다가 나중에 지웠음.
97 (v) "따라서" — 새로 삽입된 것.
98 (v) "재생산된다" ← "생[산된다]"
99 (v) 여기에 "재생산할"(reproducirt)이라고 썼다가 곧바로 지웠음.
100 (v) "가치" — 새로 삽입된 것.
101 (v) "이 계산에 따르면 마지막 4시간의 생산물은" ← "그에 따르면 마지막 4시간은"
102 (v) 여기에 "생산물"이라고 썼다가 곧바로 지웠음.
103 (v) "$\frac{1}{3}$ 전체의 생산물" ← "$\frac{1}{3}$ 전체"
104 (v) 여기에 "따라서 이 $33\frac{1}{3}$이 … 라는 상상은 얼마나 불합리한가"라고 썼다가 곧바로 지웠음.
105 (v) "생산물" — 새로 삽입된 것.
106 (v) "가격" ← "가치"
107 (v) "이다"의 표현을 "bildet" ← "ist"
108 (v) "이다"(ist) ← "을 이룬다"(besteht)
109 (v) "생산물 가격" ← "생산[물]"

110 (v) “단지 새로운 생산물의 가치에서 재현되며” ← “그것을 생산물에 단순히 보존할 뿐이며”

111 (v) 여기에 “가치”라고 썼다가 곧바로 지웠음.

112 (v) “생산물 가격” ← “생산물”

113 (v) “과정에서 실제로 창출된 가치” ← “새로운 [가치]”(Neu[werth])

114 (v) “나타내는”의 표현을 “vorstellen” ← “vorstellte”

115 (v) 여기에 “재료를 나[타내는]”이라고 썼다가 곧바로 지웠음.

116 (v) 여기에 “면화와 기계류 — 이것들은 … — 의 가치”라고 썼다가 곧바로 지웠음.

117 (v) 여기에 “실제의”라고 썼다가 곧바로 지우고 “…와의 접촉에 의해”라고 썼다가 곧바로 지웠음.

118 (v) “생산물의” — 새로 삽입된 것.

119 (v) “총생산물” ← “생산물”

120 (v) “총생산물의 가격에서” ← “총생산물에서”

121 (v) 여기에 다음과 같이 썼다가 곧바로 지웠음. “1시간 생산물의 가치*가 90실링 = 면사 90파운드, 또는 3실링이 면화 90파운드를 나타내고 1시간 동안 방적된다고 가정하자. 면화 1파운드의 가격은 6펜스, 요컨대 9파운드에 대해서”

* “생산물의 가치” ← “생산물”

122 (k) “$6\frac{2}{3}$” — 자필 원고에는 “$6\frac{1}{3}$”로 되어 있음.

123 (v) “면사의 가치” ← “가치”

124 (v) “물적” — 새로 삽입된 것.

125 (v) “사용됨” ← “소비됨”

126 (k) “상대했기” — 자필 원고에는 “verhielt”가 “erhielt”로 되어 있음.

127 (v) “즉” ← “그리고”

128 (v) “실현되는” ← “실현되는 한에서”

129 (v) “유용” — 새로 삽입된 것.

130 (v) 여기에 “가치 비율은 동일하지만(즉 반 시[간] 동안에”라고 썼다가 곧바로 지웠음.

131 (k) “$6\frac{2}{3}$” — 자필 원고에는 “$6\frac{1}{2}$”로 되어 있음.

132 (k) “$1\frac{2}{3}$” — 자필 원고에는 “$1\frac{1}{2}$”로 되어 있음.

133 (k) “$1\frac{2}{3}$” — 자필 원고에는 “$1\frac{1}{2}$”로 되어 있음.

134 (k) “$8\frac{1}{3}$” — 자필 원고에는 “8”로 되어 있음.

135 (v) 여기에 “다른 한편으로”라고 썼다가 곧바로 지웠음.

136 (v) 여기에 “면사의”라고 쓰고 곧바로 지웠음.

137 (v) 여기에 “상대한다”라고 썼다가 곧바로 지웠음.

138 (v) “그 속에서” ← “그것에 의해서”

139 (v) “방적공” ← “노[동자]”

140 (v) “시간”이라는 말 위에 삽입 표시 없이 “특정한 시간”이라는 말을 썼음.

141 (v) “그만큼의 양” — 새로 삽입된 것.

142 (v) 여기에 “또는 생[산물]의 가치에”라고 썼다가 곧바로 지웠음.

143 (v) (이하 부분은 “결합에 … 추가한다”로 시작하지만) 여기에 “생산물에 추가한다*”고 썼다가 곧바로 지웠음.

* “추가한다”(fügt) ← “갖는다”(hat)

144 (v) “구체적” ← “실제적”

145 (v) “스스로 사용가치” ← “유용한”

146 (v) 여기에 “상관이 없다”(gleich[gültig])라고 썼다가 곧바로 지웠음.

147 (v) “필요” — 새로 삽입된 것.

148 (v) "특정한"의 표현을 "bestimmten" ← "gewissen"
149 (v) "에 의해서"(von) ← "에서"(in)
150 (v) "6파운드" — 새로 삽입된 것.
151 (v) 여기에 "면사에"라고 썼다가 곧바로 지웠음.
152 (v) "흡수했기"의 표현을 "absorbirt hatte" ← "absorbirt hat"
153 (v) "특수한" — 새로 삽입된 것.
154 (v) 여기에 "**어떤 방식으로 추가될 수**"라고 썼다가 곧바로 지웠음.
155 (v) 여기에 "노동이 가치를 보존하는 관계"라고 썼다가 곧바로 지웠음.
156 (v) "새로운" — 새로 삽입된 것.
157 (v) "소모되고" ← "필요하고"
158 (v) "더 높은" ← "더 많이 나가는"
159 (v) 여기에 "가치는"이라고 썼다가 곧바로 지웠음.
160 (v) "면화 72파운드의 가치가" ← "면화 72파운드가"
161 (v) "주어진" — 새로 삽입된 것.
162 (v) 여기에 "재료 수단의 가치는"이라고 썼다가 곧바로 지웠음.
˙163 (v) "가치 추가"라는 말 위에 삽입 표시 없이 "노동생산성"이라고 썼음.
164 (v) 여기에 "그러나 그것이 이용될 수 있는 것은 단지"라고 썼다가 곧바로 지웠음.
165 (e) G292쪽 이하를 보라.
166 (v) "$3\frac{1}{3}$" ← "3"
167 (v) "$3\frac{1}{3}$" ← "3"
168 (v) "2" ← "$\frac{2}{3}$"
169 (v) "1" ← "$\frac{1}{3}$"
170 (v) "총생산물" ← "생산물"
171 (v) 여기에 "그리고 그중 2시간은 단지"라고 썼다가 곧바로 지웠음.
172 (v) 여기에 "그 까닭은 생산물의 가격이"라고 썼다가 곧바로 지웠음.
173 (v) 여기에 "가격의"라고 썼다가 곧바로 지웠음.
174 (k) "구성하기"(constituirt) — 자필 원고에는 "constituiren"으로 되어 있음.
175 (k) "$3\frac{1}{3}$" — 자필 원고에는 "$3\frac{1}{2}$"로 되어 있음.
176 (v) "내내"(ganzen) — 새로 삽입된 것.
177 (v) 여기에 "예를 들면 $\frac{1}{3}$시간=추가[된] … 가격이"라고 썼다가 곧바로 지웠음.
178 (v) "전체"(ganzen) — 새로 삽입된 것.
179 (k) "… 부분도)" — 자필 원고에는 닫는 괄호가 없음.
180 (v) "(임금에 대한 … 구성하는 부분도)" — 이 구절이 없이 문장을 끝냈다가 나중에 마침표를 쉼표로 바꾸고 이 구절을 추가했음.
181 (v) "실질적으로는"(praktisch) — 새로 삽입된 것.
182 (v) "또는 대체하는" — 새로 삽입된 것.
183 (v) "하는 것이다"의 표현을 "läuft" ← "kommt"
184 (v) 여기에 "… 대체한다"라고 썼다가 곧바로 지웠음.
185 (v) 여기에 "보존된 가[치]"라고 썼다가 곧바로 지웠음.
186 (v) 여기에 "내가 가격이 …라고 한다면"이라고 썼다가 곧바로 지웠음.
187 (v) 여기에 "전체"(der ganzen)라고 썼다가 곧바로 지웠으나 새로 삽입한 것(어떤 이유에서인지는 알 수 없으나 본문에는 없다. — 옮긴이).
188 (v) "생산물의" — 새로 삽입된 것.
189 (v) "노동시간" ← "시[간]"

190 (v) "추가된" — 새로 삽입된 것.
191 (v) 여기에 "생산물은"이라고 썼다가 곧바로 지웠음.
192 (v) 여기에 "재생산된다"라고 썼다가 곧바로 지웠음.
193 (k) 여기에 있는 "ist"는 자필 원고에는 "sind"로 되어 있음.
194 (v) 이 문장은 처음에는 "**생산물의 가격**은 …과 같다"라고 시작되었음.
195 (v) "$1\frac{1}{9}$" ← "$3\frac{2}{3}$"
196 (v) "$1\frac{1}{9}$" ← "$3\frac{2}{3}$"
197 (k) "$3\frac{1}{3}$" — 자필 원고에는 "$3\frac{1}{2}$"로 되어 있음.
198 (v) "$1\frac{1}{9}$" ← "$3\frac{2}{3}$"
199 (v) "$1\frac{1}{9}$" ← "$3\frac{2}{3}$"
200 (k) "$2\frac{2}{9}$실링" — 자필 원고에는 "$2\frac{1}{3}$ 실링 또는 $2\frac{2}{6}$ 실링"으로 되어 있음.
201 (v) "소모하는" ← "필요한"
202 (v) "그 일부가"(einen Teil) ← "일부는"(zum Teil)
203 (v) "소모된" — 새로 삽입된 것.
204 (e) 이 꺾쇠괄호는 G104쪽 33행에서 시작된 괄호에 대응됨.
205 (v) "노동의 대상적 조건들" — 새로 삽입된 것.
206 (v) "타인의"의 표현을 "fremde" ← "fremdes"
207 (v) 여기에 "… 하는 관계로서"라고 썼다가 곧바로 지웠음.
208 (v) 여기에 "대상화된 가치(상[품])"이라고 썼다가 곧바로 지웠음.
209 (k) 자필 원고에는 여기에 마침표가 있음.
210 (k) 자필 원고에는 여기에 마침표가 있음.
211 (v) "또는 노동능력으로서 … (노예제)" — 새로 삽입된 것.
212 (k) "이집트"(Aegypten) — 자필 원고에는 "Aejypten"으로 되어 있음.
213 (v) "점유"(Besitz) ← "소[유]"(Eigen[tum])
214 (v) "가치들"(die Werthe) ← "가치"(der Werth)
215 (k) "존재하지"(existiren) — 자필 원고에는 "existirt"로 되어 있음.
216 (v) 이 문장은 "Daß"로 시작하지만 처음에 이 말 없이 "노동재료와 노동수단의 교환가치가"라고 썼다가 지웠음. 이때 "교환가치"는 단수에서 복수로 바뀌었음.
217 (v) "특정한"의 표현을 "bestimmtes" ← "gewisses"
218 (v) 여기에 "그 까닭은 그것들은 새롭게 보존될 뿐 아니라"라고 썼다가 곧바로 지웠음.
219 (v) 여기에 "그것은 …에는 … 않는다"(es geht nicht in den)라고 썼다가 곧바로 지웠음.
220 (k) 이 줄표는 자필 원고에는 쉼표로 되어 있음.
221 (v) 여기에 "예컨대"(zwar)라고 썼다가 곧바로 지웠음.
222 (v) 여기에 "실제"라고 썼다가 나중에 지웠음.
223 (v) 여기에 "일부"라고 썼다가 곧바로 지웠음.
224 (v) 여기에 "도"라고 썼다가 곧바로 지웠음.
225 (v) "상품보유자" ← "상품판[매자]"
226 (v) "또한" — 새로 삽입된 것.
227 (v) 여기에 "전혀"라고 썼다가 나중에 지웠음.
228 (k) "대상 없이"(gegenstandslos) — 자필 원고에는 "gegenstandsloses"로 되어 있음.
229 (v) "물적"(sachlichen) — 새로 삽입된 것.
230 (v) 여기에 "요컨대"(also)라고 썼다가 곧바로 지웠음.
231 (v) "대상화된 일반적인" ← "일반적으로 대상화된" ← "대상화된"
232 (v) 여기에 다음 문장의 처음 세 단어 "Sobald es sich"를 썼다가 곧바로 지웠음.

233 (e) "δυνάμει" — 잠재적으로(potentiell).
234 (v) "노동재료" ← "재료"
235 (v) "…일 것이다"의 표현을 "blieben" ← "wäre[n]"
236 (e) G121쪽 25행~G123쪽 12행("세가 『**맬서스에게 보내는 편지**』 … **존 카제노브 엮음, 런던, 1853년**, 30쪽)" — 옮긴이)을 보라.
237 (k) 자필 원고에는 이 줄표가 없음.
238 (v) 여기에 "교환한다"라고 썼다가 곧바로 지웠음.
239 (v) 여기에 "그는 상품을 구매한다"라고 썼다가 곧바로 지웠음.
240 (v) 여기에 "노동 자체가 아니라 …가"라고 썼다가 곧바로 지웠음.
241 (v) 여기에 "…의 가장 광의의 생활수단으로서 그것들을 … 위해서"라고 썼다가 곧바로 지웠음.
242 (k) 자필 원고에는 이 줄표가 쉼표로 되어 있음.
243 (v) 여기에 "요리사"라고 썼다가 곧바로 지웠음.
244 (v) "연주" ← "음악"
245 (v) "화폐" — 새로 삽입된 것.
246 (v) "이전의" — 새로 삽입된 것.
247 (e) 제15노트, 945~50쪽을 보라.
248 (v) 여기에 "자[본주의적]"이라고 썼다가 곧바로 지웠음.

보충설명

1 (k) 자필 원고에는 행을 바꾸지 않았음.
2 (k) "파리-런던, 1820년" — 자필 원고에는 "제4편"으로 되어 있음.
3 (v) "과 관련해서는" — 새로 삽입된 것.
4 (e) 이하 이 문단에서 『최근 맬서스가 주장하는 …』의 인용은 「인용문 노트」, 12쪽에서 옮겨 쓴 것.
5 (v) "세는 교환하기를, … 재치를 부린다." — 이 문장 전체가 새로 삽입된 것.
6 (v) "자본가가 100탈러를 노동능력과" ← "자본이 100탈러를 노동과"
7 (v) "사용가치" ← "상품"
8 (v) "오히려" — 새로 삽입된 것.
9 (v) "노동자" ← "노동능[력]"
10 (v) 여기에 "auf der"라고 썼다가 곧바로 지우고 "(혹은 대상[화된])"이라고 썼다가 곧바로 지웠음.
11 (v) "자신" — 새로 삽입된 것.
12 (v) "개인적" — 새로 삽입된 것.
13 (v) "판매자의 목적이 생산인" — 새로 삽입된 것.
14 (e) 이 인용문은 「인용문 노트」, 57쪽에서 옮겨 쓴 것. 강조는 마르크스가 한 것.
15 (v) 여기에 "빈곤"이라고 썼다가 곧바로 지웠음.
16 (v) "고정자본"의 표현을 "fixed capital" ← "capital fixed"
17 (e) "…만"(only) — 램지의 원문에는 "exclusively"(오로지)로 되어 있음.
18 (e) 「인용문 노트」, 30쪽에서 옮겨 쓴 것. 강조는 마르크스가 한 것.
19 (v) 여기에 다음 인용문을 썼다가 곧바로 지웠음. "정확히 말하면 유동자본이 아니라 고정자본만이 국부의 원천이다.(같은 책)"

20 (e) "생산은 같은 크기일 것이다." — 램지의 원문에는 다음과 같이 되어 있음. "국부의 원천은 의심할 나위 없이 전자의 경우나 후자의 경우나 같은 크기일 것이다."
21 (e) "**직접적**" — 램지가 강조한 것.
22 (e) "이는 …이라는 것을 입증한다" — 램지의 원문에는 "이 이상으로 강력하게 …이라는 것을 입증할 수 있는 것은 없다"로 되어 있음.
23 (e) 「인용문 노트」 30쪽에서 옮겨 쓴 것. 강조는 마르크스가 한 것.
24 (e) "**선대됨**" — 강조는 마르크스가 한 것.
25 (e) "(노동재료와 노동수단)" — 마르크스가 삽입한 것.
26 (e) "**생산비용의 요소**" — 강조는 마르크스가 한 것.
27 (v) 여기에 "가격"이라고 썼다가 곧바로 지웠음.
28 (v) 여기에 "노동자는 …일 것이다"라고 썼다가 곧바로 지웠음.
29 (v) "즉자적으로 유효한" — 새로 삽입된 것.
30 (v) "자립적인" ← "타인의"
31 (v) "규정들" ← "변화된 형태"
32 (v) 처음에는 문장을 끝냈다가 나중에 다음의 괄호 안 부분을 덧붙임.
33 (v) "유일한 (일회적인)" — 새로 삽입된 것.
34 (v) 여기에 "생산물로서"라고 썼다가 곧바로 지웠음.
35 (e) P. 로시, 『경제학 강의』, 브뤼셀, 1843년.
36 (v) 여기에 "또한"이라고 썼다가 나중에 지웠음.
37 (e) "**생산도구**" — 강조는 마르크스가 한 것.
38 (k) "372" — 자필 원고에는 "374"로 되어 있음.
39 (e) "**생산수단**" — 강조는 마르크스가 한 것.
40 (v) 여기에 "필[요한]"이라고 썼다가 나중에 지웠음.
41 (v) "역사적" — 새로 삽입된 것.
42 (e) "임노동을 (또는 자본의 자립적 형태도) 인정하면서 … 더욱 분명해질 것이다"까지는 「인용문 노트」, 55/56쪽에서 옮겨 쓴 것.
43 (v) "노동재료" ← "원료"
44 (v) 여기에 "절대적"이라고 썼다가 나중에 지웠음.
45 (v) 여기에 "몇몇 경제학자들이 보는 바로는"이라고 썼다가 곧바로 지웠음.
46 (k) 자필 원고에는 여기에 줄표(—)가 있음.
47 (e) G118쪽 이하를 보라.
48 (v) "(임금)" — 새로 삽입된 것.
49 (v) 여기에 "문[제]"라고 썼다가 곧바로 지웠음.
50 (k) "그 자체"(als solche) — 자필 원고에는 "als solchen"으로 되어 있음.
51 (v) "생활수단" ← "수단"
52 (v) "이 과정에 들어가는" ← "이 과정에 있는"
53 (v) "유지수단" ← "유지비용"
54 (v) 여기에 "gehn hier"라고 썼다가 곧바로 지웠음.
55 (v) "노동하는 소유주" ← "노동자"
56 (v) 여기에서 문장을 끝냈다가 마침표를 쉼표로 바꾸고 다음 문장을 이어 씀.
57 (v) "역마" ← "말"
58 (v) "그렇게 지출되는" — 새로 삽입된 것.
59 (v) "생산과정" ← "생산"
60 (e) "**경제학을 기업의 관점에서**"—강조는 마르크스가 한 것.

61 (v) "절대적인" — 새로 삽입된 것.

62 (e) 로시의 원문에는 이 인용문 바로 앞에 다음과 같이 되어 있다. "어떤 이들은 노동자가 소비하는 물자는 자본의 일부를 이룬다고 주장한다. 따라서 노동자는 자신의 소득 즉 노동의 보수로 살아가는 것은 아니다." 강조는 마르크스가 한 것.

63 (v) "서로 아무 상관 없는" — 이 구절이 없이 써 나가다가 중단하고 이 구절을 넣고 이어 썼음.

64 (e) "교환되면 그것은 자본이기를 중지하고 … 자본의 일부를 이룬다." —「인용문 노트」, 56쪽에서 옮겨 쓴 것.

65 (e) "그러나 실제로 생필품은 … 주요 생산력의 재생산이기 때문이다." —「인용문 노트」, 56쪽에서 옮겨 쓴 것.

66 (e) 로시의 원문에는 여기에 "현재로서는 지나치게 비현실적인 가설이긴 하지만, 현명하게도 저축을 해둔 것이 있어서"라는 구절이 있음.

67 (e) 여기서부터 문단 끝까지는「인용문 노트」, 87쪽에 있음.

68 (e) "요컨대" — 로시의 원문에는 "보다시피 첫째"로 되어 있음.

69 (e) "자본, 토지, 노동" — 로시의 원문에는 "자본, 노동, 토지"로 되어 있음.

70 (e) "**둘째로**, 임금은 이중으로 사용된다." — 로시의 원문에는 다음과 같이 되어 있음. "둘째로, 우리가 반박하는 이론에서는 불필요한 것이 불가결한 요소로 도입될 뿐 아니라 이중의 용법이 사용된다."

71 (e) 로시의 원문에는 여기에 "명확히"라는 말이 있음.

72 (e) "따라서 선대된 임금이 … 논할 수밖에 없을 것이다." — 로시의 원문에는 다음과 같이 되어 있음. "만약 선대된 임금이 자본에 속한다고 덧붙인다면 다음과 같은 결론이 도출될 수밖에 없다. 생산수단은 임금 즉 노동을 포함하는 자본, 그리고 노동과 토지라는 것이다!"

73 (e) 이 인용문은『요강』, 제6노트, 11쪽에서 옮겨 쓴 것.

74 (v) "요컨대 "노동재료와 노동수단"이 자본으로 나타나는 정황은 "**생산의 구성요소가 아니다.**"" — 이 문장은 다음 문장을 고쳐 쓴 것이다. "요컨대 "노동재료와 노동수단"은 *"**생산의 구성요소가 아니다.**""

* 여기에 "… 구성하[지 않는다]"(constituiren)고 썼다가 곧바로 지우고 다시 "… 형성하[지 않는다]"(bilden)고 썼다가 곧바로 지웠음.

75 (v) 여기에 "조건들"이라고 썼다가 곧바로 지웠음.

76 (e) "실제로 노동자들이 … 보유한 것이 될 것이다." —「인용문 노트」, 56쪽에서 옮겨 쓴 것.

77 (e) "반면에 … 반드시 필요하다." —「인용문 노트」, 56쪽에서 옮겨 쓴 것.

78 (v) "반면에" — 새로 삽입된 것.

79 (v) "노동공간" — 새로 삽입된 것.

80 (v) "**노동수단**" ← "**노동도[구]**"

81 (v) "반드시" — 새로 삽입된 것.

82 (v) 여기에 이어서 ""다만 당연히"라고 썼다가 곧바로 지웠음.

83 (v) 여기에 "nimmt"(벗겨내다)라고 썼다가 곧바로 지웠음.

84 (v) "사회적" — 새로 삽입된 것.

85 (v) 여기에 "토지(노동재[료])"라고 썼다가 곧바로 지웠음.

86 (k) 이 줄표는 자필 원고에는 쉼표로 되어 있음.

87 (e) MEGA② II/1.1, 239쪽을 보라.

88 (e) "로시에게서 여전히 특징적인 것은 … 아니라는 것을 눈치채고 있다.)" —「인용문 노트」, 56쪽에서 옮겨 쓴 것.

89 (e) "**자기 팔밖에** … 마냥 기다릴 수 없다." —「인용문 노트」, 56쪽에서 옮겨 쓴 것.

90 (e) "제삼의 국외자" — 로시의 원문에는 모두 "나"로 되어 있음.

91 (e) "그가 노동자와 맺은 … 말할 수 있는가?" — 「인용문 노트」, 56쪽에서 옮겨 쓴 것.

92 (e) 로시의 원문에는 여기에 "분명히"라는 말이 있음.

93 (e) "노동자는 … 공장주에게 한다." — 로시의 원문에는 다음과 같이 되어 있음. "나와 이러한 거래를 할 수 있는 노동자라면 당신이나 다른 어떤 사람과도 할 수 있었다. 그렇다면 그는 당연히 제조업자나 기업가 또는 그의 사장에게 동일한 제안을 할 수 있다."

94 (e) 로시의 원문에는 다음과 같이 되어 있음. "이와 마찬가지로 기업가 역시 생산을 용이하게 만들어줄 수 있는 이런 조치에 너무나 간단히 참여할 수 있다."

95 (e) "**그것은 생산에 필수 불가결한** … 일어나지 않는 생산이 있다." — 로시의 원문에는 다음과 같이 되어 있음. "이 조치는 생산에 불가결한 것일까? 전혀 그렇지 않다. 노동 조직이 바뀌면 이 조치는 사라질 수 있을까? 의심의 여지가 없다. 오늘날에도 이 사실과 무관한 생산이 있을까? 대답은 긍정적임이 확실하다."

96 (e) "**그러나 이 조치는 다름 아니라** … 그것이 일어나지 않는 생산이 있다." — 「인용문 노트」, 56쪽에 있음.

97 (e) "**기업가는 생산을 용이하게** … **직접적 생산도구**라 부를 수는 없다" — 『요강』, 제6노트, 11쪽에서 옮겨 쓴 것.

98 (e) "기계의 "**가치**", 고정자본으로서 기계의 현존 등은 "직접적 생산도구"가 아니다." — 「인용문 노트」, 56쪽에서 옮겨 쓴 것.

99 (e) "**오늘날의 임금 형태는 사라져버릴 것이다**" — 강조는 마르크스가 한 것.

100 (e) "누구나 자기 노동의 … 사이에도 존재하게 될 것이다." — 「인용문 노트」, 56쪽에서 옮겨 쓴 것.

101 (e) 이 인용문은 『요강』, 제6노트, 11쪽에서 옮겨 쓴 것. 강조는 마르크스가 한 것.

102 (e) "**관념적 존재**" — 강조는 마르크스가 한 것.

103 (v) 이 문단 전체가 새로 삽입된 것. 이 보충이 자필 원고에는 다음 문단 뒤(G133쪽 20~21행)에 있고 들어갈 자리가 ++ 표시로 지시되어 있음.

104 (k) "114" — 자필 원고에는 "112"로 되어 있음.

105 (e) 이 인용문은 「인용문 노트」, 33쪽에서 옮겨 쓴 것. 시스몽디의 원문에는 "노동하는 능력은 … 구매자를 찾지 못하면 아무것도 아니다"로 되어 있음.

106 (e) "**기계의 가격**이 기계 자체와 함께" — 밀의 원문에는 "기계"가 "도구"(tools)로 되어 있음.

107 (v) "생산에" — 새로 삽입된 것.

108 (e) 이 문단은 「인용문 노트」, 57쪽에서 옮겨 쓴 것.

109 (v) 여기에 "증[식되]"라고 썼다가 곧바로 지웠음.

110 (e) 여기서부터 문단 끝까지는 『요강』(MEGA② II/1.1, 228쪽에서 옮겨 쓴 것.

111 (e) 여기서부터 문단 끝까지의 인용문은 「인용문 노트」, 22쪽)에서 옮겨 쓴 것.

112 (e) "**자본은 본질에서 언제나 비물질적이다. 왜냐하면**" — 강조는 마르크스가 한 것.

113 (k) "제2권 … 429쪽" — 자필 원고에는 "제1권 … 428쪽"으로 되어 있음.

114 (e) LX(60쪽)는 마르크스의 1845년 브뤼셀 발췌 노트의 쪽수를 가리킴.

115 (e) 이 문단 처음부터 여기까지는 『요강』(MEGA② II/1.1, 224, 228쪽)에서 옮겨 쓴 것.

116 (e) "(**형태규정의 이러한 삭제**는 … 밝혀질 것이다.)" — 『요강』(MEGA② II/1.1, 224쪽)에서 옮겨 쓴 것. G142쪽 12행~G143쪽 33행도 보라.

117 (e) 여기서부터 문단 끝까지는 『요강』(MEGA② II/1.1, 222~23쪽)에서 옮겨 쓴 것.

118 (v) 여기에 "망각한다"라고 썼다가 곧바로 지웠음.

119 (e) "**노동**" — 강조는 마르크스가 한 것.

120 (e) 이 인용문은 「인용문 노트」, 78쪽에서 옮겨 쓴 것. G88쪽 13~14행("노동과 자본

… 선행 노동의 결실이었다." ─ 옮긴이)과 G88쪽 2~29행에 관한 해설(부속자료 53쪽 주 37 ─ 옮긴이)을 보라.

121 (e) "축적된 노동 … 직접적 노동" ─ 토런스의 원문 33/34쪽에는 다음과 같이 되어 있음. "공동체가 자본가계급과 노동자계급으로 분리되기 이전이고 어떤 산업부문을 수행하는 개인이 자기 자신의 노동을 수행하는 사회 초기 단계에서는 생산에 지출된 노동 ─ 축적된 노동과 직접적 노동 ─ 의 총량이 비교와 경쟁의 중심 문제가 되고, 물물교환이나 판매의 거래에서 주어진 양의 상품과 교환해서 받는 다른 상품의 양을 궁극적으로 결정하는 것이다."

122 (v) "축적된 노동 … 1821년, 제1장)" ─ 전체가 새로 삽입된 것.

123 (e) 이하 여섯 문단(셰르뷜리에 인용까지)은 「인용문 노트」, 21쪽과 22쪽에서 옮겨 쓴 것.

124 (v) 이어서 다음과 같이 썼다가 곧바로 지웠음. "그는 자본도 축적된 노[동]으로 설[명]한다."

125 (e) "**자본**은 특수한 … 정해진 것이다." ─ 토런스의 원문에는 다음과 같이 되어 있음. "사실 자본은 특수한 종류의 부일 뿐이다. 그리고 자본에 속하는 유일하고 독특한 상황은 그것이 우리의 부족분을 직접 충족하는 것이 아니라 다른 유용한 물품을 획득하는 데 정해져 있다는 점이다."

126 (k) "70/71" ─ 자필 원고에는 "79"로 되어 있음.

127 (e) "자본이다" ─ 시토르흐의 원문에는 "자본을 이룬다"로 되어 있음.

128 (e) "국민적 자본의 요소는" ─ 시토르흐의 원문에는 다음과 같이 되어 있음. "이 장(章)은 일국의 자본을 구성하는 여러 요소를 독자에게 알려주기 위해 쓰였다."

129 (e) "**자본**" ─ 강조는 마르크스가 한 것.

130 (e) "**자본**" ─ 강조는 마르크스가 한 것.

131 (e) "**사용하는 방식**" ─ 강조는 마르크스가 한 것.

132 (k) "『부냐 빈곤이냐』" ─ 자필 원고에는 "『부자와 빈자』"로 되어 있음.

133 (e) "자본은 생산에 사용된 … 부의 부분이다." ─ 「인용문 노트」, 21쪽에서 옮겨 쓴 것. 찰머스의 원문에는 다음과 같이 되어 있음. "우리는 **자본**이라는 용어를 우리 경제학자들 대다수가 그것에 부여한 의미로 쓴다. 즉 그것은 물질적 부나 화폐적 부를 포괄하는 것이 아니라 그중에서 오로지 생산 사업에 사용된 부분, 일반적으로 이윤을 획득할 목적으로 사용된 부분만을 포괄한다."

134 (v) "(즉 축적된 부)" ─ 새로 삽입된 것.

135 (e) "**선행하는 노동**(자본) … **현재 노동**." ─ 웨이크필드의 원문에는 다음과 같이 되어 있음. "… 자본이라 이름 붙은 선행 노동은 언제나 동일한 양의 현재 노동과 교환될 수 있다."

136 (v) 여기에 "상품의 내용"이라고 썼다가 곧바로 지웠음.

137 (v) 여기에 "상품"이라고 썼다가 곧바로 지웠음.

138 (v) "비로소" ─ 새로 삽입된 것.

139 (e) "그것은" ─ 프루동의 원문에는 "이 개념은"(cette idée)으로 되어 있음.

140 (e) 이 인용문은 제16노트(런던, 1851년)에서 옮겨 쓴 것. 노트 23~30쪽에는 『신용의 무상성. 바스티아와 프루동의 논쟁』에서 발췌한 부분이 포함되어 있다. 이 인용문은 「인용문 노트」, 22쪽에도 축약되어 실려 있다. 강조는 마르크스가 한 것.

141 (v) 여기에 "교환가치일 뿐 아니라 교환가치"라고 썼다가 곧바로 지웠음.

142 (v) "즉 상품이 된다" ─ 이 구절이 없이 문장을 끝내고, 다음 문장을 써 나가다가 중단하고 이 구절을 넣고 이어 썼음.

143 (v) 여기에 "자본에"라고 썼다가 곧바로 지웠음.

144 (e) 이 문단은 마지막 한 문장을 제외하고는 『요강』(MEGA② II/1.1, 187~88쪽)에서 옮겨

쓴 것.

145 (e) 이 인용문에서 강조는 마르크스가 한 것.

146 (v) 여기에 "말하자면 그가 뜻하는 것은, 교환가치가 중요한 것은, 그것이 … 에게 존재하는 것은 단지"라고 썼다가 곧바로 지웠음.

147 (v) "특정한" — 새로 삽입된 것.

148 (v) "이 되는" ← "인"

149 (v) "생산관계" ← "관계"

150 (v) "특정한" — 새로 삽입된 것.

151 (v) "특정한" — 새로 삽입된 것.

152 (v) "그가 속해 있는 사회" ← "사회"

153 (v) "(관념)" — 새로 삽입된 것.

154 (e) 「인용문 노트」, 22쪽에서 마르크스는 "**자본의 사물로의 전화**"라는 제목 아래 제7노트(런던, 1859~62년), 77쪽을 적시하고 있다. 제7노트 77~87쪽에는 웨일랜드의 『경제학 요강』 발췌문들이 있다.

155 (e) 이하 두 행의 인용은 세, 『경제학 개론』, 제3판, 제2권, 파리, 1817년에서 옮겨 쓴 것.

156 (e) "가치 … 가치가 있는 것" — 세의 원문(484쪽)에는 "**사물의 가치, 교환 가능한 가치, 사물의 평가될 수 있는 가치** — 그것은 한 사물이 …라는 가치를 갖는다는 것이다"라고 되어 있음.

157 (e) "가격 … 어떤 사물의 표현된 가치" — 세의 원문(464쪽)에는 "**가격** — **화폐**로 표현된 사물의 **가치**"라고 되어 있음.

158 (e) "토지의 **노동** … 구매되기 때문이다." — 이 인용문은 「인용문 노트」, 53쪽에서 옮겨 쓴 것. 이것은 콜랭, 『경제학』, 제3권, 파리, 1857년, 376쪽에서 인용됨.

159 (e) "근로 능력에 대한 **임차료**" — 세의 원문(480쪽)에는 다음과 같이 되어 있음. "**임금**. 그것은 **근로** 능력의 임차료, 또는 더 엄밀히 말하면 근로의 **생산적 서비스**의 구매**가격**이다."

160 (e) "그래서 그는 임금을 … 증명하고 있다." — 이 문장에서의 인용은 세, 『경제학 개론』에서 옮겨 온 것.

161 (v) "이탈리아" — 새로 삽입된 것.

162 (v) "(나중에 보게 되겠지만 … 극명하게 드러난다)" — 이 괄호에 넣은 문장을 쓰지 않고 다음 부분을 써 나가다가 중단하고 이것을 넣고 이어 썼음.

163 (e) MEGA② II/3.2, 337쪽 31행~362쪽 2행을 보라.

164 (v) 여기에 ""Partigiano(여기에서는 제조업자로 이해할 수 있다),"라고 썼다가 곧바로 지웠음.

165 (e) "**가치의 재생산**" — 강조는 마르크스가 한 것.

166 (e) 이 인용문은 「인용문 노트」, 37쪽에서 옮겨 쓴 것.

167 (v) "어떤 이가" ← "누가"

168 (k) "두드러진"(sensibile) — 자필 원고에는 "possibile"(가능한)로 되어 있음.

169 (e) 이 인용문에서 강조는 마르크스가 한 것.

170 (k) "34, 35" — 자필 원고에는 "34, 5"로 되어 있고 닫는 괄호가 빠져 있음.

171 (v) "노동능력" ← "노동"

172 (e) 이 인용문은 「인용문 노트」, 18쪽에서 옮겨 쓴 것. 강조는 마르크스가 한 것.

173 (e) "처분할 수 있는" — 웨이드의 원문에는 "처분한"으로 되어 있음.

174 (k) "177" — 자필 원고에는 "147"로 되어 있음.

175 (v) 제1노트 A쪽에서 마르크스는 이 인용문을 다음과 같이 기록했다. "상품의 소비가 **생산과정의** 일부를 이루는 생산적 소비."(S. P. 뉴먼, 『경제학 요강』, 앤도버/뉴욕, 1835년,

296쪽) "이 경우에 **가치의 소비는 없고, 동일한 가치가 새로운 형태로 존재한다.**"(앞의 책, 296쪽) 부속자료 G22쪽 복사자료를 보라.

176 (e) 이 인용문은 「인용문 노트」, 20쪽에서 옮겨 쓴 것. 뉴먼의 원문에는 다음과 같이 되어 있음. "이들 다양한 종류의 소비 중에서 후자는 방금 언급된 사정, 즉 그들의 소비는 생산과정의 일부를 이룬다는 사정으로부터 일반적으로 생산적 소비로 불린다. 이 경우에 가치의 소비는 없다 — 동일한 가치가 새로운 형태로 존재한다 — 는 것이 알려질 것이다."

177 (v) 여기서부터 다음 문단까지는 새로 삽입된 것.

178 (e) 이 인용문은 「인용문 노트」, 22쪽에서 옮겨 쓴 것. 강조는 마르크스가 한 것.

179 (e) 이 인용문은 「인용문 노트」, 34쪽에서 옮겨 쓴 것. 강조는 마르크스가 한 것.

180 (v) "전체로서 고찰하면" — 이 구절이 없이 써 나가다가 중단하고 이 구절을 넣고 이어 썼음.

181 (k) "자본과 노동능력의" — 자필 원고에는 "노동능력의 자본의"로 되어 있음.

182 (v) "(요컨대 이전 노동의 생산물도)" — 괄호는 나중에 삽입되었음.

183 (e) "곡물" — 시스몽디의 원문에는 "밀"로 되어 있음.

184 (e) 이 인용문에서 강조는 마르크스가 한 것.

185 (e) "부" — 셰르뷜리에의 원문에는 "사회적 부"로 되어 있음.

186 (e) 이 인용문은 「인용문 노트」, 34쪽에서 옮겨 쓴 것.

187 (e) 이 인용문은 「인용문 노트」, 47쪽에서 옮겨 쓴 것.

188 (v) "등(조세도)" — 새로 삽입된 것.

189 (v) 여기에 "또는"이라고 썼다가 지웠음.

190 (e) "노동은 부의 원천 … 상이한 방식일 뿐이다." — 시스몽디의 원문에는 다음과 같이 되어 있음. "우리가 다른 곳에서 말한 것처럼 모든 부는 노동의 산물이다. 소득은 부의 일부이므로 이 공동의 원천에서 나와야만 한다. 하지만 통상 인정되는 세 종류의 소득은 지대와 이윤, 임금이며 그 각각은 토지, 축적된 자본, 노동이라는 서로 다른 세 가지 원천에서 나온다. 좀 더 유의해서 보면 이 세 종류의 소득은 인간노동의 과실 분배에 관여할 수 있는 세 가지 서로 다른 방식임이 인정된다."

191 (k) "54" — 자필 원고에는 "53, 54"로 되어 있음.

192 (e) "**판매**" — 셰르뷜리에의 원문에는 "제공"으로 되어 있음.

193 (v) "더 자세히" — 새로 삽입된 것.

194 (v) 여기에 다음과 같이 썼다가 곧바로 지웠음. "이것은 다음과 같은 특정한 경제적 방식으로 …" ← "이것은 다음과 같은 방식으로" ← "이것은 형[태]"

195 (k) 자필 원고에는 여기에 불필요한 괄호 '('가 있음.

196 (e) 1861년 집필계획 초안에서 "본원적 축적"은 1절 "자본의 생산과정"의 4항을 이룬다. 이 항에서 마르크스는 자본의 축적과정에 속하는 몇 가지 문구도 인용했다. 1863년 1월 집필계획(제18노트, 1140쪽)에 따르면 "본원적 축적"은 "잉여가치의 자본으로의 재전화" 및 "웨이크필드의 식민이론"과 함께 제1절의 6항을 이룬다. "이른바 본원적 축적"에 관해서는 제22노트, 1403~06쪽에 실려 있다.

197 (v) "와 그것의 산출" — 이 구절이 없이 써 나가다가 중단하고 이 구절을 넣고 이어 썼음.

198 (v) 여기에 "전적으로"라고 썼다가 나중에 지웠음.

199 (v) "역사적으로 등장했으며" ← "역사적이고"

200 (e) 이하 두 문단은 『요강』(MEGA② II/1.1, 225~28쪽)에서 옮겨 쓴 것.

201 (k) "자본"(Kapital) — 자필 원고에는 "Kapitals"로 되어 있음.

202 (k) 자필 원고에는 여기에 "auf"가 있는데 지우는 것을 잊은 듯함.

203 (e) "에서가 불콩 요리 한 접시를 받고 장자의 권리를 내준 것처럼" — 「모세 1서」(창세기) 제25장, 『구약성경』을 보라.

204 (v) "노동능력의 주어진 가치크기" ← "주어진 가치크기로서의 노동능력"

205 (k) "교환된다"(ausgetauscht) — 자필 원고에는 "-getauscht"가 빠져 있음.

206 (e) 이 인용문은 「인용문 노트」, 8쪽에서 옮겨 쓴 것.

207 (v) "파운드스털링" — 새로 삽입된 것.

(k) 새로 삽입할 때, 중량을 나타내는 "파운드"(lbs)라고 잘못 썼음.

208 (v) "336파운드스털링" — 새로 삽입된 것.

209 (v) "이윤 60 ← 이윤 18" — 새로 삽입된 것.

(e) 여기에서 마르크스는 면사 10,000파운드를 위해서는 면화 11,500파운드가 필요하다고 계산하고 있다.

210 (v) "(490 중 $5\frac{5}{6}$)" — 새로 삽입된 것.

211 (v) "1파운드" — 새로 삽입된 것.

212 (v) 여기에 "$\frac{4}{7}+\frac{5}{28}$"라고 썼다가 곧바로 지웠음.

213 (v) 초고에는 본문에 실린 수치와 계산 이외에 다음과 같은 부수적인 계산들이 있다.

방적과정에서의 부산물 계산에 관하여

"$\frac{100}{15}$* $\frac{20}{3}$"

* "$\frac{100}{15}$" ← "$\frac{10000}{1500}$"

자본의 구성과 이윤의 산출에 관하여

$$\begin{array}{rr} 336 & 70+60 \\ 84 & 336 \\ 70 & 84 \\ \hline 490 & 420 \end{array}$$

214 (e) 「공장주로서 …」, 맨체스터[로부터의 통신], 1861년 9월 17일 자, 화요일. 《맨체스터 가디언》, 1861년 9월 18일 자, 2쪽, 2단. 마르크스는 이 기고를 "화폐 기사"(Money Article)라 표현하는데, 그 까닭은 그 기사가 2쪽 1단의 표제 "상업통신", "화폐시장" 아래에 위치해 있기 때문이다.

215 (v) "그중"(wovon) ← "그에 대하여"(worauf)

216 (v) 여기에 "기계류를 위해서"라고 썼다가 곧바로 지웠음.

217 (v) 여기에 "Auf 3 beträgt d. Ge"라고 썼다가 곧바로 지웠음.

218 (v) "마다"의 표현을 "auf je" ← "auf"

219 (v) "시간" — 새로 삽입된 것.

·220 (v) "지출된" — **"선대된"**이라는 말 위에 삽입 표시 없이 새로 삽입된 것.

221 (v) "명칭일 뿐이고" ← "명칭일 뿐,"

222 (v) 여기에 "생산물의 가치=*생산물에 들어가는 가치들의 합계라는 것은 사실 …에 다름 아니다"라고 썼다가 곧바로 지웠음.

* 여기에 "…의 가치"라고 썼다가 곧바로 지웠음.

223 (v) "의 합계" — 새로 삽입된 것.

224 (v) "또는 지불한" — 새로 삽입된 것.

225 (v) 여기에서 행을 바꿔 다음과 같이 썼다가 곧바로 지웠음. "생산과정이 끝나면서 나오는 잉여가치 — 이 잉여가치는 생산물보다 높은 가격으로 유통에서 비로소 실현되지만, 그것은 모든 가격이 유통에 들어가기 전에 이미 유통에 대해 **관념적으로** 전제되고 규정됨으로써 유통에서 실현되는 것과 마찬가지이다 — 는 교환가치의 일반적 개념에 따라 표현하자면, 생산물에 대상화된 노동시간(또는 노동량)"

226 (v) 이 페이지의 하단 여백에 마르크스는 다음과 같이 계산해놓았다.

파운드	펜스
1	11
100	1,100펜스＝91실링 $\frac{2}{3}$펜스
1,000파운드	910실링 $\frac{20}{3}$펜스
10,000	9,100실링 $\frac{200}{3}$펜스

그러고 나서 9,100실링을 455파운드스털링으로 환산했다.

```
9100      |20
80        ----
----       455
110
100
----
110
100
----
```

[추가 보충설명]

1 (e) 노트 5권을 집필한 다음에 마르크스는 『요강』에서 몇몇 구절을 옮겨 왔다. 그는 제1노트~제5노트의 앞표지 뒷면 빈자리에 그것들을 쓰고 그 페이지들에 "A" 또는 "a"로 쪽수를 매겼다.

2 (v) 제1노트의 A쪽은 초고 목차로 시작된다. G4쪽 1~6행을 보라.

3 (e) 여기서부터 제1노트 A쪽에 쓴 다섯 개 문단은 『요강』(MEGA② II/1.1, 198/199쪽)에서 약간 수정해서 옮겨 쓴 것.

4 (v) 제1노트 A쪽의 계속은 G318쪽 13~23행(364쪽 첫 문단 — 옮긴이)을 보라.

5 (v) 제2노트 A쪽은 "I. 1) h) 전화과정의 두 가지 구성요소"라는 내용으로 시작된다. G4쪽 7행을 보라.

6 (e) 이하 세 문단은 『요강』(MEGA② II/1.1, 205, 211/212쪽)에서 옮겨 쓴 것.

7 (v) "능력" — 새로 삽입된 것.

8 (e) 앤드루 유어, 『공장 철학: 또는 영국 공장제도의 과학적, 도덕적, 상업적 경제에 관한 해설』, 런던, 1835년, 316~17쪽.

9 (v) "개별화된" — 새로 삽입된 것.

10 (v) "**그의**" — 새로 삽입된 것.

11 (e) 이 문단은 『요강』(MEGA② II/1.1, 212쪽)에서 옮겨 쓴 것.

12 (v) 95a/A쪽은 『공장감독관 보고서. 1859년 10월 31일까지의 반기 보고서』를 인용하면서 시작된다. G201쪽 34~38행("훨씬 더 큰 이익은 … 배분해둘 수 있게 되었다." — 옮긴이)을 보라.

13 (e) 이 문단은 『요강』(MEGA② II/1.1, 225/226쪽)에서 옮겨 쓴 것.

*14 (v) "실제"(Wirklichkeit) — 이 단어 위에 삽입 표시 없이 "엔텔레케이아"(Entelechie: 아리스토텔레스 철학의 개념으로, 목적이 실현되어 운동이 완결된 상태 — 옮긴이)라고 썼음.

15 (e) 이 문단은 『요강』(MEGA② II/1.1, 216쪽)에서 옮겨 쓴 것.

16 (v) "자본가가 노동자에게 지불하는 것은 다른 모든 상품 구매자의 경우와 마찬가지로" ← "노동자가 자본가에게 판매하는 것은 다른 모든 상품 판매자의 경우와 마찬가지로"

17 (e) 이 문단은 『요강』(MEGA② II/1.1, 270쪽)에서 옮겨 쓴 것.

18 (e) 이 문단은 『요강』(MEGA② II/1.1, 275쪽)에서 옮겨 쓴 것.

19 (v) 이어서 램지의 『부의 분배에 관한 고찰』에서의 다음 인용문이 있다.
"이윤의 **원천**은 물질세계의 법칙이다. 이에 따르면 자연의 혜택(beneficence)은 인간의 노동과 숙련에 의해 지원되고 지도될 때 국가 산업에 막대한 수익을 가져다주고, 소비된 고정자본(R은 이를 원료와 노동도구로 이해한다)을 **현물로 대체**하고 **고용된 노동자 종족을 영원히 유지하기** 위해서 절대로 필요한 것 외에 **생산물의 잉여**를 남긴다. … 총생산물이 이러한 목적을 위해서 반드시 필요한 것보다 조금이라도 초과하기만 하면 **이윤이라는 명칭**하에 명확한 소득을 총량에서 분리하여 **다른 계급의 사람들이 갖는** 것이 가능해진다."(램지, 205쪽)

이 인용문은 아마도 나중 시점에 쓰였을 것이다. 마르크스는 이것을 『잉여가치론』에, 이 초고의 1090쪽에서 이용했다.

(e) 이 인용문(앞의 변경사항에서 언급한 램지의 글을 가리킴 — 옮긴이)은 「인용문 노트」, 18쪽에서 옮겨 쓴 것. 첫머리 부분은 램지의 원문에는 다음과 같다. "… 이윤은 그 존재를 법칙에 빚지고 있다."

a) 특정한, 즉 임금으로 지출된 자본 부분과의 단순한 비율로서 잉여가치

1 (v) 이 문단 전체가 새로 삽입된 것. G151쪽 복사자료를 보라.
2 (v) "엄밀하게" — 새로 삽입된 것.
3 (e) 여기에서 마르크스는 2 a절의 서술에 수학적 표현을 사용하고 있다. 이 삽입이 언제 이루어졌는지는 확인되지 않는다. 우리는 그것이 초고에서 실린 자리에 싣기로 한다. G151쪽 복사자료를 보라.
4 (v) "(상품이 그것의 가치에 따라 판매된다고 전제하면)" — 새로 삽입된 것.
5 (v) "가치" ← "가[격]"
6 (v) "거래" ← "교환"
7 (v) "특정한" ← "매우 특정한" ← "특[정한]"
8 (v) "없게 된다" ← "없다"
9 (v) 여기에 "노동시간 자체가 두 개의 양으로"라고 썼다가 곧바로 지웠음.
10 (k) "…으로서"(als) — 자필 원고에는 "…에"(in)로 되어 있음.
11 (v) 여기에 "그의 … 일일 가치가"라고 썼다가 곧바로 지웠음.
12 (v) 여기에 "자본가가 전유하는"이라고 썼다가 곧바로 지웠음.
13 (v) "**노동시간**" ← "**노동**"
14 (v) "대상적" — 새로 삽입된 것.
15 (v) "가공된 원료" ← "소모된 원료" ← "원료"
16 (v) "새로" — 새로 삽입된 것.
17 (v) "그가 생산을 계속하고자 한다면, 즉 생산조건을 유지하고자 한다면" — 새로 삽입된 것.
18 (v) "평균적인" — 새로 삽입된 것.
19 (v) "평균적으로" — 새로 삽입된 것.
20 (v) "96" ← "2"
21 (v) 여기에 "노동자를 매일 소비하는 것"이라고 썼다가 곧바로 지웠음.
22 (v) 여기에 "자본이 … 한다고 하자"라고 썼다가 곧바로 지웠음.
23 (v) "생활수단의 가치를" ← "생활수단을"
24 (v) 여기에 "…의 현존을 위해서도"라고 썼다가 곧바로 지웠음.
25 (v) 여기에 "은 … 구성한[다]"라고 썼다가 곧바로 지우고, "은 **잉여노동**을 이룬다"라고 썼다가 곧바로 지웠음.
26 (v) 여기에 "생산물에 있는 잉여노동의 대상화"라고 썼다가 곧바로 지웠음.

27 (v) 여기에 "Was als"라고 썼다가 곧바로 지웠음.

28 (v) "**대상화된** 잉여노동시간" — 처음에는 정관사(die)를 썼다가 나중에 지웠음.

29 (v) 여기에 "즉 자본가가 노동자에게 …로 지불하는"이라고 썼다가 "지불하는"을 곧바로 지우고 이어서 "주는 것은"이라고 썼다가 곧바로 모두 지웠음.

30 (v) "예를 들면" — 새로 삽입된 것.

31 (k) "그 비율은"(es) — 자필 원고에는 "sie"로 되어 있음.

32 (v) "단순한" ← "하나의"

33 (v) "달리 말하자면 잉여노동은 … 대상화되지 않았다." — 이 문장 전체가 새로 삽입된 것.

34 (v) "97" ← "3"

35 (v) 여기에 "그것은 … 할 수 있을 뿐이다"라고 썼다가 곧바로 지우고 "그것은 … [로] 이루어질 뿐이다"라고 썼다가 곧바로 지웠음.

36 (v) "원료" ← "노동[재료]"

37 (v) "생산도구" ← "노[동도구]"

38 (v) "교환가치" ← "가치"

39 (v) "부분" ← "구성부분"

40 (v) "그것의 가치보다 더 많은 것을 결코 생산물의 가치에 추가하지 않는다." ← "것보다 많은 가치를 결코 생산물에 추가하지 않는다"

41 (v) 여기에 "나아가 **불변**이라는 말을 다음과 같은 의미로 받아들여서는 안 된다"라고 썼다가 곧바로 지웠음.

42 (v) "크기, 즉 가치량," — 새로 삽입된 것.

43 (v) "총액" ← "액수"

44 (v) 여기에 "그것이 크든 작든"이라고 썼다가 곧바로 지웠음.

45 (v) "(그것의 사용가치에 따라서)" — 이 구절이 없이 써 나가다가 중단하고 이 구절을 넣고 이어 썼음.

46 (v) 여기에 "폐기되고"라고 썼다가 곧바로 지웠음.

47 (v) "(가치와 사용가치는)" — 새로 삽입된 것.

48 (v) "동일한 양의 살아 있는 노동시간" ← "노동시간의 양"

49 (v) 여기에 "대상화[되고]"라고 썼다가 곧바로 지우고 "정립되고"라고 썼다가 곧바로 지웠음.

50 (v) "가치 부분" ← "가치구성 부분"

51 (v) "단지 새로운 등가물로 대체될" — 이 구절이 없이 써 나가다가 중단하고 이 구절을 넣고 이어 썼음.

52 (v) "노동시간" ← "시간"

53 (v) "불변자본에 포함된 노동시간" ← "불변자본의 가치"

54 (v) "가변자본에 포함된 노동시간" ← "가변자본의 가치"

55 (v) 여기에 "잉여노동, 즉"이라고 썼다가 지웠음.

56 (v) "P에 포함된 노동시간, 또는 생산물의 가치" ← " P의 가치"

57 (v) 여기에 "자본"이라고 썼다가 곧바로 지웠음.

58 (v) "98" ← "4"

59 (v) "잉여노동에 대한 필요노동의 비율, V : M의 비율로" ← "필요노동에 대한 잉여노동의 비율, M : V의 비율로"

60 (v) 여기에 "가장 두드러진 증거는"이라고 썼다가 곧바로 지웠음.

61 (v) "C = 0이고 자본가가 … **M**의 크기는 **동일**하다." — 이 각주는 새로 삽입된 것.

62 (v) "(임금을 재생산하는)" — 새로 삽입된 것.

63 (v) 여기에 "…의 비율"이라고 썼다가 곧바로 지우고 "…의 양"이라고 썼다가 곧바로 지웠음.

64 (v) "자본 부분" ← "자본"
65 (v) "나타난다"의 표현을 "erscheinen" ← "sind"
66 (v) "부분" ← "분할" ← "형태"
67 (v) "노동자로서" — 새로 삽입된 것.
68 (v) "99" ← "5"
69 (v) 여기에 "동시[적]"이라고 썼다가 곧바로 지웠음.
70 (e) 프루동의 이 명제에 대해서는 G317쪽 5행~G318쪽 11행과 『요강』, 제4노트, 26~32쪽을 보라. 마르크스는 1861년 집필계획 초안에서 1 3) ϒ)에서 후자의 쪽수를 제시하고 있다.

b) 필요노동에 대한 잉여노동의 비율. 잉여노동의 척도

1 (v) 여기에 "생활[조건들]"이라고 썼다가 곧바로 지웠음.
2 (v) 여기에 "몰다비아"라고 썼다가 곧바로 지웠음.
3 (v) "부역노동" ← "강제노동"
4 (v) "일반적인" — 새로 삽입된 것.
5 (v) 여기에 "인간은 …을 *갖는다"라고 썼다가 곧바로 지웠음.
 * 여기에 "할 수 있다"라고 썼다가 나중에 지웠음.
6 (v) "일일" — 새로 삽입된 것.
7 (v) 여기에 "식[사에]"라고 썼다가 곧바로 지우고 "충족하는 데"라고 썼다가 곧바로 지웠음.
8 (v) "또는 새로 시작할" — 새로 삽입된 것.
9 (v) "(18)" — 새로 삽입된 것.
10 (v) "잠잘" — 새로 삽입된 것.
11 (v) "노동일" ← "노동시간"
12 (v) "sets" — 새로 삽입된 것.
13 (k) "(sets)" — 자필 원고에는 괄호가 없음.
14 (v) "또는 … 중단할 수도 있다 등등" — 이 문장 전체가 새로 삽입된 것.
 (e) 이 문장을 마르크스가 삽입한 것은 1863년 6월 이전은 아니다. 1863년 6월 런던 신문들(특히 《타임스》 1863년 6월 24일 자 "과로사"(Worked to death …)라는 제목의 기사, 7쪽 5단. "10일 전에 …"(Ten days ago …)라는 제목의 기사, 11쪽 5단과 6단. 《모닝 스타》 1863년 6월 23일 자 기사 "우리의 백인 노예들", 4쪽 6단에서 5쪽 1단까지)은 여성복 제조공 메리 앤 워클리의 과로사에 대하여 보도했다. 제빵공의 노동시간과 관련하여 마르크스는 다음 자료들에 의존한 것으로 추측된다. 『제빵 직인들의 고충에 관한 보고서, 증언 첨부. 여왕 폐하 명령에 따라 상하원 제출』, 런던, 1862년; 『제빵 직인들의 고충에 관한 제2차 보고서. 여왕 폐하의 명령에 따라 상하원 제출』, 런던, 1863년.
15 (e) 제3노트의 처음 앞쪽들은 원래 1~6으로 쪽수가 매겨졌다. 나중에 마르크스는 이것들을 (제2노트와 연결하면서) 95쪽부터 시작해 쪽수를 매겼다. 이때 그는 6 위에 100을 썼기 때문에 이 숫자는 160처럼 보였다. 그러고 나서 마르크스는 이어진 페이지들에 161 등으로 표기하다가 179쪽(119쪽이라고 해야 옳다)에서 오류를 깨닫고 쪽수를 정정했다. 100~119쪽에 대한 많은 보충설명에는 160~179라는 잘못된 쪽수 표기가 남았다. 이들 쪽수는 편집자가 수정했다.
16 (v) "100" ← "6"
17 (v) "생산과정" ← "노[동과정]"

18 (v) 여기에 "자본가가 …과 교환으로"라고 썼다가 곧바로 지웠음.
19 (v) "생산비" ← "가치"
20 (v) "살아 있는" — 새로 삽입된 것.
21 (v) 여기에 "경[제적]"(öko[nomische])라고 썼다가 곧바로 지웠음.
22 (v) 여기에 "…의 관계가"라고 썼다가 곧바로 지웠음.
23 (v) 여기에 "손노동에"라고 썼다가 곧바로 지우고 "설탕 가공에"라고 썼다가 곧바로 지웠음.
24 (v) "특정한 정상적 기간, 예컨대 20년 동안" — 새로 삽입된 것.
25 (v) "노동능력의 정상적인 지속을 강제로 단축하는" ← "노동능력을 단축하는"
26 (v) 여기에 "또는 완전히"라고 썼다가 나중에 지웠음.
27 (v) "101" ← "161"
28 (k) "노동능력이 20년 동안 갖는" — 이 구절의 첫머리 관계대명사 "den"은 자필 원고에는 "das"로 되어 있음.
29 (v) "그것의 교환가치" ← "가치"
30 (v) 여기에 "그것은 …까지만"이라고 썼다가 곧바로 지웠음.
31 (v) 여기에 "머물러[야]"라고 썼다가 곧바로 지웠음.
32 (v) "정하더라도" ← "취하더라도"
33 (v) "시간" ← "한계"
34 (k) 자필 원고에는 여기에 " — "가 있음.
35 (v) 여기에 "소비"라고 썼다가 곧바로 지우고 "… 내에서의 사용"이라고 썼다가 곧바로 지웠음.
36 (v) "노동자에 의한 노동능력의 판매에 의해 주어지는" ← "노동능력의 판매에 포함된"
37 (v) "매번" — 새로 삽입된 것.
38 (v) "상대적" — 새로 삽입된 것.
39 (v) 여기에 "이 투쟁은 결코 … 요구도"라고 썼다가 곧바로 지웠음.
40 (v) "일부" — 새로 삽입된 것.
41 (v) "그럼으로써" ← "또는"
42 (e) "암살 아닌 살인"(Killing no Murder) — 1657년 영국에서 발행된 팸플릿 제목이다. 그 저자인 수평주의자(Leveller) 섹스비(Sexby)는 호국경 올리버 크롬웰을 잔인한 폭군이라며 죽일 것을 촉구하면서 이러한 살인행위를 애국적 공적으로 주장했다.
43 (v) "개별 자본가 A는 … 지불해야 할 것이다" — 이 문장 전체가 새로 삽입된 것.
44 (e) [에드워드 기번 웨이크필드] 『영국과 미국. 양 국민의 사회 · 정치 상태 비교』, 런던, 1833년, 제1권, 55쪽.

c) 초과노동의 이점

1 (v) "6시간" ← "2시간"
2 (v) 여기에 "3명의 노동자"라고 썼다가 지웠음.
3 (v) "또는 3명의 노동자를 1일 동안" — 새로 삽입된 것.
4 (v) "3명의 노동자를 1일 동안" ← "3명의 노동자를 각각 1일씩"

d) 동시적 노동일

1 (v) "102" ← "162"
2 (e) 여기에서 서술되는 정황을 마르크스는 자필 원고 113쪽에서 법칙으로 지칭했다. G184쪽 6행을 보라.
3 (v) 여기에 "…의 수"라고 썼다가 곧바로 지우고 "… 노동일"이라고 썼다가 곧바로 지웠음.
4 (v) "또는 72시간" — 새로 삽입된 것.
5 (v) 여기에 "절대적 노동시간에 대한"이라고 썼다가 곧바로 지웠음.
6 (v) 여기에 "**상대적**"이라고 썼다가 곧바로 지웠음.
7 (v) 여기에 "가치"라고 썼다가 곧바로 지웠음.
8 (v) 여기에 "잉여[노동시간]이"라고 썼다가 곧바로 지웠음.
9 (v) "가치" ← "잉여가치"
10 (v) "103" ← "163"
11 (v) "(그에게는 약간 많이 지불받는 … 동직조합법에 의해서 고정된다)" — 새로 삽입된 것.
12 (v) 여기에 "노[동능력]의 증가는"이라고 썼다가 곧바로 지웠음.
13 (v) "이다" ← "나타난다"
14 (v) "손노동" ← "노동"
15 (v) "(불변자본이 증가하는 것과 같이)" — 새로 삽입된 것.
16 (v) "수공업적 산업의 전제하에서" ← "수공업적 산업을 전제하는 것으로"
17 (v) "손노동" ← "노동"
18 (v) "생산과정에서 소비된 원료가 투입된 노동에 비해" ← "생산과정에서 소비된 재료와 투입된 노동의 비율이"
19 (v) 여기에 "요컨대 자본의 … 부분은"이라고 썼다가 곧바로 지웠음.
20 (v) 여기에 "바꿔 말하면 불변자본 부분은 …이므로"라고 썼다가 곧바로 지웠음.
21 (e) "제5장에 속함." — 1861년 집필계획 초안의 "5) 임노동과 자본"을 보라.
22 (v) "104" ← "164"
23 (v) "아직" — 새로 삽입된 것.
24 (v) "그리고 예전에는 그렇지 않았다면" — 새로 삽입된 것.
25 (v) "절대적" — 새로 삽입된 것.
26 (v) 여기에 "…의 부분이"라고 썼다가 곧바로 지웠음.
27 (v) 여기에 "노동자들이 … 한다면"이라고 썼다가 곧바로 지웠음.
28 (v) 여기에 "자[영]"이라고 썼다가 곧바로 지웠음.
29 (v) "수적 규모" ← "머릿수"
30 (v) "노동자 인구" ← "인구"
31 (v) "노동자 인구" ← "인구"
32 (v) "사전에" — 새로 삽입된 것.

e) 잉여노동의 성격

1 (v) 이 제목 없이 "… 사회가 존재하자마자"라고 썼다가 곧바로 지웠음.
2 (v) "직접" — 새로 삽입된 것.
3 (v) 여기에 "발전을 위해"라고 썼다가 곧바로 지웠음.
4 (v) 여기에 "더욱 고도의 … 발전을 위해서든"이라고 썼다가 곧바로 지웠음.

5 (v) 처음에는 여기에서 괄호를 닫았다가 곧바로 지우고 "국가제도"를 이어 썼음.

6 (v) 여기에 "시간을"이라고 썼다가 곧바로 지우고 "…의 초과를"이라고 썼다가 곧바로 지웠음.

7 (v) "자유로운" — 새로 삽입된 것.

8 (v) 여기에 "노예 같은 소모에"라고 썼다가 곧바로 지우고 "자유롭지 않은"이라고 썼다가 곧바로 지웠음.

9 (e) "그들이 발전할 여지를" — 마르크스는 이미 『요강』, 제7노트, 3~5쪽에서 자유시간을 인간이 발전할 수 있는 가능성이라고 설명했다. 1861~63년 초고 104쪽, 176쪽(G275쪽 7~8행을 보라), 869쪽, 1244쪽에서 유사한 설명들을 볼 수 있다. MEGA② II/1.1, 308쪽도 보라.

10 (v) "105" ← "165"

11 (k) "노동능력"(Arbeitsvermögen) — 자필 원고에는 "Arbeitsvermögens"로 되어 있음.

12 (k) 자필 원고에는 괄호가 지금보다 더 뒤쪽에서 닫혀 있음. 그대로 읽으면 "2시간 동안의 생산물(에 의해 창출된 사용가치)".

13 (v) "존재 기반" ← "기[반]"

14 (v) 여기에 "제공[하고]"라고 썼다가 곧바로 지웠음.

15 (v) "따라서 부는 가용시간이다." — 이 문장 전체가 새로 삽입된 것. 이 문장 다음에는 "∴000"이라는 표시가 있음.

(e) 나중에 삽입된 이 문장은 『국난의 원인과 대책』, 6쪽에서 일부 고쳐 옮긴 것이다. "부는 가용시간일 뿐 다른 아무것도 아니다." 이 인용문을 마르크스는 112쪽에 "e) 107쪽에 대한 보충설명"으로서 원문대로 썼다. G180쪽 29~30행을 보라. MEGA② II/1.1, 305쪽도 보라.

16 (v) "106" ← "166"

17 (v) "상대적" — 새로 삽입된 것.

18 (e) 제임스 스튜어트는 그의 『경제학 원리 연구』(더블린, 1770년)에서 특히 농업 발전에 의해 공업에 고용될 수 있도록 자유로워진 노동력을 "자유로운 인력"이라 부른다. 그는 제5장에서 이 표현을 도입했는데 거기에서 다음과 같은 결론을 내린다. "I. 농업에 종사하는 근면한 성향의 자유로운 사람들에 의해 보유되는 비옥한 토지가 빚어내는 한 가지 결과는 식량 생산이 농민들이 필요로 하는 수준을 넘어서는 과잉 상태가 된다는 점이다. 인구는 늘어날 것이다. 그리고 인구의 증가에 따라 전체 인구 가운데 일정한 숫자는 생산된 식량의 과잉 상태에 비례하여 공업이나 다른 용도에 종사하게 될 것이다.

II. 근면이 만들어내는 이런 작용 때문에 사람들은 두 계급으로 나누어진다. 하나는 농민들로서 이들은 생활용품을 생산하고 반드시 이 생산부문에 고용되어 있어야 한다. 다른 한 계급은 내가 **자유로운 인력**이라고 부르는 사람들이다. 이들의 직업은 농민들이 생산한 식량의 잉여로부터 자신들의 생활용품을 조달하고, 사회의 필요에 따른 노동을 제공하는 것으로, 이들의 직업은 사회적 필요에 따라, 그리고 이 필요 또한 시대정신에 따라 매우 다양한 종류를 이룬다."(앞의 책, 제1권, 제1편, 30/31쪽)

마르크스는 1851년 그의 런던 「발췌 노트」 제8권에서 스튜어트의 저작을 상세히 인용했다. 노트 12쪽에서 그는 위의 인용문을 다음과 같이 요약했다. "전체 인구 가운데 식량 생산에 고용될 필요가 없는 인구를 스튜어트는 **자유로운 인력**이라고 불렀는데 이는 이들의 직업이 농민들이 생산한 식량의 잉여로부터 자신들의 생활용품을 조달하고, 사회의 필요에 따른 노동을 제공하는 것으로, 이들의 직업은 사회적 필요에 따라, 그리고 이 필요 또한 시대정신에 따라 매우 다양한 종류를 이루기 때문이다."(31쪽) — 스튜어트는 그의 저작 다른 곳에서도, 예를 들면 제1권의 48, 151, 153, 396쪽에서도 "자유로운 인력"에 대해 언급하고 있다. 그중 396쪽의 해당 구절은 『요강』, 제7노트, 26쪽에서도 인용했다.

19 (e) "경작" — 존스의 원문에는 "경작자"로 되어 있음.

20 (k) "159/160" — 자필 원고에는 "164"로 되어 있음.

21 (v) "농업노동을 하지 않고 … 런던, 1831년, 159/160쪽)" — 이 인용문 전체가 새로 삽입된 것.

보충설명

1 (v) "런던에서" — 새로 삽입된 것.

2 (v) "건축업자(자본가)" ← "자[본가]"

3 (v) "노동자의" — 새로 삽입된 것.

4 (v) 여기에 다음과 같이 썼다가 지웠음. "표준노동일이 12시간이고 그중 10시간이 노동자를 위한 것이고, 2시간이 자본가를 위한 것 즉 10시간은 필요노동, 2시간은 잉여노동이라고 하자. 자본가가 24명의 노동자를 고용하고, 12시간이 아니라 13시간 노동하게 하면서 그 자신이 초과노동시간에 대해서도 *다른 모든 시간에 비례해서 지불한다면 그는 매일 24시간에 대하여 그 $\frac{5}{6}$=20시간을 추가로 지불하게 된다."
* 여기에 "필요"라고 썼다가 나중에 지웠음.

5 (v) "요구해온" ← "요구하는"

6 (v) "일일" — 새로 삽입된 것.

7 (v) "평균 노동일" ← "노동일"

8 (v) "노동자 수도 그러하다면" — 새로 삽입된 것.

9 (v) 여기에 "예전"이라고 썼다가 곧바로 지웠음.

10 (v) 여기에 "두 경우 모두 … 할 [수 있다]"라고 썼다가 곧바로 지우고 "노동시간과 생[산성]"이라고 썼다가 곧바로 지웠음.

11 (v) 여기에 "물론 비[율]은 … 할 수 없지만"이라고 썼다가 곧바로 지우고 "잉여가치는 상대적으로 남아 있다"고 썼다가 곧바로 지웠음.

12 (v) 여기에 "임[금]"이라고 썼다가 곧바로 지웠음.

13 (v) "107" ← "167"

14 (v) "필요노동과 잉여노동 … 서술과 마찬가지로" — 이 구절이 없이 써 나가다가 중단하고 이 구절을 넣고 이어 썼음.

15 (v) "계속" — 새로 삽입된 것.

16 (v) "항상적으로 증가할" ← "증가할"

17 (v) "할 수 있기"의 표현을 "könnte" ← "kann"

18 (v) "어떠한 감소도" ← "어떠한 공제도"

19 (v) "자본가에게는 동일한 노동시간에 … 동일하다는 것은 분명하다." — 이 문장 전체가 새로 삽입된 것.

20 (v) 여기에 "노동을 강제하는"이라고 썼다가 곧바로 지웠음.

21 (k) "필요한"(erheischt ist) — 자필 원고에는 "ist"가 "sind"로 되어 있음.

22 (v) "먼저" ← "동시에"

23 (v) 처음에는 여기서 "…이다"라고 문장을 끊고 행을 바꿔 "Es ist außer"라고 썼다가 곧바로 지우고 이하 부분을 이어 썼음.

24 (v) 여기에 정관사 "die"(자필 원고에는 d.)가 있는데 이는 나중에 새로 삽입된 것.

25 (v) "노동자들의 생활수단" ← "노동자들 자신"

26 (v) "108" ← "168"

27 (k) "…하도록"(zu) — 자필 원고에는 빠져 있음.

28 (v) "자본관계의 강제" ← "단순한 자[본관계]"

29 (v) "달성할" ← "도[달할]"

30 (v) "그 자신을 위한" — 새로 삽입된 것.

31 (v) 여기에 "이 노예에게"라고 썼다가 곧바로 지웠음.

32 (v) 여기에 "자신의 생활수단을"이라고 썼다가 곧바로 지웠음.

33 (v) 여기에 "살기 위해서"라고 썼다가 지웠음.

34 (v) "각 생산자" ← "한 생산자"

35 (v) "노동시간" ← "시간"

36 (v) 여기에 "그가"라고 썼다가 곧바로 지웠음.

37 (v) 여기에 "평[균]"이라고 썼다가 나중에 지웠음.

38 (v) 여기에 "밭에서"라고 썼다가 곧바로 지우고 "농업에서 노동[하고]"라고 썼다가 곧바로 지웠음.

39 (v) "일반적" — 새로 삽입된 것.

40 (v) 여기에 "인구의 $\frac{1}{3}$이 아니라"이라고 썼다가 곧바로 지웠음.

41 (v) "새로운" — 새로 삽입된 것.

42 (v) "부분"(der Theil) ← "일부"(ein Theil)

43 (v) "사회적" — 새로 삽입된 것.

44 (k) "노동능력" — 자필 원고에는 "노동강제"로 되어 있음.

45 (v) 여기에 "예전 욕구들"이라고 썼다가 곧바로 지웠음.

46 (v) "109" ← "169"

47 (e) 여기서부터 G177쪽 20행("… 이 노동조건 자체의 가치도 생산한다는 어리석은 상상도 쉽게 만들어낸다")까지 상술한 내용의 주요 부분은 「인용문 노트」, 18쪽에 실려 있고, 거기에는 제11노트(런던, 1851년), 4/5쪽이라는 지시가 있다. 후자에는 시니어의 『공장법에 관한 서한집, 그것이 면직공업에 미치는 영향』(런던, 1837년)이 자세히 발췌되었다. 『요강』, 제7노트, 41쪽도 보라.

48 (e) 시니어의 원문에는 여기에 "(따라서 거의 모든 공장이)"라는 구절이 있음.

49 (e) "공장 건물" — 시니어의 원문에는 "공장"으로 되어 있음.

50 (v) "총소득"(Gesammteinkommen) ← "총이윤"(Gesammtgewinn)

51 (e) "연간 소득"(das jährliche Einkommen) — 시니어의 원문에는 "the annual return"으로 되어 있음.

52 (e) "재생산" — 시니어의 원문에는 "생산"으로 되어 있음.

53 (e) "115,000파운드스털링 전체를 이루는" — 시니어의 원문에는 이 구절이 괄호 안에 들어 있음.

54 (e) "또는 15,000파운드스털링(이윤) 중 5,000파운드스털링" — 시니어의 원문에는 이 구절이 괄호 안에 들어 있음.

55 (e) "순이윤"(Reinprofit) — 시니어의 원문에는 "net profit"으로 되어 있음.

56 (e) "가격이 불변일 때" — 시니어의 원문에는 이 구절이 괄호 안에 들어 있음.

57 (v) "실증 자료의 옳고 그름은 우리의 연구 대상과는 상관이 없다" ← "자료는 우리의 연구 대상과는 아무런 상관도 없다"

58 (v) "진실에 대한 사랑" ← "지조"(Charakterfestigkeit) ← "진[실에 대한 사랑]"

59 (v) "완벽한 전문 지식" ← "세부 지식과 전문 지식"

60 (v) "영국" — 새로 삽입된 것.

61 (k) "**레너드**"(*Leonard*) — 자필 원고에는 "*Leonhard*"로 되어 있음.

62 (v) 여기에 "그에게 영감을 준"이라고 썼다가 나중에 지웠음.

63 (v) "1837년에" — 새로 삽입된 것.

64 (k) "**레너드**"(*Leonard*) — 자필 원고에는 "*Leonhard*"로 되어 있음.

65 (e) 레너드 호너, 『시니어에게 보내는 편지. 1837년 5월 23일』, 나소 W. 시니어, 『공장법에 관한 서한집』, 런던, 1837년, 30~42쪽.

66 (v) "지배계급의 앞잡이로 전락하자마자" ← "어떤 계급과 실질적 이익의 앞잡이가 되자마자"

67 (v) "구제할 길 없이" — 새로 삽입된 것.

68 (v) "우둔화" ← "현[혹]"(Verblend[ung])

69 (v) 여기에 "시니어는 인용된 저서를 집필하기 전에 일부러* 랭커스터의 공장지대를 방문해서 공장주들로부터"라고 썼다가 곧바로 지웠음.
＊"일부러" — 새로 삽입된 것.

70 (v) "집필했고, 집필하기에 앞서 … 일부러" ← "집필했다. 그것의 착수에 앞서 그는 … 했다"

71 (v) 여기에 "시니어는 조야한 … 오류를 범했다"라고 썼다가 곧바로 지웠음.

72 (v) "의"의 표현을 "zu" ← "in"

73 (v) "조야한" — 새로 삽입된 것.

74 (v) 여기에 "우리에게 말한다"라고 썼다가 곧바로 지우고 "잘난 체하며 주[장한다]"라고 썼다가 곧바로 지우고 "어리석은 …을 서슴지 않는다"라고 썼다가 곧바로 지웠음.

75 (v) 여기에 "가치뿐 아니라"라고 썼다가 곧바로 지우고 "이 노동 자체의 … 이외에"라고 썼다가 곧바로 지웠음.

76 (v) "매일 $11\frac{1}{2}$[시간]의 노동" ← "반 시간 23회의 하루 노동"

77 (v) "110" ← "170"

78 (v) "추가된 노동시간 또는 가치 이외에 생산물에 포함된 원료의 가치와 생산 중에 마모된 기계류와 공장 건물의 가치도" ← "추가된 가치 외에 그에 더해서 원료의 가치와 생산물에 포함된 마모된 기계류의 가치도"

79 (v) 여기에 "… 뿐 아니라"라고 썼다가 곧바로 지우고 "노동시간(즉 가치) 외에 면사에*"라고 썼다가 곧바로 지웠음.
＊"면사에" ← "또는 …의 노동 후에도"

80 (v) "그들이 가공하는" — 새로 삽입된 것.

81 (k) "$\frac{23}{2}$" — 자필 원고에는 "23"으로 되어 있음.

82 (v) "하루 동안" — 새로 삽입된 것.

83 (v) "그가 가공하는"(← "그가 써버리는") — 새로 삽입된 것.

84 (v) "그가 사용하는" — 새로 삽입된 것.

85 (v) "노동조건을 이루는" ← "노동조건인"

86 (v) 여기에 "이용[한]"이라고 썼다가 곧바로 지웠음.

87 (v) "도" — 새로 삽입된 것.

88 (v) 여기에 "다른 한편으로는 …라는 혼란스러운 상상이 쉽게 섞여 든다"라고 썼다가 곧바로 지웠음.

89 (v) "예컨대 12노동시간의 총생산물 가치가 $\frac{1}{3}$은 노동재료 즉 면화의 가치, $\frac{1}{3}$은 노동수단 즉 기계류의 가치, $\frac{1}{3}$은 새로 추가된 노동 즉 방적노동으로 구성되어 있다고 가정하자." ← "예컨대 12노동시간의 총생산물이 임의의 비율로 노동재료, 예컨대 면화, 노동수단, … 기계류 …로 구성되어 있다고 가정하자."

90 (v) "일일 노동시간의 $\frac{1}{3}$, 요컨대 4시간 노동시간의" ← "노동시간의 $\frac{1}{3}$의"

91 (v) "가공된" ← "포함된"

92 (v) "의 생산물" — 새로 삽입된 것.

93 (v) "의 생산물" — 새로 삽입된 것.

94 (v) 여기에 "생산물이"라고 썼다가 곧바로 지우고 "가치가"라고 썼다가 곧바로 지우고 "$\frac{1}{3}$이 각각"이라고 썼다가 곧바로 지웠음.

95 (v) 여기에 "12노동시간이 가치를"이라고 썼다가 곧바로 지웠음.

96 (v) "생산물가치는" ← "생산물은"

97 (v) 여기에 "그러나 …로 이루어진다"라고 썼다가 곧바로 지웠음.

98 (v) "의 가치 중에서" ← "중에서"

99 (v) "최초" — 새로 삽입된 것.

100 (v) 여기에 "기존의, 그리고"라고 썼다가 곧바로 지웠음.

101 (v) 여기에 "새로운"이라고 썼다가 곧바로 지웠음.

102 (v) 여기에 "4시간 동안 추가[된]"이라고 썼다가 나중에 지웠음.

103 (v) "새로 **추가된 노동** …이 새로 창출한 가치" ← "**추가된 노동**의 가치"

104 (v) "방적노동" ← "노동"

105 (v) "4시간 방사" ← "그것의 방사"

106 (v) "의 가치" — 새로 삽입된 것.

107 (v) "면화의 가치가 매 시간의 방사 가치의 $\frac{1}{3}$을 이루었고, 요컨대 12시간에 생산된 방사 가치의 $\frac{1}{3}$도 이루었다" ← "각각의*1) 1시간의 방사*2)의 가치는 그 $\frac{1}{3}$이 면화의 가치로 되어 있고 *3)따라서 12*4)시간 방사의 가치는 3시간 동안 가공된 …의 가치*5)와 같다"

*1) "각각의" — 새로 삽입된 것.

*2) "방사" ← "생산물"

*3) 여기에 "따라서 12시간 방사의 가치는"이라고 썼다가 곧바로 지우고 "즉 $6\frac{2}{3}$실링"이라고 썼다가 곧바로 지우고 "따라서 …의 가치에"라고 썼다가 곧바로 지웠음.

*4) "12" ← "1"

*5) "의 가치" — 새로 삽입된 것.

108 (v) "같다"(gleich ist) — 이 ist의 위치가 바뀌었음. 의미는 바뀌지 않음.

109 (v) "111" ← "171"

110 (v) ""임금 ← "임금의 가치"

111 (e) 여기서부터 다음 문단의 "… 10퍼센트 이윤을 준다는 것이다!"까지는 「인용문 노트」, 18쪽에서 옮겨 쓴 것.

112 (v) 여기에 "생산물 중에 …의 부분만큼"이라고 썼다가 곧바로 지웠음.

113 (v) "(실제로 노동자가 원료의 가치나 … 것으로 귀결될 뿐이다.)" — 이 문단 전체가 새로 삽입된 것.

114 (v) 여기에 "여기에서 우리는 어떤 …도 필요하지 않다"고 썼다가 곧바로 지우고 "우리는 이를 그의 과학[적] … 없이"라고 썼다가 곧바로 지웠음.

115 (k) "반 시간 23회 중에서 21회를 자신을 위해서 노동하고 반 시간 2회만을" — 자필 원고에는 "반 시간 $\frac{23}{23}$ 중에서 반 시간 $\frac{21}{23}$을 자신을 위해 노동하고 $\frac{2}{23}$시간을"로 되어 있음.

116 (v) 여기에 "$10\frac{1}{2} = \frac{21}{2}$"이라고 썼다가 곧바로 지웠음.

117 (k) "$9\frac{11}{21}$" — 자필 원고에는 "$9\frac{11}{29}$"로 되어 있음.

118 (v) "이것이 전체 자본에 대해서는 10퍼센트 이윤을 준다는 것이다!" — 새로 삽입된 것.

119 (v) "같다:" ← "같다,"

120 (k) "23" — 자필 원고에는 "$\frac{23}{23}$"으로 되어 있음.

121 (e) 이 "둘째로"는 G175쪽 31행의 "첫째로"에 이어짐.

122 (v) 여기에 "그가 자신의 생활욕구들을 충족하기 위해서, 그의 …을 구매하기 위해서 … 상

품량에 포함된 노동시간을 나타내는"이라고 썼다가 곧바로 지우고 "범위 안에"라고 썼다가 곧바로 지웠음.

123 (k) "노동자" — 자필 원고에는 "노동"으로 되어 있음.

124 (v) 여기에 "요컨대"라고 썼다가 곧바로 지웠음.

125 (k) "220" — 자필 원고에는 "219, 220"으로 되어 있음.

126 (e) 이 인용문은 「인용문 노트」, 17쪽에서 옮겨 쓴 것.

127 (k) "브러더턴"(Brotherton) — 자필 원고에는 "Brotherston"으로 되어 있음. 이는 램지의 인용에서 이어진 오류임.

128 (e) 이 인용문은 「인용문 노트」, 17쪽에서 옮겨 쓴 것. 램지의 『부의 분배에 관한 고찰』 원문에는 다음과 같이 되어 있음. "최근에 하원에서 벌어진 토론에서 자신도 제조업자인 브러더스턴(Brotherston) 씨는 만약 고용주들이 직원들을 하루에 1시간씩만큼 더 일하도록 유도할 수 있다면 주당 100파운드스털링의 이익을 추가할 수 있을 것이라고 말했다."

129 (e) 이 인용문은 「인용문 노트」, 18쪽에서 옮겨 쓴 것. 『국난의 원인과 대책』 원문에는 "잉여노동이 없다는 것은 분명하고, 그 결과 아무것도 자본으로 축적되도록 허용될 수 없다."

130 (v) "112" ← "172"

131 (e) 이 인용문에서 강조는 마르크스가 한 것.

132 (e) 이 인용문은 「인용문 노트」, 18쪽에서 옮겨 쓴 것.

133 (k) "**106, 107**" — 자필 원고에는 "**166, 167**"로 되어 있음.

134 (e) 이 인용문은 「인용문 노트」, 19쪽에서 옮겨 쓴 것.

135 (e) "**수 있을**"—강조는 마르크스가 한 것.

136 (k) "23/24" — 자필 원고에는 "23, 4"로 되어 있음.

137 (k) "**107**" — 자필 원고에는 "**167e**"로 되어 있음.

138 (e) 이하 두 문단은 「인용문 노트」, 18쪽에서 옮겨 쓴 것.

139 (e) 요한 게오르크 뷔슈로부터의 이 인용문을 마르크스는 「발췌 노트」 제4권(런던, 1850년), 46쪽에 썼다. 그것은 W[illiam] 제이컵의 『영국 농업에 필요한 보호와 곡물가격이 수출 생산에 미치는 영향에 관한 고찰』(런던, 1814년)의 발췌문들 아래에 있다. 뷔슈의 인용을 「인용문 노트」 18쪽에 옮기면서 마르크스는 그 출처를 앞의 제이컵의 저서로 잘못 제시했다. 1861~63년 초고에서 이 잘못된 출처 제시가 반복되었으나 MEGA 편집자가 정정했다.

140 (k) "**J. G. 뷔슈**, 『화폐유통에 관한 연구』, 제1부, 함부르크와 킬, 1800년, 90쪽" — 자필 원고에는 "*Jacob. Wm* 『영국 농업에 필요한 보호에 관한 고찰』, 런던, 1814년"으로 되어 있음.

141 (k) "**104**" — 자필 원고에는 "**164**"로 되어 있음.

142 (v) 여기에 "즉 전체의"라고 썼다가 곧바로 지웠음.

143 (v) 여기에 "근[면]"이라고 썼다가 곧바로 지웠음.

144 (e) 이 인용문은 「인용문 노트」, 33쪽에서 옮겨 쓴 것. 강조는 마르크스가 한 것.

145 (v) 여기에 "그의 노동 자체에 대한"이라고 썼다가 곧바로 지웠음.

146 (e) 여기서부터 다음 문단 세로부터의 인용까지는 「인용문 노트」, 33쪽에서 옮겨 쓴 것.

147 (e) "일"(affairs) — 타운센드의 원문에는 "임무"(offices)로 되어 있음.

148 (e) "**하나의 자연법칙**" — 강조는 마르크스가 한 것.

149 (e) "그들보다 우아한 사람들은 고된 일에서 벗어나 방해받지 않고 더 고상한 소명을 수행할 수 있다." — 타운센드의 원문에는 다음과 같이 되어 있음. "그들보다 우아한 사람들은 고된 일에서 벗어나 그들을 비참하게 만드는 임시(occasional) 고용에서 해방될 뿐 아니라 그들의 다양한 성향에 적합하고 국가에 가장 유용한 소명을 방해받지 않고 자유롭게 수행할 수 있는 상태에 놓인다."

150 (v) "113" ← "173"

151 (k) "41" — 자필 원고에는 "39"로 되어 있음.

152 (e) [조지프 타운센드,] 『구빈법론』, 런던, 1817년, 57~58쪽.

153 (e) "생육하고 번식하라" — 「창세기」 1장 28절, 『구약성경』.

154 (e) "국부의 진전은 "다음과 같은 … 만들어낸다." — 시토르흐의 원문에는 다음과 같이 되어 있음. "이러한 노동의 차이는 국민적 부의 진전과 더불어 … 다음과 같은 유용한 사회계급을 만들어낸다. …" 이 인용문에서 강조는 마르크스가 한 것.

155 (e) "우리가 사는 곳에서는 … 제1권, 제1부, 제1장)" — 이 인용문은 「인용문 노트」, 34쪽에서 옮겨 쓴 것. 이든의 원문에는 다음과 같이 되어 있음. "전체에 필요한 욕구를 충족하기 위해서 적어도 사회의 일부는 쉴 새 없이 일해야 한다(그리고 다행스럽게도 규제가 잘된 모든 국가에서는 일부면 충분하다)."

156 (k) "**102쪽 d**" — 자필 원고에는 "**162쪽 c**"로 되어 있음.

157 (e) "이 법칙" — G163쪽 9~13행("**잉여가치의 양**은 … 마찬가지로 좌우된다. — 옮긴이)과 그에 대한 해설을 보라.

158 (v) "동시에" — 새로 삽입된 것.

159 (v) "생산영역" ← "산업영역"

160 (e) 이하 밀 이야기 끝까지는 「인용문 노트」, 39쪽에서 옮겨 쓴 것. 윌리엄 제이컵, 『새뮤얼 휘트브레드에게 보내는 편지』, 런던, 1815년, 33쪽. 제이컵의 원문에는 다음과 같이 되어 있음. "… 밀이 쿼터당 80실링에 판매된다고 가정하면 에이커당 22부셸인 평균 생산물은 11파운드스털링에 달할 것이다. 밀짚으로 수확하고 탈곡하고 판매 장소로 운송하는 비용을 어림잡을 수 있다면 이 11파운드스털링은 다음 항목들로 구성된다고 평가될 수 있다.

밀 종자 ………	1	9	0
노동 ………	3	10	0
비료 ………	2	10	0
십일조, 지방세, 조세 ………	1	1	0
지대 ………	1	8	0
차지농의 이윤. 그의 자본에 대한 이자 포함 ………	1	2	2
파운드스털링	11	0	0"

161 (k) "제이컵"(Jacob) — 자필 원고에는 "Jacobs"로 되어 있음.

162 (v) 이 문장의 이하 부분은 처음에는 "차지농이 받는 총잉여가치만큼을 나타낸다"고 되어 있지만 그 후에 본문과 같이 바뀜.

163 (k) "나타내지만"(stellt … dar) — 자필 원고에는 "stellt … ab"로 되어 있음.

164 (v) 여기에 "다양한 명칭과 명목으로 …에 대해"라고 썼다가 곧바로 지웠음.

165 (v) "문제가 되는 경우에는" ← "고찰해야 하는 경우에는"

166 (v) "114" ← "174"

167 (v) 여기에 "임금은"이라고 썼다가 곧바로 지웠음.

168 (v) 여기에 "요컨대 대략"이라고 썼다가 곧바로 지우고 "잉여노동에 대해 약간 더 적게 1 : 2에 달할 것"이라고 썼다가 곧바로 지웠음.

169 (v) 여기에 "6시간"이라고 썼다가 곧바로 지웠음.

170 (v) 여기에 "다양한 명의로 … 사람들을 포함하여"라고 썼다가 나중에 지웠음.

171 (v) 여기에 "가치"라고 썼다가 곧바로 지웠음.

172 (e) 이 문단은 「인용문 노트」, 39쪽에서 옮겨 쓴 것. 뉴먼의 원문에는 다음과 같이 되어 있음.

"연간 지출	파운드스털링
지대	843
임금	1690
비료	686
영업 관계자 계산	353
조세	150
종자	150
보험, 손실 등	100
암소용 곡물	100
	4072

… 488파운드스털링의 이윤."

173 (v) 여기에 "계산"이라고 썼다가 곧바로 지웠음.

174 (v) 여기에 "…에 달한다"라고 썼다가 곧바로 지웠음.

175 (k) "$\frac{1481}{1690}$" — 자필 원고에는 "$\frac{1690}{1481}$"으로 되어 있음.

176 (v) 여기에 "대략"이라고 썼다가 곧바로 지웠음.

177 (k) "1825" — 자필 원고에는 "1830"으로 되어 있음.

178 (k) 자필 원고에는 닫는 괄호 ')'가 없음.

179 (e) 이 인용문은 「인용문 노트」, 40쪽에서 옮겨 쓴 것. 매컬럭의 원문에는 "이윤을 향한 억누를 수 없는 정열 — **황금을 향한 저주받은 탐욕** — 이 항상 자본가를 인도할 것이다"로 되어 있다. "황금을 향한 저주받은 탐욕"(auri sacra fames)은 베르길리우스, 『아이네이스』, 제3권, 시 57로 거슬러 올라간다. 마르크스는 이 말을 "auri sacri fames"(저주받은 황금을 향한 탐욕)로 수정했다.

180 (k) "**104**" — 자필 원고에는 "**164**"로 되어 있음.

181 (k) "76/77" — 자필 원고에는 "**61**"로 되어 있음.

182 (e) 이 인용문은 「인용문 노트」, 47쪽에서 옮겨 쓴 것.

183 (k) "**107**" — 자필 원고에는 "**167**"로 되어 있음.

184 (e) 이 문단의 인용문은 「인용문 노트」, 47쪽에서 옮겨 쓴 것. 강조는 마르크스가 한 것.

185 (v) "115" ← "175"

186 (e) "**어떤**"을 빼고 이 인용문에서 강조는 마르크스가 한 것.

187 (k) "57" — 자필 원고에는 "58"로 되어 있음.

188 (e) 이 인용문은 「인용문 노트」, 58쪽에서 옮겨 쓴 것.

189 (e) 이하 두 문단의 인용문은 「인용문 노트」, 69쪽에서 옮겨 쓴 것. 강조는 마르크스가 한 것.

190 (v) 여기에 "증대"라고 썼다가 곧바로 지웠음.

191 (k) "**114**" — 자필 원고에는 "**174**"로 되어 있음.

192 (e) 이하 부분은 사이먼스의 원문에는 다음과 같이 되어 있음.

"글래스고에서 일반적으로 제조되고 있는 것과 같은 양질의 캘리코나 셔츠 직물을 짜도록 만들어진 직기 500개를 갖춘 역직기 공장을 설립하는 비용은 약 18,000파운드스털링

연간 생산물은 예를 들면 24야드 직물 150,000필, 1필당 6실링 45,000파운드스털링

이 비용은 아래와 같다.

고정자본의 이자와 기계류의 감가상각비	1,800
증기기관, 유류, 수지 등, 기계류 유지비	2,000
원사와 아마	32,000

직공 임금	7,500
추정 이윤	1,700
	45,000파운드스털링"

『요강』, 제7노트, 43쪽도 보라.

193 (k) "요컨대"(also) — 자필 원고에는 연달아 두 번 반복해서 쓰였음.

194 (k) "33퍼센트"(33 p. c.) — 자필 원고에는 "33%퍼센트"(33% p. c.)로 되어 있음.

195 (v) "116" ← "176"

196 (v) "또는 그가 labour rent(노동지대)라 부르는 것" — 새로 삽입된 것.

197 (v) 여기에 "여기서 지대는 노동자에게 … 일부를 … 하는 토지소유주가 … 하는 잉여가치에 지나지 않는다"라고 썼다가 곧바로 지웠음.

198 (e) 리처드 존스, 『부의 분배와 과세의 원천에 대한 고찰』, 런던, 1831년, 4, 11쪽.

199 (v) "노동시간" ← "노동"

200 (v) "소유주"의 표현을 "Eigenthümer" ← "Besitzer"

201 (v) 여기에 "그렇게 명확하게 분[리되어]"라고 썼다가 곧바로 지웠음.

202 (v) 여기에 "자신의 토[지]"라고 썼다가 곧바로 지웠음.

203 (v) 처음에는 여기에 마침표를 찍었다가 쉼표로 바꾸고 본문처럼 이어 썼음.

204 (v) "가령" — 새로 삽입된 것.

205 (v) "노동과 잉여노동" ← "노동시간과 잉여노동시간"

206 (v) 여기에 "임노동에서보다 부역노동 형태에서 더 뚜렷하게 비지불노동이"라고 썼다가 곧바로 지웠음.

207 (v) "바로 그렇기 때문에" — 새로 삽입된 것.

208 (v) "전체 부역노동 제도에서는" ← "부역노동에서는"

209 (v) "그의 총생산물" ← "이 생산물"

210 (v) "이 측면에서 본다면 임노동자로"의 표현을 "nach dieser Seite hin in einen Lohnarbeiter" ← "in einen Lohnarbeiter nach dieser Seite hin"

211 (v) "지배적인 생산관계" ← "지배적인 관[계]"

212 (v) "117" ← "177"

213 (v) "잉여노동" ← "노동"

214 (v) 여기에 "예비기금의 강탈자들과 정치적, 종교적 지위의 소유자들을"이라고 썼다가 곧바로 지웠음.

215 (e) "**절약하기**" — 강조는 마르크스가 한 것.

216 (k) "**두걸드**"(*Dugald*) — 자필 원고에는 "*Duglas*"로 되어 있음.

217 (v) ""자립적이고"" — 새로 삽입된 것.

218 (e) 여기서부터 G193쪽 11행까지 마르크스는 엘리아 르뇨, 『도나우 공국의 정치·사회사』, 파리, 1855년, 304~11쪽에서 인용했다. 「인용문 노트」, 69쪽에서 마르크스는 "도나우 공국에서의 잔인한 형태의 잉여노동.(**르뇨**를 보라. 제7권, 177~178쪽을 읽을 것)"이라고 하여 여기에서 인용된 구절들을 가리키고 있다. 이 구절들은 제7노트(런던, 1859~62년), 177쪽과 180쪽에 실려 있다.

219 (v) "나 왈라키아" — 새로 삽입된 것.

220 (v) "과 함께" ← "과 결합된"

221 (e) "현물지대는 건초의 … 구성된다" — 르뇨의 원문(307쪽)에는 다음과 같이 되어 있음. "왈라키아에서 십일조는 이렇게 나뉜다. 전체 생산물에 대해 $\frac{1}{10}$, 건초는 $\frac{1}{5}$, 포도주는 $\frac{1}{20}$."

222 (e) "농민이 소유하는 것은 … 가축 5마리를 위한 목초지)." — 르뇨의 원문(306쪽)에는 다

음과 같이 되어 있음.

"왈라키아에서 농민이 얻는 것은 다음과 같다.

1. 주택과 채소밭 부지에 대해, 평지에서는 400스타젠(2), 산지에서는 300스타젠,

2. 경지 3포고네($1\frac{1}{2}$헥타르),

3. 목초지 3포고네.

목초지 3포고네는 뿔이 있는 가축 5마리의 사육에 할당된다."

또한 "(2)"는 "스타젠"(stagènes)에 대한 해설을 나타내는데, "1스타젠은 약 2제곱미터와 같다"고 쓰여 있음.

223 (v) "(키셀료프 치하에서)" — 새로 삽입된 것.

224 (e) "이 농노제 법전은 … 인정을 받았다는 것." — 르뇨의 원문(304쪽)에는 다음과 같이 되어 있음. "하지만 평화 시에 러시아인들은 소리 높여 자비로운 개혁을 알렸다. 키셀료프는 농민의 수호자를 자처했다."

225 (e) "둘째, 실제로 보야르가 이 법을 기초했다는 것." — 르뇨의 원문(308쪽)에는 "… 보야르, 규정의 제정자들"로 되어 있음.

226 (e) "각 농민은 소유주에게 1년에 1) 총 12노동일, 2) 경작노동 1일, 3) 목재 운반 1일의 의무를 진다." — 르뇨의 원문(307쪽)에는 다음과 같이 되어 있음. "모든 농민은 소유주에게 1) 노동 12일, 2) 경작 1일, 3) 목재 운반 1일의 의무를 진다."

227 (e) "그렇지만 이 1일은 … 모두 합하면 42일." — 르뇨의 원문(307/308쪽)에는 다음과 같이 되어 있음. "실제로는 이 1일은 시간 단위가 아니라 작업 단위로 계산된다. 따라서 레글르망 오르가니크는 12노동일은 손노동 36일, 경작 1일은 3일, 운반 1일은 3일과 같다고 명시한다. 총 42일이다."

228 (e) "이른바 **요바기**" — 르뇨의 원문(308쪽)에는 "… 노예 상태(servitude)을 의미하는 … 요바기"로 되어 있음.

229 (v) "생산 요구" ← "요구"

230 (e) "이 임시적 노동은 … 제공되는 것이다." — 르뇨의 원문(308쪽)에는 다음과 같이 되어 있음. "마을에서는 소유주에게 임시적 노동으로서 100가구 이상이면 남자 4명, 63~75가구는 3명, 38~50가구는 2명, 13~25가구는 1명을 제공할 의무가 있었다."

231 (e) "이 요바기는 왈라키아 농민 1인당 14노동일로 추정되었다." — 르뇨의 원문(308쪽)에는 다음과 같이 되어 있음. "이 **요바기**는 노동일 수로는 왈라키아 농민 1인당 14일에 해당한다."

232 (e) "그리하여 법으로 … 56노동일이다." — 르뇨의 원문(309쪽)에는 다음과 같이 되어 있음. "이 수치들을 이미 감안된 수치에 더하면 왈라키아 농민이 소유주를 위해 바치는 56노동일이 된다."

233 (v) "사나운 날씨 때문에" — 새로 삽입된 것.

234 (e) "왈라키아에서 연간 경작일 수는 … 남는 것은 140일이다." — 르뇨의 원문(309쪽)에는 다음과 같이 되어 있음. "그런데 혹독하고 긴 겨울 때문에 농사를 지을 수 있는 기간은 연간 210일에 불과하다. 여기서 일요일 30일, 휴일 10일, 악천후 30일, 합계 70일을 빼면 140일이 남는다."

235 (e) "남는 것은 84일이다." — 르뇨의 원문(309쪽)에는 다음과 같이 되어 있음. "그러므로 농민이 자신을 위해 일하는 것은 84노동일밖에 없다."

236 (e) "이것이 소유주에게 법적으로 허가된 부역일, 법적 잉여노동이다." — 르뇨의 원문(309쪽)에는 다음과 같이 되어 있음. "이것이 농민에게 강제되는 1노동일의 공적 숫자로서 레글르망으로 정해져 있고 소유주를 위해 법으로 보장된다."

237 (v) "완수할 수 있기 위해서는" ← "완수하려면"

238 (e) "하루 일과를 완수할 … 하루 일과가 규정되어 있다." — 르뇨의 원문(309쪽)에는 다음과 같이 되어 있음. "여기에다 다음 규정이 추가된다. 각 노동일에 해야 할 일은 과업을 완료하기 위해 항상 그다음 날 해야 할 일이 존재하는 방식으로 결정된다."

239 (k) "김매기 하루 작업은 … 면적의 2배를" — 자필 원고에는 이 부분의 따옴표가 없음.

240 (e) "5월에 시작해서 10월에 종료한다" — 르뇨의 원문(310쪽)에는 다음과 같이 되어 있음. "김매기 하루 작업이라는 것은 규정에 따르면 …에 시작해서 …"

241 (v) "118" ← "178"

242 (e) "노동일"(journée de travail) — 르뇨의 원문에는 "jour de travail"로 되어 있음.

243 (v) "얼마나 빈틈없이" ← "어떻게"

244 (v) "탐욕"의 표현을 "Heißhunger" ← "Hunger"

245 (v) "(훗날 대륙 도처에서 많든 적든 이를 따라 했다)" — 새로 삽입된 것.

246 (v) "실천적" — 새로 삽입된 것.

247 (v) "이자 옹호자" — 새로 삽입된 것.

248 (k) "**뉴마치**"(*Newmarch*) — 자필 원고에는 "*Newman*"으로 되어 있음.

249 (v) "강제적" — 새로 삽입된 것.

250 (v) "오늘날의" — 새로 삽입된 것.

251 (e) 윌리엄 뉴마치, 「취임 연설」, 『영국과학발전협회 제31회 회의 보고서, 1861년 9월 맨체스터에서 개최』, 런던, 1862년, 201~03쪽. 마르크스는 1861년 8월 말부터 9월 중순까지 맨체스터에 있는 엥겔스 집에 머물면서 1861년 9월 4일부터 11일까지 열린 협회의 제31회 연차총회 기간에 경제학, 통계학 분과회의에 참석했다.

252 (v) "**첫 번째 예시.**" ← "**첫 번째 사례.**"

253 (v) "왜소해지고" ← "세파에 찌들고" ← "왜소해지고"

254 (v) "세파에 찌들고" ← "초라해지고" ← "창백해지고"

255 (e) "**하루 18시간으로 제한하라**" — 마르크스가 옮겨놓은《데일리 텔레그래프》의 원문에는 "**성인 남성의 노동시간을 하루 18시간으로 제한하라**"로 강조되어 있음.

256 (e) "그곳에 채찍의 공포나 인신매매가 있다 하더라도 그들의 흑인 시장이" — 마르크스가 옮겨놓은《데일리 텔레그래프》의 원문에는 "그들의 흑인 시장이, 그들의 채찍이, 또 그들의 인신매매가"로 되어 있음.

257 (v) "119" ← "179"

258 (v) 이 문단은 노트 120쪽을 삽입한 것으로, "(119++로)"라는 메모로 이곳을 가리키고 있음.

259 (k) "호적본서장관의"(of the Registrar-General) — 자필 원고에는 "by the Registral General"로 되어 있음.

260 (e) 이 인용문에서 강조는 모두 마르크스가 한 것.

261 (e) "**이익**" — 강조는 마르크스가 한 것.

262 (k) "시간" — 자필 원고에는 "이후"로 되어 있음.

263 (k) "시간" — 자필 원고에는 "이후"로 되어 있음.

264 (k) "**공장규제법**"(*Factories Regulation Acts*) — 자필 원고에는 "*Factory Regulations Act*"로 되어 있음.

265 (e) "**이익**" — 강조는 마르크스가 한 것.

266 (e) "**작은 절도들이 누적되어**" — 강조는 마르크스가 한 것.

267 (e) 이 문단은 「인용문 노트」, 69쪽에서 옮겨 쓴 것. 강조는 마르크스가 한 것.

268 (e) "빅토리아 8과 9 C. 29" — 빅토리아 여왕 재임 8년, 9년 제29호 법률.

269 (e) 이 인용문에서 강조는 모두 마르크스가 한 것.

270 (e) 이 인용문에서 강조는 모두 마르크스가 한 것.

271 (v) "일체" — 새로 삽입된 것.

272 (v) "1857~58년" — 새로 삽입된 것.

273 (v) "가능한 한 큰" ← "가장 큰"

274 (e) "**그것으로 초과이윤을**" — 강조는 마르크스가 한 것.

275 (e) "그의 담당 구역에서 공장 122개가 완전히 폐업하고 143개가 휴업하고" — 호너의 원문에는 "지난 반년간 내 구역에서 공장 122개가 폐업하고 143개가 '휴업'했다. …"

276 (v) "같은 해" ← "같은 시기"

277 (e) "대부분의 공장에서 … 하지 않는데도" — 마르크스가 하월의 다음 문장을 요약한 것. "이 시기의 대부분은 불황으로 인해 많은 공장이 거의 문을 닫고 훨씬 더 많은 수가 '조업단축'(short time)을 하고 있었다."

278 (e) 이 인용문에서 강조는 모두 마르크스가 한 것.

279 (e) "**원칙적 승인은 아닐지라도 실제로 현재 일반적으로 묵인되고**"—강조는 마르크스가 한 것.

280 (e) 여기서부터 여섯 문단까지 마르크스는 『공장감독관 보고서. 1855년 10월 31일까지의 반기 보고서』, 77~81쪽과 87쪽에 있는 알렉산더 레드그레이브의 보고에 의거하고 있다. 마르크스는 제7노트(런던 1859~62년), 165쪽에 발췌문을 많이 썼다. 「인용문 노트」, 69쪽에 이에 대해 적시되어 있다.

첫 문단은 레드그레이브의 원문에는 다음과 같이 되어 있음.

"프랑스에서 노동을 규제하는 법률에는 두 가지가 있다. 하나는 특정 노동에서의 아동 노동시간과 교육에 관계되는 것으로 1841년 제정되었고 다른 하나는 모든 종류의 노동에서 성인의 노동시간을 제한하는 것으로 1848년 제정되었다.

첫째의 법은 많은 논의와 심의를 거친 후에 통과되었으며 Wm. IV. 3 & 4 c. 103의 조항들에 기초하는 것이었다. 이 문제는 지방(Departments)의 다양한 무역위원회(Councils of Trade)에 회부되었고, 마침내 이 법은 공장에서의 노동시간 제한에 반대하는 각 지방의 반론과 가능한 한 타협하는 형태로 통과되었다.

다음은 조항들을 개괄한 것이다.

1841년 3월 22일의 법률.

아동노동은 다음과 같은 곳에서 규제되어야 한다.

동력이나 지속적인 화력을 사용하는 공장, 제조소, 작업장, 20명 이상의 노동자를 고용하는 모든 시설.

아동노동은 다음과 같이 규제되어야 한다.

'8세 미만의 아동은 고용될 수 없다.

8세부터 12세 미만 아동은 한 차례 휴식시간이 포함된 8시간을 초과해서 고용될 수 없다.

12세부터 16세 미만 아동은 적어도 두 차례 휴식시간이 포함된 12시간을 초과해서 고용될 수 없다.

16세 미만 아동의 노동시간은 오전 5시부터 오후 9시 사이여야 한다.

아동의 연령은 공공기관이 무료 발급한 증명서로 증명되어야 한다.

야간은 오후 9시부터 오전 5시 사이를 가리킨다.

13세 미만 아동은 긴급한 수리, 수차의 정지를 제외하고 야간에 고용될 수 없다. 야간노동 2시간은 주간노동 3시간으로 계산된다.'"

281 (v) "공장에서의" — 새로 삽입된 것.

282 (e) "Wm IV. 3과 4 C. 103" — 윌리엄 4세의 재임 3년, 4년차에 제정된 103호 법률.

283 (e) 레드그레이브의 원문에는 다음과 같이 되어 있음.

"… 그들은 3월 2일 다음과 같이 포고했다.

'일일 노동은 1시간 단축된다. 그러므로 현재 11시간으로 되어 있는 파리에서 노동은 10시간으로 단축되고, 지금까지 12시간이었던 지방에서는 11시간으로 단축된다.'

정부의 긴급한 명령에도 불구하고 이 법은 시행될 수 없었다. 인민을 위해서 입법을 발의하면서 인민의 정부는 정상 노동시간이 파리에서는 11시간, 지방에서는 12시간이라는 잘못된 가정에서 기초해서 추진했다. 반면에 노동시간은 그 한계를 크게 초과했다.* 그리고 인민은 노동일의 길이가 실제로 3, 4, 5시간 단축될지라도 그들의 당시 임금은 그렇게 갑작스럽고 광범한 성격의 변화에 영향을 받지 않기를 기대했다. 그러나 법은 파리도 지방도, 고용주도 노동자도 만족시키지 못했다. 파리에서는 1일 10시간, 지방에서는 11시간으로 규정된 그 불공평함은 ….

*"많은 방적공장에서 노동은 14시간 또는 15시간 계속되어 노동자 특히 아동의 건강과 품행을 크게 해치고 있다. 아니, 내가 제대로 알고 있다면 더 긴 시간일 것이다." 블랑키, 『1848년 프랑스 노동자계급에 관하여』."

284 (v) "**8일**" — 새로 삽입된 것.

285 (v) "8일" — 새로 삽입된 것.

286 (e) 레드그레이브의 원문에는 다음과 같이 되어 있음.

"… 그리고 그에 따라 공업 중심지(hives)에서 발생한 비참한 영향은 1848년 9월 8일 국민의회가 다음과 같은 법을 제정하도록 했는데, 이 법은 일반적으로 만족스러운 것으로 받아들여지고 있다.

'공장과 제조소에서 노동자의 일일 노동은 12시간을 초과할 수 없다.

정부는 작업이나 도구의 성격이 필요로 하는 경우에는 이 조항 적용에 예외를 규정할 권한이 있다.'

이렇게 부여된 권한을 행사하면서 정부는 1851년 5월 17일 이러한 조건으로 허용되는 예외를 규정했다.

'다음 직종은 1848년 9월 8일 법률에 의한 제한에 포함되지 않는다. …'"

287 (e) 이 인용문에서 강조는 마르크스가 한 것.

288 (e) 이 인용문에서 강조는 마르크스가 한 것.

289 (v) "탈진" — 새로 삽입된 것.

290 (e) "**과도하지 않다**" — 강조는 마르크스가 한 것.

291 (e) "**너무 많은 여가시간**" — 강조는 마르크스가 한 것.

292 (e) "**때까지는**" — 강조는 마르크스가 한 것.

293 (e) "**도시 한 곳**" — 강조는 마르크스가 한 것.

294 (k) "**417**" — 자필 원고에는 "**419**"로 되어 있음.

295 (e) 『1859년 4월 30일까지의 보고서』 9쪽에서 레너드 호너는 그것이 자신의 최종 보고서가 될 것이라고 썼다. 그러나 그는 공장감독관으로서 활동을 계속했다. 그의 최종 보고서는 『공장감독관 보고서. 1859년 10월 31일까지의 반기 보고서』에 발표되었다. 또한 마르크스가 1860년 1월 11일 이후에 써서 엥겔스에게 보낸 편지도 보라.

296 (e) "**제공하는**" — 강조는 마르크스가 한 것.

297 (e) "**철야, 종일, 또는 양쪽으로 다**" — 강조는 마르크스가 한 것.

298 (e) ""낮"과 "밤"의 이러한 의미는 … 정해졌다." — 『공장감독관 보고서. 1860년 4월 30일까지의 반기 보고서』, 51쪽.

299 (e) 여기서부터 네 문단은 「인용문 노트」, 68쪽에서 옮겨 쓴 것.

300 (e) "**아동고용위원회**" — 강조는 마르크스가 한 것.

301 (e) "**노동자들을 그들 자신의 시간의 주인으로 만듦으로써**" — 강조는 마르크스가 한 것.

302 (v) 이 인용문을 마르크스는 95a/A쪽에 서론적 언급과 함께 써두었다. 거기에는 다음과 같이 되어 있다.

"공장법의 주요한 이익의 하나로서:

'훨씬 더 큰 이익은 **노동자 자신의 시간과 그가 고용주에게 속하는 시간**의 구분이 마침내 **명확**해졌다는 것이다. 이제 **노동자는 그가 판매하는 시간이 언제** 끝나는지, **자신의 시간은 언제 시작되는지**를 안다. 그리고 이것을 미리 확실히 알게 됨으로써 자신의 시간을 자신의 목적을 위해서 미리 배분해둘 수 있게 되었다.'(『공장감독관 보고서. 1859년 10월 31일』, **로버트 베이커 씨의 보고**)(52쪽)"

이 인용문은 제3노트 95-A쪽에 있다. 마르크스는 이 인용문을 124쪽으로 옮긴 다음에 95a/A쪽의 이 인용문에는 처리 완료 표시를 했다. 95a/A쪽에는 『요강』에서의 발췌문들이 뒤따르고 있다. G147쪽 34행~G148쪽 24행("노동자 자신에게 **노동능력**은 … 권력으로서 부를 창출한다." — 옮긴이)을 보라.

(e) 이 인용문에서 강조는 모두 마르크스가 한 것.

303 (v) "이는 표준일의 제정과 관련하여 매우 중요하다." — 이 문장 전체가 새로 삽입된 것.

304 (v) 124a쪽부터 124h쪽까지는 나중에 제3노트에 첨부되었다. 124a쪽에는 "**124쪽에**"라는 메모가 있다. 마르크스는 a~e쪽에 숫자 "124"를 그 앞에 추가했는데 a부터 d까지는 잉크로, e 앞에는 연필로 추가했다. 124f쪽부터 124h쪽까지의 쪽수는 연필로 매겼다.

305 (k) "**1860**" — 자필 원고에는 "**1866**"으로 되어 있음.

306 (e) "**고용주에게 명백한 이익**"—강조는 마르크스가 한 것.

307 (v) "성과급으로 지불되면"(Wird auf Stückwerk gezahlt) — "auf"는 새로 삽입된 것.

308 (v) "보다 신속한 자본 증식 이외에 고정적 잉여이윤" ← "특수한 잉여이윤"

309 (v) 여기에 "2) 그 까닭은 자본지출이"라고 썼다가 곧바로 지웠음.

310 (v) 여기에 "반 시간의 초과노동을 위해서"라고 썼다가 곧바로 지우고 "노동자 4명이 수행하는 2시간의 초과노동을 위해서는 40시간이 지불되거나 노동자 4명이 고용되어야 할 것이다. 그러나 여기에서는 (표준노동일의 나머지 시간들과 동일한 비율이라면) 2시간 중 $\frac{5}{6}$ 시간만 지불된다. 요컨대 120분(=2시간) 중 $\frac{5}{6}$이고 $\frac{1}{6}$=20분, 그것의 5배=100분. 20분의 초과노동을 위해서 그는 100분을 지불한다, 120분 …을 위해서는 600분."이라고 썼다가 곧바로 지웠음.

311 (v) 여기에 "예를 들면 개별 노동자에 의해서 20분이"라고 썼다가 곧바로 지웠음.

312 (v) 여기에 "노동자에게 $\frac{5}{6}$가 지불되고, 그럼으로써 … 얻는다"라고 썼다가 곧바로 지웠음.

313 (v) "필요한" — 새로 삽입된 것.

314 (v) "필요노동시간" ← "잉여시간"

315 (v) "(같은 책, 22, 23쪽)" — 새로 삽입된 것.

316 (k) "식사시간"(mealhours) — 자필 원고에는 "식사"(meal)로 되어 있음.

317 (v) "그와 반대로" — 새로 삽입된 것.

318 (v) "강제로" — 새로 삽입된 것.

319 (e) 마르크스가 소장했던 『자유무역의 궤변』 판본에는 205쪽과 206쪽에는 난외 여백에 줄이 그어져 있다. 이 익명의 책의 저자는 존 버나드 바일스였다. 인용문에서 강조는 모두 마르크스가 한 것.

320 (k) 자필 원고에는 여기에 필요 없는 괄호가 있음.

321 (e) 웨이드의 원문에는 다음과 같이 되어 있음. "위의 법령에서 볼 때 1496년에는 식량이 수공업자 소득의 $\frac{1}{3}$, 노동자 소득의 $\frac{1}{2}$에 해당하는 것으로 간주된다. 이것은 노동자계급의 자립도가 오늘날보다 더 높았음을 보여준다. 수공업자와 노동자의 식량이 이제는 그들의 임금에서 훨씬 높은 비율로 계산될 것이기 때문이다. [25쪽]

… 3월부터 9월까지는 … 아침식사에 1시간, 점심식사에 $1\frac{1}{2}$시간, **오후 간식**에 $\frac{1}{2}$시간이 허용되어야 한다. 겨울 노동시간은 '새벽'부터 날이 저물 때까지다. … [24쪽]

… 면방적공장에서는 … 아침식사 반 시간 또는 40분간 귀가하고 … 점심을 먹기 위해 1시간이 허용된다." [577쪽]

322 (e) 이 인용문은 「인용문 노트」, 69쪽에서 옮겨 쓴 것.

323 (k) "표백 등 노동법"(the Bleaching etc. Works Act) — 자필 원고에는 "Works"가 "Work"로 되어 있음.

324 (e) "**식사시간에 대한** 규정이 **전혀 없다.**" — 강조는 마르크스가 한 것.

325 (e) "**청소년과 여성**" — 강조는 마르크스가 한 것.

326 (v) "(요컨대 11~13세)" — 새로 삽입된 것.

327 (v) 여기서 행을 바꿔 다음과 같이 썼다가 나중에 지웠음. "원료에 지출된 자본은 임금에 지출된 자본에 비해서 단순한 분업에 기초한 매뉴팩처에서보다 훨씬 더 빠르게 증가한다. 그리고 여기에 노동수단에 지출된 자본 부분이 대량으로 추가된다."

자필 원고에는 이어서 "(제5노트, 190쪽을 보라)"라는 지시가 있다. 이것은 196쪽을 의미하는데, 이 쪽수는 숫자 196이 197쪽의 잉크 자국으로 인해 흐려졌기 때문에 190으로 읽을 수도 있다. 아마도 마르크스는 196쪽 위에 있는 "190쪽으로"라는 메모를 쪽수 표시라고 생각했는지도 모른다. 196쪽 끝에는 여기에서 삭제된 본문 부분이 약간 보완되고 변경되어 쓰여 있다(G463쪽 13행~G464쪽 2행)(MEGA 편집자가 G300쪽 12~18행을 잘못 쓴 것으로 보인다. — 옮긴이).

328 (v) 이하 세 문단은 196쪽에서 삽입한 것으로, 이 부분의 여백에 표시되어 있고 "(이 인용문은 제3노트, e쪽에 속한다)(124쪽 다음에)"라는 메모로 끝난다.

329 (e) 이하 196쪽에서의 삽입 부분은 [앤서니] 애슐리, 『10시간 공장법안, 1844년 3월 15일 금요일, 하원 연설』, 런던, 1844년에 의한 것임.

330 (k) "1843" — 자필 원고에는 "1844"로 되어 있음.

331 (v) "강제적" — 새로 삽입된 것.

332 (e) "**나이**는 정말 **믿기** 어렵다" — 강조는 마르크스가 한 것.

333 (e) 필든의 원문에는 여기에 "부족한 시간을 보충하기 위해 그들은 자주 아침 5시부터 밤 10시까지 노동했다"라는 구절이 있음.

334 (e) 이 문단은 존 필든, 『공장제도의 저주 또는 공장 학대의 기원에 관한 간략한 설명』, 런던, [1836년]에 의한 것이다. 마르크스가 이용한 판본은 볼 수 없었다. 1836년에 핼리팩스에서 발간된 판본에는 12, 13, 15쪽에 이 인용 부분이 실려 있다.

335 (v) "런던에 있는 … 야간노동 도입" — 이 문단 전체가 새로 삽입된 것.

잉여가치율

1 (e) "**야간노동의 조직화**" — 강조는 마르크스가 한 것.

2 (k) "1841" — 자필 원고에는 "1842"로 되어 있음. 이것은 마르크스가 잘못해서 이 책의 표지에 기재된 연도를 적은 것이다. (MEGA 원문에는 "1842"로 되어 있으나 이는 1841의 오류로 보인다. — 옮긴이)

3 (e) 이 인용문은 마르크스가 소장하고 있던 르뒤크의 책에서 옮겨 쓴 것.

4 (v) "팀"(troupes) ← "패"(parties)

5 (e) 마르크스는 영어판을 가리키고 있지만 여기에서는 프랑스어판(파리, 1833년)을 이용했다.

6 (e) 프랑스어판, 279쪽.
7 (v) "조차" — 새로 삽입된 것.
8 (e) 이하 맥나브를 인용한 부분은 마르크스가 소장하고 있던 맥나브의 책에서 옮겨 쓴 것.
9 (e) "**우리의 현재 공장체제에서**" — 강조는 마르크스가 한 것.
10 (e) 이 인용문은 「인용문 노트」, 54쪽에서 옮겨 쓴 것.
11 (v) 여기에 "2시간이 …이라고 하자"라고 썼다가 곧바로 지웠음.
12 (v) "다양한 정도의 숙련된 노동의 하루가 비숙련 평균노동의 하루와" ← "다양한 정도의 숙련된 노동이 비숙련 평균노동과"
13 (v) "기술"(Gewandtheit) ← "숙련"(Geschick)
14 (v) "높거나 낮은" ← "높고 낮은"
15 (e) "두 장의 잎은 서로 절대적으로 같지 않다 — **라이프니츠**" — 여기에서 마르크스가 시사하는 것은 게오르크 빌헬름 프리드리히 헤겔, 『대논리학』, 전집, 제4권, 베를린, 1834년, 45쪽으로, 거기에는 이렇게 쓰여 있다. "서로 동일한 두 사물은 없다는 명제는 — 라이프니츠가 이 명제를 제시하면서 부인들에게 나뭇잎 중에서 같은 것을 두 장 발견할 수 있는지 찾아보게 했다는 정원에서의 일화를 따를 때에도 — 표상에 속한다."
16 (v) "평균" — 새로 삽입된 것.
17 (k) "7" — 자필 원고에는 "9"로 되어 있음.

3) 상대적 잉여가치

1 (v) 여기에 "비율은"이라고 썼다가 곧바로 지웠음.
2 (v) 여기에 "크기는 …에 달려 있다"라고 썼다가 곧바로 지웠음.
3 (v) 여기에 "그것의 비율과 마찬가지로"라고 썼다가 곧바로 지우고 "정도의"(des Gra[des])라고 썼다가 곧바로 지웠음.
4 (e) 유율(Fluxion)과 유량(Fluente)은 아이작 뉴턴이 만든 개념으로 오늘날에는 쓰이지 않는다. 유율에 해당하는 것이 미분계수(Differential quotient)이고 유량(라틴어 fluens, 흐르다)에 해당하는 것이 가변적인 크기에 좌우되는 수학적 크기(함수) 개념이다.
5 (v) "그 결과" — 새로 삽입된 것.
6 (v) 여기에 "**표준노동일**, 즉 … 노동시간의 합계는"이라고 썼다가 곧바로 지웠음.
7 (v) 여기에 "표준노동일이 …다고 하자"라고 썼다가 곧바로 지웠음.
8 (v) 여기에 "독특[한]"이라고 썼다가 나중에 지웠음.
9 (v) "증가"(Wachstum) ← "증대"(Vermehrung)
10 (k) 자필 원고에는 이 줄표가 쉼표로 되어 있음.
11 (v) "노동인구가 주어져 있고" — 새로 삽입된 것.
12 (v) "도대체 어떻게 해야 더" — 새로 삽입된 것.
13 (v) "예를 들어" — 새로 삽입된 것.
14 (v) "잉여노동시간의 양, 따라서 잉여가치는 … **전환**됨으로써도 증가할 수 있다." — 이 문장 전체가 새로 삽입된 것.
15 (v) 여기에 "비[율]"이라고 썼다가 곧바로 지웠음.
16 (v) 여기에 "…가 하락하면"이라고 썼다가 곧바로 지웠음.
17 (v) 여기에 "노동능력의 가치는"이라고 썼다가 곧바로 지웠음.
18 (v) "(노동생산성의 향상이 없으면)" — 새로 삽입된 것.
19 (v) "으로써 이윤을 증가시키는 것" — 새로 삽입된 것.

20 (v) 여기에 "다른 쪽이 이익에서 잃은 것, 그리고"라고 썼다가 곧바로 지웠음.
21 (v) "더 높은" — 새로 삽입된 것.
22 (v) "정상적인" — 새로 삽입된 것.
23 (v) 처음에는 여기에 마침표를 찍었다가 쉼표로 바꾸고 본문처럼 이어 썼음.
24 (v) "실제" — 새로 삽입된 것.
25 (k) "생산될"(hergestellt) — 자필 원고에는 "표시될"(dargestellt)로 되어 있음.
26 (v) 여기에 "노동능력의 가치가"라고 썼다가 곧바로 지웠음.
27 (v) "노동능력의 가격이 그 가치 이하로 하락하기 때문이 아니라" — 이 구절이 없이 써 나가다가 중단하고 이 구절을 넣고 이어 썼음.
28 (v) "증가한다"(wächst) ← "상승한다"(steigt)
29 (v) 여기에 "어떤 노동자 한 사람 또는 개별 노동자 여러 명을 놓고 보면"이라고 썼다가 곧바로 지웠음.
30 (v) 여기에 "생활수단"이라고 썼다가 곧바로 지웠음.
31 (v) "그 생산물의 생산조건들을 생산하는 데 필요한 노동시간"의 표현을 "die zur Herstellung seiner Productionsbedingungen erheischte Arbeitszeit" ← "die Arbeitszeit, die zur Herstellung seiner Productionsbedingungen erheischt Arbeitszeit"
32 (e) 조지 램지, 『부의 분배에 관한 고찰』, 에든버러, 1836년, 런던, 1844년, 168/169쪽.
33 (v) "(**램지를 보라.**)" — 새로 삽입된 것.
34 (v) 여기에 "직공"이라고 썼다가 곧바로 지웠음.
35 (v) 여기에 "배"(倍)라고 썼다가 곧바로 지웠음.
36 (v) "예컨대" — 새로 삽입된 것.
37 (v) "증대" ← "향상"
38 (v) "의 합계" — 새로 삽입된 것.
39 (v) "의 합계" — 새로 삽입된 것.
40 (v) "과 특정한 노동영역들의 합계" — 새로 삽입된 것.
41 (v) "의 합계" — 새로 삽입된 것.
42 (v) "개별" — 새로 삽입된 것.
43 (v) 여기에 "오로지"라고 썼다가 나중에 지웠음.
44 (v) "필요" — 새로 삽입된 것.
45 (v) 여기에 "그게 아니라"라고 썼다가 곧바로 지우고 "그렇지만 노동생산성의 감소"라고 썼다가 곧바로 지우고 "그렇지만 그가 수행하는 노동시간 중의 **필요노동시간**의 감소와 **잉여노동시간의 증가**가 그 자신의 노동생산성에서 유래한다는 것, 바꿔 말하면 그가 수행하는 필요노동시간*1)이 감소하는 것과 같은 비율로, 또는 그의 노동생산성이 향상된 결과 *2) 그 자신의 소비에 들어가는, 즉 그 자신의 노동능력 재생산에 기여하는 생산물을 창출하는 시간이 감소하는 것과 같은 비율로 …라고 가정할 수는 있다."라고 썼다가 곧바로 지웠음.
*1) "필요노동시간" ← "잉여노동시간"
*2) 여기에 "그가 창출하는 생산물을 위해"라고 썼다가 곧바로 지웠음.
46 (v) "개별" — 새로 삽입된 것.
47 (k) 자필 원고에는 여기에 닫는 괄호가 있음.
48 (v) "(이때 노동자가 동일한 시간에 … 영향을 미치지 않는다.)" — 새로 삽입된 것.
49 (v) "자신" — 새로 삽입된 것.
50 (e) 존 스튜어트 밀, 『경제학에서 해결되지 않은 문제들에 대한 에세이』, 99~104쪽.
51 (v) "노동생산성이 증대된 결과"(in Folge vermehrter Produktivität der Arbeit produziert) — 이 자리에서 마르크스는 쓰기를 중단하고 G215쪽 17~30행의 괄호 안의 삽입문을 썼

다. 그러고 나서 Folge와 vermehrter 사이에 ++라고 써서 연결을 표시했다.

52 (v) "정상적인" — 새로 삽입된 것.

53 (v) 여기에 "요컨대 그에게는 … 동일한 것이다"라고 썼다가 곧바로 지웠음.

54 (v) "**요컨대 총노동일 중에서** … 있는 것과 사실상 마찬가지이다." — 이 부분에서 강조는 마르크스가 나중에 잉크로 밑줄을 그은 것.

55 (v) "여기에서" — 새로 삽입된 것.

56 (v) 여기에 다음과 같이 썼다가 곧바로 지웠음. "지금까지 총노동일이 12시간이었다면 자본가는 이 경우에 그것이 15시간이었던 것처럼 판매한다($\frac{12}{4}$=3, 12+3=15). 그가 노동일을 연장한 것은 아니다. 필요노동시간=10, 잉여노동시간=2이었다면 잉여노동시간은 아직도 2이다. 그러나 그는 실제로 마치 7시간만이 필요노동시간이고 5시간이 잉여노동시간인 것처럼 판매한다(7+5=12). 실제로 평균노동자들의 노동에 대하여 자본가 자신의 노동자들의 노동이 갖는 관계는 노동자들이 10시간의 가치로 구매하는 것만큼을 7시간의 가치로 구매하는 관계이다(가치는 생산성에 비례해서 하락하지 않기 때문에). 예전 비율로는 자본가가 노동자에게 12 중에서 10을, 즉 $\frac{5}{6}$($\frac{12}{6}$=2, $\frac{5\times12}{6}$=10)를 주어야 했다. 노동생산성이 향상된 결과 그는 12를 15로 판매한다. 노동시간이 평균노동보다 $\frac{1}{4}$ 높은 시간으로 지불된다면 노동자는 10시간이 아니라 10-$\frac{10}{4}$시간만 노동하면 될 것이다."

57 (v) 여기에 다음과 같이 썼다가 지웠음. "필요노동시간의 $\frac{1}{6}$일 뿐이라면 1$\frac{3}{12}$시간(7$\frac{1}{2}$시간의 $\frac{1}{6}$), 1시간이 이제 $\frac{4}{5}$, 요컨대 7$\frac{1}{2}$ 또는 $\frac{15}{2}$시간의 $\frac{1}{6}$, $\frac{1}{2}$시간의 $\frac{1}{6}$=$\frac{1}{12}$. $\frac{15}{2}$시간의 $\frac{1}{6}$=$\frac{15}{12}$=1$\frac{3}{12}$=1$\frac{1}{4}$=$\frac{5}{4}$시간"

58 (v) 여기에 "여기에서는 그 자신의 노동이 …인 것으로 나타날 뿐이다"라고 썼다가 곧바로 지웠음.

59 (v) "향상된" — 새로 삽입된 것.

60 (v) "감소했을" — 새로 삽입된 것.

61 (v) "더 적은"의 표현을 "kleinrer" ← "geringrer"

62 (v) "판매된" ← "지불된"

63 (k) 이 줄표는 자필 원고에는 쉼표로 되어 있음.

64 (v) "비율은 동일하게 유지된다면" — 새로 삽입된 것.

65 (v) 여기에 "필요"라고 썼다가 나중에 지웠음.

66 (v) 여기에 "노동에"라고 썼다가 곧바로 지웠음.

67 (v) 이 부분은 마르크스가 새로 삽입한 각주로서 +표시로 위치를 지시한다. 이 각주는 129쪽 아래와 왼쪽 여백에 쓰였다. "(뒤쪽을 보라)"는 표시로 130쪽에 계속된다는 것을 알려주고 있다. 계속되는 부분은 줄을 그어서 본문과 구별했다. 이 각주의 위치로 볼 때 129쪽과 130쪽을 이미 쓴 상태였다는 것을 추측할 수 있다.

68 (v) "방적노동일" ← "노동일"

69 (e) 계산을 진행하면서 마르크스는 처음에 선택했던 전제를 혼동했다. 이 전제에 따르면 첫 번째 경우는 노동생산성이 상승한 다음에 나타나는 비율을 유지하는 반면에 두 번째 경우는 노동생산성이 상승하기 이전의 상태를 표현하는데 이것을 거꾸로 한 것이다. 또한 마르크스는 잘못된 가치크기로 계산을 계속하고 있다. G218쪽 41~43행의 계산은 다음과 같이 해야 할 것이다. "두 번째 경우에 면사 1파운드=10+20=30; 첫 번째 경우에는 면사 10파운드=200+10=210, 요컨대 면사 1파운드=21이고 10파운드=210인 반면에, 두 번째 경우에 10파운드=300."

70 (v) 여기에 "첫 번째 경우에는"이라고 썼다가 지웠음.

71 (v) "(수)" — 새로 삽입된 것.

72 (v) "분석" ← "서술"

73 (v) 여기에 "동일한 사용가치"라고 썼다가 곧바로 지웠음.

74 (v) 처음에는 여기에서 문장을 끊고 마침표를 찍었으나 쉼표로 바꾸고 다음 문장을 이어 썼음.

75 (v) 처음에는 여기에서 문장을 끊고 마침표를 찍었으나 쉼표로 바꾸고 다음 문장을 이어 썼음.

76 (v) 여기에 "개별 생[산물]"이라고 썼다가 곧바로 지웠음.

77 (v) "1개월 노동" ← "1개월"

78 (v) "$=\frac{2}{16}$" — 새로 삽입된 것.

79 (v) "$=\frac{4}{16}$" — 새로 삽입된 것.

80 (v) "불과 …일 뿐" — 새로 삽입된 것.

81 (v) 여기에 "더 적은 시간에 동일한 사용가치를"이라고 썼다가 곧바로 지웠음.

82 (v) "개별" — 새로 삽입된 것.

83 (v) 여기에 "가치는 관계된[다]"라고 썼다가 곧바로 지웠음.

84 (v) "일반적으로 배가된다면, 즉" — 새로 삽입된 것.

85 (k) "노동자" — 자필 원고에는 "노동"으로 되어 있음.

86 (v) 여기에 "특정 산업영역에서"라고 썼다가 곧바로 지웠음.

87 (v) 여기에 "증가[한]"이라고 썼다가 곧바로 지웠음.

88 (v) "어느" ← "이"

89 (v) 여기에 "… 현존[하는 것]으로부터"라고 썼다가 곧바로 지웠음.

90 (v) 여기에 "평균임금의"이라고 썼다가 곧바로 지웠음.

91 (v) "(상품)" — 새로 삽입된 것.

92 (e) 여기서부터 다음 문단까지는 『요강』(MEGA② II/1.1, 248쪽 이하)을 보라.

93 (v) 여기에 "이들 사용가치"라고 썼다가 곧바로 지우고 "이들 상품의 교환가치 —"라고 썼다가 곧바로 지웠음.

94 (v) "[10]" — 종이가 손상되어 텍스트가 손실됨.

95 (v) "[5]" — 종이가 손상되어 텍스트가 손실됨.

96 (v) 마르크스는 자신이 131이라고 쓴 쪽수를 137로 읽고 다음 쪽을 138로 표시했다.

97 (k) "$\frac{2}{12}$" — 자필 원고에는 "$\frac{4}{12}$"로 되어 있음.

98 (v) 여기에 "노동능[력]"이라고 썼다가 곧바로 지웠음.

99 (v) "4시간 적은" — 새로 삽입된 것.

100 (v) "40퍼센트(10 : 4 = 100 : 40)" ← "60퍼센트(10 : 6 = 100 : 60)"

101 (k) "까지"(auf) — 자필 원고에는 "만큼"(um)으로 되어 있음.

102 (v) "(" — 새로 삽입된 것.

103 (k) "200" — 자필 원고에는 "300"으로 되어 있음.

104 (v) 여기에 "= 5 : 3 ="이라고 썼다가 곧바로 지웠음.

105 (v) "(40퍼센트여야 한다. **다음 쪽을 보라**)" — 새로 삽입된 것. 다음 쪽에서 마르크스는 계산을 수정하고 여기에 이 지시를 써넣었다.

106 (v) 여기에 "증가는"이라고 썼다가 곧바로 지웠음.

107 (v) "노동능력의 가치가" ← "노동능력이"

108 (v) "즉 필요노동시간이 감소하는 비율" — 새로 삽입된 것. "감소하는"의 표현을 "fällt" ← "abnimmt"

109 (v) 여기에 "노동생산성(잉여가치)에서 또는 절대적* 잉여가치에서"라고 썼다가 곧바로 지우고 "잉여노동시간"이라고 썼다가 곧바로 지웠음.
* "절대적" — 새로 삽입된 것.

110 (k) 자필 원고에는 이 괄호가 빠져 있음.

111 (e) 1861년 집필계획 초안의 "III) 자본과 이윤"을 보라.

112 (v) 여기에 "배가된다면"이라고 썼다가 곧바로 지웠음.

113 (v) "새로운" — 새로 삽입된 것.

114 (v) 여기에 다음과 같이 썼다가 곧바로 지웠음. "예를 들면 앞의 경우에 12시간 중에서 원래 6시간이 필요노동시간, 6시간이 잉여노동시간이었다고 하고, 앞의 경우처럼 노동생산력이 일반적으로 2배가 되었다고 가정하자. 이때 필요노동시간은 6에서 3으로 50퍼센트 *1)감소할 것이다. 게다가 앞의 경우처럼 임금은 예전과 동일한 비율로, 즉 5시간의 새로운 잉여노동시간 중에서 노동자가 1시간을 즉 (필요노동시간으로부터 — 옮긴이) 풀려난 시간의 $\frac{1}{5}$을 받는다는 이전의 경우와 같은 비율로, 따라서 이 경우에 3시간의 $\frac{1}{5}$, 즉 $\frac{180}{5}=36$분 ($36\times5=180$)을 노동자가 받는다는 비율로 하락할 뿐이라고 가정한다면, (새로운) 필요노동시간은 $3\frac{1}{2}$시간 6분일 것이다(이때 노동자의 상태는 눈에 띄게 개선되었을 것이다). 자본가의 잉여노동시간은 144분, 즉 2시간 24분, 즉 필요노동시간이 감소한 것과 동일한 절대적 시간만큼 증가할 것이다. 그 까닭은 6시간 — 2시간*2) 36분 = "

  *1) 여기에 "(예전에는 60퍼센트, 마찬가지로 노동능력의 가치를)"이라고 썼다가 곧바로 지웠음.

  *2) "2시간" ← "3시간"

115 (v) 여기에 "줄어든 시간"이라고 썼다가 곧바로 지웠음.

116 (k) "까지"(auf) — 자필 원고에는 "만큼"(um)으로 되어 있음.

117 (k) "까지"(auf) — 자필 원고에는 "만큼"(um)으로 되어 있음.

118 (v) "다시" — 새로 삽입된 것.

119 (k) "$135\frac{10}{14}$" — 자필 원고에는 "$135\times\frac{10}{14}$"으로 되어 있음.

120 (k) "까지"(auf) — 자필 원고에는 "만큼"(um)으로 되어 있음.

121 (k) "까지"(auf) — 자필 원고에는 "만큼"(um)으로 되어 있음.

122 (v) 여기에 "생산력의 일반적 상승"이라고 썼다가 곧바로 지웠음.

123 (v) 여기에 ", 즉 하루의 $\frac{3}{6}$과 $\frac{1}{12}$, 첫 번째 경우에는 총노동일의 $16\frac{4}{6}$퍼센트, 두 번째 경우에는 전체의 $\frac{7}{12}$ 또는 ||140| $16\frac{3}{7}$퍼센트"라고 썼다가 곧바로 지우고 "$16\frac{4}{6}$퍼센트×7 또는 $116\frac{4}{6}$, 첫 번째 경우에는 $\frac{2}{12}$ 또는 $16\frac{4}{6}$퍼센트, 두 번째 경우에는 $\frac{7}{12}$ 또는"이라고 썼다가 곧바로 지우고 "; 첫 번째 경우에는 총노동일의 $\frac{2}{12}$가, 두 번째 경우에는 $\frac{7}{12}$이 잉여노동이었다. 요컨대 첫 번째 경우에는 하루 전체의 $16\frac{2}{3}$퍼센트, 두 번째 경우에는 $116\frac{2}{3}$"라고 썼다가 곧바로 지웠음.

124 (e) 윌리엄 제이컵, 『귀금속의 생산과 소비에 관한 역사적 연구』, 제2권, 런던, 1831년, 132, 215쪽.

125 (v) "예를 들면 제이컵의 … 증가율은 더 작았다." — 세 문장은 새로 삽입된 것.

126 (k) 자필 원고에는 여기에 "다음 사실이 분명"이라는 구절이 들어 있음.

127 (v) "그리고" — 새로 삽입된 것.

128 (k) "까지"(auf) — 자필 원고에는 "만큼"(um)으로 되어 있음.

129 (k) "까지"(auf) — 자필 원고에는 "만큼"(um)으로 되어 있음.

130 (v) "**않는다**" — 새로 삽입된 것.

131 (e) G222쪽 31행("〔하루의 $\frac{1}{6}$ 대신 …"의 앞을 말함 — 옮긴이)를 보라.

132 (v) 여기에 "…보다 적은 노동시간 대신에"라고 썼다가 곧바로 지웠음.

133 (v) "의 일부" — 이 구절이 없이 써 나가다가 중단하고 이 구절을 넣고 이어 썼음.

134 (v) "그의 **노동능력**의 **가치**가 하락한 분량에" — 이 구절이 없이 써 나가다가 중단하고 이 구절을 넣고 이어 썼음.

135 (e) G318쪽 24행(원문에는 25행이라고 되어 있으나 MEGA 편집자의 오기 — 옮긴이)~G319쪽 36행과 제20노트, 1284쪽 이하를 보라.

136 (e)《스탠더드》, 런던, 제11, 610호, 1861년 10월 26일 자, 그리고《이브닝 스탠더드》, 런던, 제11, 610호, 1861년 10월 26일 자에는 마르크스가 인용한 사실이 실리지 않았다.

137 (v) "노동생산성의 일정한 발전" ← "일정한 노동생산성"

138 (e) 이 인용문은 「인용문 노트」, 73쪽에서 옮겨 쓴 것.

139 (v) "14" — 새로 삽입된 것.

(k) "14" — 자필 원고에는 "14, 15"로 되어 있음.

140 (e) 이 인용문은 「인용문 노트」, 21쪽에서 옮겨 쓴 것.

141 (v) 여기에 "최초 시작은 오[래전에]"라고 썼다가 곧바로 지우고 "…의 발전"이라고 썼다가 곧바로 지웠음.

142 (v) "절대적" — 새로 삽입된 것.

143 (v) "다른 모든 생산관계" ← "모든 다른 형태"

144 (k) "이집트인"(Aegypter) — 자필 원고에는 "Aejypter"로 되어 있음.

145 (k) **"이집트"**(*Aegypten*) — 자필 원고에는 "*Aejypten*"으로 되어 있음.

146 (e) 디오도로스 시켈로스, 『역사 문고』, 율리우스 프리드리히 부름 옮김, (제1부) 제1권, 슈투트가르트, 1827년, 126쪽. 강조는 마르크스가 한 것.

147 (v) "비율"의 표현을 "Rate" ← "Proportion"

148 (v) "절대적" — 새로 삽입된 것.

149 (e) 이 인용문에서 강조는 모두 마르크스가 한 것.

150 (v) "내가 선택한다면" — 이 구절이 없이 써 나가다가 중단하고 이 구절을 넣고 이어 썼음.

151 (v) 여기에 "…의 비율은"이라고 썼다가 곧바로 지웠음.

152 (v) "의 정도" — 새로 삽입된 것.

153 (v) "절대적" — 새로 삽입된 것.

154 (v) "표준노동일" ← "노동일"

155 (v) "그것의 특정한" ← "그것의"

156 (v) "잉여노동시간" ← "절대적 노동시간"

a) 협업

1 (k) 자필 원고에는 행을 바꾸지 않음.

2 (v) "자신의" — 새로 삽입된 것.

3 (v) 여기에 "전[제]"라고 썼다가 곧바로 지웠음.

4 (e) 케언스와 노예제 생산에 관한 언급은 마르크스가 나중에 추가했다. 존 엘리엇 케언스의 『노예 노동력: 그 성격, 내력, 가능한 계획』은 제4노트가 이미 집필이 끝난 1862년 5월 이전에는 출판되지 않았다. 마르크스는 자신이 소장하고 있던 책에서 이 부분이 있는 47쪽 이하 가장자리에 줄을 쳐놓았다.

5 (v) "노예제 생산의 경우. (**케언스 참조.**)" — 새로 삽입된 것.

6 (v) "**동시에** 노동하는" — 새로 삽입된 것.

7 (v) "**동일한 공간**(한 자리)**에서** … **집합**의 현존" ← "본질적으로 … **집적, 집합**"

8 (v) 처음에는 여기에 마침표를 찍었다가 쉼표로 바꾸고 본문처럼 이어 썼음.

9 (v) "일체를, 또는 어떤 특정한 시간에" — 새로 삽입된 것.

10 (e) "이 협업의 가장 오래된 형태의 … 전쟁에서도 마찬가지." — 마르크스는 [시몬-니콜

라-앙리 랭게] 『민법 이론, 또는 사회의 기본 원리』(제1권, 런던, 1767년)에 의거하고 있다. 제7노트(런던, 1859~62년), 68~76쪽에서 마르크스는 이 책 특히 7~9장을 자세히 발췌했다. 『자본』, 제1권, 함부르크, 1867년, 316쪽에는 다음과 같은 각주가 있다. "**랭게**가 그의 『**민법 이론**』에서 **수렵**이 최초의 협업형태이며, **인간 사냥**(전쟁)이 최초의 수렵형태 가운데 하나였다고 설명한 것은 어쩌면 틀린 말이 아닐지도 모른다."

11 (v) 여기에 "이 동시성에"라고 썼다가 곧바로 지웠음.

12 (v) "동시에" — 새로 삽입된 것.

13 (e) "**부분으로 분할될**"(*admit a division*) — 웨이크필드의 원문에는 "admit of a division"으로 되어 있음.

14 (e) "짐수레에"(on a wain) — 웨이크필드의 원문에는 "on to a wain"으로 되어 있음.

15 (e) "동시에"(at the same time) — 웨이크필드의 원문에는 "적시에"(at the right time)로 되어 있음.

16 (e) 이 인용문은 「인용문 노트」, 73쪽에서 옮겨 쓴 것. 강조는 마르크스가 한 것.

17 (e) G233쪽 8~30행("과거에 이들 동양 국가는 … **한정되어 있었기 때문이다**. — 옮긴이)을 보라.

18 (v) "(**존스**의 서술을 보라.)" — 새로 삽입된 것.

19 (v) "고립되어서는" — 새로 삽입된 것.

20 (v) 여기에 "동일한 시간에 힘을"이라고 썼다가 곧바로 지웠음.

21 (v) 여기에 "요컨대 여기에서 개별자가 특정한 시간 노동했을 뿐이지만"이라고 썼다가 지웠음.

22 (v) 여기에 "100"이라고 썼다가 곧바로 지웠음.

23 (v) "또는 그것을 생산하는 데 필요한 조건들" — 새로 삽입된 것.

24 (e) "**힘들의 합계보다**" — 강조는 마르크스가 한 것.

25 (k) "196" — 자필 원고에는 "176"으로 되어 있음.

26 (v) 여기에 "여기에서는 그것을 단지 다음에 한해서"라고 썼다가 곧바로 지웠음.

27 (k) "영향을 받는가"(affiziert wird) — 자필 원고에는 "wird"가 "macht"로 되어 있음.

28 (v) "잉여노동" ← "잉여시간"

29 (v) 여기에 "절"이라고 썼다가 곧바로 지웠음.

30 (v) "그러나 동시에 **노동수단의 집중**도" — 새로 삽입된 것.

31 (v) "개별화된 노동자는 발전시킬 수 없는"의 표현을 "zu deren Entwicklung der vereinzelte Arbeiter überhaupt unfähig ist" ← "die überhaupt der vereinzelte Arbeiter unfähig ist, zu entwickeln"

32 (e) "**거의 모든 비농업 인구의 손과 팔에 대한 이들 국가의 명령권**" — 강조는 마르크스가 한 것.

33 (e) 이 문단의 인용문은 제7노트(런던, 1859~62년), 152쪽에서 옮겨 쓴 것. 「인용문 노트」, 86쪽에 이 인용문이 축약된 형태로 실려 있음. 강조는 마르크스가 한 것.

34 (k) "이집트의"(ägyptischen) — 자필 원고에는 "äjyptischen"로 되어 있음.

35 (e) 새들러의 원문에는 다음과 같이 되어 있음. "전체는 그 부분들의 합계와 같을 뿐이라는 것 … 그러나 이 말의 보통의 진정한 의미는, 우리 앞에 놓인 주제에 적용한다면, 이 공리(axiom)는 허구일 수 있다는 것이다."

36 (k) "**마이클 토머스 새들러**, 『**인구 법칙**』," — 자필 원고에는 "**제임스 새들러**, 『**인구에 대하여**』?"로 되어 있음.

37 (v) 여기에 "사회적 형[태]"라고 썼다가 곧바로 지웠음.

38 (v) 여기에 "…과 똑같이"라고 썼다가 곧바로 지웠음.

39 (v) 여기에 "노동의"라고 썼다가 곧바로 지웠음.

40 (v) "자본가" ← "자본"
41 (v) "아니라" — 처음에는 "아니다"라고 쓰고 문장을 끊었다가 본문처럼 문장을 이어 썼음.
42 (v) "이자 지휘자" — 이 구절이 없이 써 나가다가 중단하고 이 구절을 넣고 이어 썼음.
43 (v) "있다" ← "나타난다"
44 (v) "개별" — 새로 삽입된 것.
45 (k) 자필 원고에는 여기에 " — "가 있음.
46 (v) 여기에 "노동방식은"이라고 썼다가 곧바로 지웠음.
47 (v) "그들의 통일은 그들 외부에 있는" — 새로 삽입된 것.
48 (v) 여기에 "노동자로 하여금"이라고 썼다가 곧바로 지웠음.
49 (v) "(**노예제**)(**케언스**)" — 새로 삽입된 것.
50 (e) G230쪽 2행에 관한 해설(부속자료 95쪽 주 5 — 옮긴이)을 보라.
51 (v) "협업"(Kooperation) ← "작업"(Operation)
52 (v) 이 문단 전체가 새로 삽입된 것.
53 (v) 이 문단과 다음 문단은 새로 삽입된 것으로, "**148쪽에 대하여**"라는 보충설명이 138a쪽에 있다. 이 부분 뒤에 『요강』에서의 발췌문이 이어진다. G318쪽 24행~G319쪽 36행(364쪽 둘째 문단~365쪽 — 옮긴이)을 보라. G239쪽 복사자료를 보라.
54 (e) "**복잡노동이 문제가 되는가?**" — 강조는 마르크스가 한 것.
55 (e) "**오로지**" — 강조는 마르크스가 한 것.

b) 분업

1 (e) "b) 분업" 절 초안, 특히 처음 부분에서 마르크스는 두걸드 스튜어트의 『경제학 강의』(윌리엄 해밀턴 엮음, 『두걸드 스튜어트 전집』, 제8권, 에든버러, 1855년, 310~32쪽)에서 몇 가지 자극을 받았다. 마르크스는 스튜어트를 제7노트(런던, 1859~62년), 147~49쪽에 발췌했다. 그는 발췌 부분 몇 군데를 자신의 초고에 옮기고 분업에 관한 자신의 연구에서 이 대상에 관한 과거 저자들의 견해를 선별하여 보여주면서도 대체로 이 문헌을 따랐다. 마르크스는 이들 저자를 스튜어트의 저서에 따라서 인용하는 데 만족하지 않고 이 저서에 거론된 출처를 이용해서 발췌했는데, 이때 스튜어트와는 다른 판본을 일부 이용하기도 했다. 분석과 결론에서 마르크스는 스튜어트를 크게 뛰어넘었다.

제7노트, 148쪽에서 마르크스는 다음과 같이 언급했다. "**분업에 대하여**: **해리스**, 「행복에 관한 대화」, 1741년. **퍼거슨**, 『시민사회의 역사』. **크세노폰**, 『키로파에디아』, 제8권, 제2장을 보라. 크세노폰의 경우는 생산된 제품의 **질**이 핵심이었지만 스미스와 근대 저자들에게는 **양**이다.(312쪽)" 이러한 문헌 언급에 따라서 마르크스는 제7노트의 175쪽에 크세노폰을, 182쪽에 해리스를 발췌했다. 그는 이들 발췌문을 「인용문 노트」에 주제별로 모아 정리한 다음에 일부를 초고에 옮겼다. 마르크스는 예를 들면 「인용문 노트」의 16쪽에 제7노트의 해당 구절을 적시하면서 다음과 같이 썼다. "(크세노폰의 **분업**에서는 생산된 제품의 **질**이, 스미스와 근대 저자들에서는 양이 핵심이다.)" 이어서 스튜어트의 319쪽 인용문(G251쪽 39행~G252쪽 4행("그것은 또한 모두 **동시에** … 생산하는 것이 가능해진다." — 옮긴이)을 보라)이 있고, 여기에는 "분업. 크세노폰. (VII. 175)"이라는 메모와 다음과 같은 메모가 있다. "두걸드 스튜어트는 분업을 가장 먼저 발전시킨 자로 해리스(제임스)를 인용한다. 그러나 해리스는 여기에서 문제가 되고 있는 노동의 세부 분할에 대해서가 아니라 단지 고용의 다양성에 대해서 말할 뿐이다. 해리스 자신(『**세 개의 논문**』, 제3판, 런던, 1772년)은 147~55쪽에서 발견되는 그의 지혜가 플라톤의 『국가』, … 『프로타고라스』에서 차용한 것이라고 각주에서 말한다." 또한 플라톤의 『국가』(K. 슈나이더 옮김, 브레슬라우, 1839년)에서 발췌한 다음 부분은 제7노트, 241쪽에 있다. "**제2부**. 요컨대 이에 따르면 각자가 자신의 본성에 맞는 일을 알맞은 때에 하면서 다른 것에 방해받지 않고 열중한다면 모든 것이 **더 많이**, 더 훌륭하고 더 쉽게 만들어지게 된다."

2 (v) "특정한" — 새로 삽입된 것.

3 (v) 처음에는 여기에서 문장을 끝냈다가 마침표를 쉼표로 바꾸고 본문처럼 이어 썼음.

4 (v) 여기에 "이든"이라고 썼다가 곧바로 지웠음.

5 (e) 카를 마르크스, 『경제학 비판을 위하여』, 제1권, 베를린, 1859년, 제1장 상품, 29쪽.

6 (v) "생산물 일체가 상품이 되고 생산 일체의 조건으로서 상품교환이 이루어지는 것" ← "상품들이 될 수 있고 일체 상품교환만이 생산의 조건으로서 이루어지는 것"

7 (v) 여기에 "…을 위한 노동이 아니라"라고 썼다가 곧바로 지웠음.

8 (e) 카를 마르크스, 『경제학 비판을 위하여』, 제1권, 베를린, 1859년, 제2장 화폐 또는 단순 유통, 41쪽 이하.

9 (v) "생산"의 표현을 "Production" ← "Erzeugung"

10 (v) "상품교환" ← "상품"

11 (v) "이들 매우 상이한" ← "이 상이[한]"

12 (e) 두걸드 스튜어트, 『경제학 강의』, 310쪽 이하를 보라.

13 (v) 여기에 "그 작업들 각각이"라고 썼다가 곧바로 지우고 "특수한 노[동들]이"라고 썼다가 곧바로 지웠음.

14 (v) "특수한" — 새로 삽입된 것.

15 (v) 여기에 "분할하는 것"이라고 썼다가 곧바로 지웠음.

16 (v) 여기에 "동일한 사[용가치]가"라고 썼다가 곧바로 지웠음.

17 (v) "사회적 노동" ← "노동"

18 (v) "한 상품의" ← "상품의"

19 (e) 애덤 스미스, 『국부의 성질과 원인에 대한 연구』, 제르맹 가르니에의 주석과 논평이 포함된 새로운 프랑스어 번역판, 제1권, 파리, 1802년, 11쪽. 두걸드 스튜어트와는 달리 마르크스는 자신이 소장하고 있던 프랑스어판을 이용했다.

20 (v) "경지"(Acker) ← "토지"(Grund [und Boden])

21 (v) "분업"(Theilung der Arbeit) — 처음에는 "Division"이라고 썼다가 "Theilung"으로 바꿈.

22 (k) 자필 원고에는 여기에 구두점이 없음(MEGA에는 쌍점으로 되어 있음 — 옮긴이).

23 (e) 여기서부터 이 인용문의 강조는 마르크스가 한 것.

24 (v) 여기에 "노동의"라고 썼다가 곧바로 지웠음.

25 (v) 여기에 "쇠락한다"(verfällt)라고 썼다가 곧바로 지웠음.

26 (v) "부분들" — 새로 삽입된 것.

27 (v) "(자립화)" — 새로 삽입된 것.

28 (v) "발전할" ← "형성될"

29 (v) "이 영역에서" — 새로 삽입된 것.

30 (v) "수입된" ← "수입되는"

31 (v) "않았다" ← "않다"

32 (v) "이들" — 새로 삽입된 것.

33 (e) G260쪽 2행~31행("블랑키는 앞에서 인용한 구절에서 … 44~80쪽 여기저기에서)" — 옮긴이)을 보라.

34 (v) "생산양식 자체" ← "생산영역"

35 (v) 여기에 "그들의 실제적 [구매자]"라고 썼다가 곧바로 지웠음.
36 (e) G260쪽 2행~31행을 보라.
37 (v) "생산영역" ← "노동영역"
38 (e) "시인의 흩어진 사지"(disjecta membra poetae) — 호라티우스, 『풍자시』, 제1권, 제4풍자시.
39 (v) "그것들이 하나의 메커니즘에 **결합**" ← "그것들의 기계적 **결합**"
40 (v) 여기에 "unter d."라고 썼다가 곧바로 지웠음.
41 (v) "더욱" — 새로 삽입된 것.
42 (e) 두걸드 스튜어트, 앞의 책, 311쪽 참조.
43 (e) "동인도 저작" — 『동인도 무역이 영국에 가져다주는 이익』, 런던, 1720년. G261쪽 20행~34행("상품의 생산에 필요한 … 개개인의 숙련에 맡겨진 것은 적다." — 옮긴이)을 보라.
44 (v) "(**동인도 저작**을 보라.)" — 새로 삽입된 것.
45 (e) 여기서부터 G247쪽 20행까지는 두걸드 스튜어트, 앞의 책, 312쪽 참조.
46 (v) "거의" — 새로 삽입된 것.
47 (v) 여기에 "대상으로서"라고 썼다가 곧바로 지웠음.
48 (k) "**이집트**"(*Aegypten*) — 자필 원고에는 "*Aejypten*"으로 되어 있음.
49 (k) "이집트"(Aegypten) — 자필 원고에는 "Aejypten"으로 되어 있음.
50 (e) "**이러한 장점이 … 것으로 보인다.**" — 강조는 마르크스가 한 것.
51 (v) "분업의 장점을 열거하는" — 새로 삽입된 것.
52 (e) "**사람들**" — 마르크스는 "*mains*"이라고 썼으나 가르니에가 프랑스어로 번역한 스미스의 원문에는 "bras"로 되어 있음.
53 (e) "**같은 수의 사람들이 … 증가하는 것은**"—강조는 마르크스가 한 것.
54 (e) 여기서부터 G248쪽 18행까지는 두걸드 스튜어트, 앞의 책, 313~17쪽 참조.
55 (e) "**일**" — 마르크스는 *opération*이라고 썼으나 스미스의 원문에는 "occupation"으로 되어 있음.
56 (e) 이 인용문에서 강조는 모두 마르크스가 한 것.
57 (e) "이때에는 "장소의 변화"와 "상이한 도구들"이 요구된다." — 스미스의 원문에는 다음과 같이 되어 있음. "한 종류의 노동에서 다른 한 종류의 노동으로 재빨리 이동하는 것은 장소가 바뀌는 데다가 다른 도구를 사용해야 하기 때문에 불가능하다."
58 (k) 자필 원고에는 인용부호가 빠져 있음.
59 (k) 자필 원고에는 여기에 불필요한 인용부호가 있음.
60 (e) "**동일한 작업장에서**"—강조는 마르크스가 한 것.
61 (v) "자신" — 새로 삽입된 것.
62 (e) "**원인이라기보다 오히려 그 결과**"—강조는 마르크스가 한 것.
63 (v) "그가 분업의 **원인**이라고 하는" — 이 구절이 없이 써 나가다가 중단하고 이 구절을 넣고 이어 썼음.
64 (e) "**상업을 영위하고 교환하는 인간의 성향**"—강조는 마르크스가 한 것.
65 (k) "제2장" — 자필 원고에는 "제1장"으로 되어 있음.
66 (v) "인간 자신의" — 새로 삽입된 것.
67 (k) 자필 원고에는 닫는 괄호가 빠져 있음.
68 (e) 이 문단 내의 인용문에서 강조는 모두 마르크스가 한 것.
69 (e) "기술자는 주의를 집중하고 … 이윤을 증가시킬 수 있음을 깨닫는다." — 두걸드 스튜어트, 앞의 책, 329/330쪽 참조. 마르크스는 영어판이 아니라 자신이 소장하고 있던 프랑스

어판에 따라서 퍼거슨을 인용하고 있다. 이 책 제2권의 129~38쪽과 144쪽에는 줄이 그어져 있다.

70 (v) ""인간의 주의가 전부 하나의 대상을 향할 때"" — 새로 삽입된 것.

71 (e) "수공업자"(artisan) — 퍼거슨의 프랑스어판 원문에는 "기술자"(artiste)로 되어 있음.

72 (v) 여기에 "더 많이 개[진한다]"라고 썼다가 곧바로 지웠음.

73 (v) 여기에서 괄호를 닫았다가 지우고 이어 썼음.

74 (e) "**두뇌를 쓰는 노력이 없이도 … 간주될 수 있다**" — 강조는 마르크스가 한 것.

75 (e) "몇 가지 기계적 기술은 … 간주될 수 있다고 할 수 있다" — 두걸드 스튜어트, 앞의 책, 330쪽 참조.

76 (v) "후자에서는 … 훨씬 더 많다." — 이 문장 전체가 새로 삽입된 것.

77 (e) "**후자가 상실한 것을 전자가 획득했을 수 있다!**" — 강조는 마르크스가 한 것.

78 (v) "여기에서는 **자본의 대립** 등." — 이 문장 전체가 새로 삽입된 것.

79 (k) "모든"(toutes) — 자필 원고에는 "toute"로 되어 있음.

80 (v) "같은 책," — 새로 삽입된 것.

81 (v) "총체적인" — 새로 삽입된 것.

82 (e) 마르크스는 퍼거슨의 저서를 프랑스어로 번역한 베르지에의 서문을 가리키고 있다.

83 (v) "직계" — 새로 삽입된 것.

84 (e) 마르크스는 이 문단의 인용문을 제7노트(런던, 1859~62년), 109쪽에서 「인용문 노트」, 16쪽으로 옮겼고 거기에서 초고로 옮겼다.

85 (e) "**배분되어야**" — 강조는 마르크스가 한 것.

86 (e) "**여러 작업들로 세분되고 그 작업들이 다수의 직공들에게 분배되는** 또는 **나뉘는** 그 **과정**에만 적용된다." — 강조는 마르크스가 한 것.

87 (k) "**노동**"(*labour*) — 자필 원고에는 "*labours*"로 되어 있음.

88 (v) "그것은 **노동의 결합**이다" — 새로 삽입된 것.

89 (e) 두걸드 스튜어트, 앞의 책, 311, 329/330쪽 참조.

90 (v) "분업"(Theilung der Arbeit) ← "근로의 분할"(Theilung der Industrie)

91 (e) 이 문단은 제7노트(런던, 1859~62년), 148/149쪽에서 옮겨 쓴 것. 「인용문 노트」, 16쪽에는 이 인용문의 마지막 부분이 실려 있다. 강조는 모두 마르크스가 한 것.

92 (v) "이 된다" — 새로 삽입된 것.

93 (v) 여기에 "전체 …로서 그들의 노동의"라고 썼다가 곧바로 지우고 "결합된"이라고 썼다가 곧바로 지웠음.

94 (v) "기능들" ← "작업들"

95 (v) "또는 일시적* 분배" — 새로 삽입된 것.
* "일시적" ← "우연[적]"

96 (v) "전체 메커니즘" ← "전체 기[계류]"

97 (v) "하나의 존재형태"(eine Existenzform) ← "존재형태"(die Existenzform)

98 (v) 여기에 "그러나 결코 그의 결합으로부터"라고 썼다가 곧바로 지웠음.

99 (v) "노동자" ← "노동"

100 (v) 여기에 "형식적인 …에 의해"라고 썼다가 곧바로 지웠음.

101 (k) "전체"(Ganzes) — 자필 원고에는 "ganzes"로 되어 있음.

102 (v) 여기에 "그가 …로 포섭됨으로써"라고 썼다가 곧바로 지웠음.

103 (v) "그의 노동능력" ← "노동능력"

104 (v) 처음에는 여기에서 문장을 끊었다가 마침표를 쉼표로 바꾸고 이어 썼음.

105 (k) "객관적" — 자필 원고에는 "주체적"으로 되어 있음.

106 (v) "사회적" — 새로 삽입된 것.

107 (v) 여기에 "사회적"이라고 썼다가 나중에 지웠음.

108 (v) "결합" ← "그것"(es)

109 (v) "전체 메커니즘"의 표현을 "ganzen Mechanismus" ← "Gesammtmechanismus"

110 (v) "인용되었다" — 새로 삽입된 것.

111 (e) 인용된 격언들(앞의 둘은 라틴어, 마지막은 그리스어 — 옮긴이)을 마르크스는 스튜어트의 저서에 해밀턴이 붙인 주해(앞의 책, 311쪽)에서 인용하고 있다. 호메로스 작품으로 여겨지는 어느 바보에 대한 풍자시 「마르기테스」(『단편집』, 3, 앨런 엮음)의 시구는 위(僞) 플라톤, 『알키비아데스 2』, 147b에 전해진다.

112 (e) 호메로스, 『오디세이아』.

113 (e) 마르크스는 아르킬로코스의 이 말을 섹스투스 엠피리쿠스, 『수학자에 대하여』(*Adversus mathematicos*), 제11권, 제44장에서 인용하고 있다.

114 (e) 이하 두 문단은 제7노트(런던, 1859~62년) 172쪽에서 옮겨 쓴 것으로, 거기에는 "**분업**에 속한다"는 메모가 있다.

115 (e) 투키디데스, 제1권, 제141장, 제3절, 제5절.

116 (v) "잠정적으로" — 새로 삽입된 것.

117 (e) 이하 다음 문단까지는 제7노트(런던, 1859~62년), 175쪽에서 옮겨 쓴 것. 두걸드 스튜어트, 앞의 책, 311/312쪽 참조.

118 (v) "페르시아 왕의 식탁" ← "키루스의 식탁"

119 (e) 크세노폰, 『키로파에디아』, 제8권, 제2장 제4절.

120 (v) "(in den grossen Städten auf einen ausgezeichneten Grad vervolkommnet sind)" — 새로 삽입된 것.

121 (v) "**가장 잘한다는 것은 당연하다**" — 이 부분은 영어와 독어 번역이 삽입되었는데 그중 영역(he must needs to the thing best.)은 새로 삽입된 것.

122 (e) 여기서부터 이 문단 끝까지는 「인용문 노트」, 16쪽에서 옮겨 쓴 것. 제임스 해리스, 「행복에 관한 대화」, 『세 개의 논문』, 개정 제3판, 런던, 1772년, 292쪽. 이 저술의 저자는 『제임스 해리스의 일기와 편지』, 제1~4권, 런던, 1844년의 저자이며 외교관이자 맘스버리 백작인 제임스 해리스가 아니라 그 아버지 제임스 해리스이다.

123 (e) 이 문단에 대해서는 두걸드 스튜어트, 앞의 책, 310/311쪽 참조.

124 (e) "**폴리스**"(*πόλις*) — 폴리스, 도시 또는 국가.

125 (e) 플라톤, 『국가』 제2부, 369 c.

126 (e) "(즉 국가를)" — 마르크스가 삽입한 것.

127 (e) 같은 책, 369 c.

128 (v) "가장 직접적인" ← "가장 단순한"

129 (e) 같은 책, 369 d.

130 (e) "그러면 폴리스는 어떻게 이들 상이한 욕구를 … 수행하기 위한 능력이 상이하다." — 같은 책, 369 d~370 b의 요약.

131 (v) "자신의 상이한 욕구를 스스로 충족하기 위해서" — 이 구절이 없이 써 나가다가 중단하고 이 구절을 넣고 이어 썼음.

132 (v) 여기에 "그의 …의 일부를"이라고 썼다가 곧바로 지웠음.

133 (v) "상이하고" — 새로 삽입된 것.

134 (v) 여기에 "따라서"라고 썼다가 나중에 지웠음.

135 (k) "능력이 상이하다"(verschieden befähigen) — 자필 원고에는 "befähigen"이 "befähigt"로 되어 있음.

136 (v) "단 하나의 숙련" ← "한 종류의 노동"

137 (v) "적절한" ← "필[요한]"(erhei[schte]) ← "필요한"(nötig)

138 (e) "단 하나의 숙련만을 … 쉽게 생산될 수 있을 것이다." — 같은 책, 370 b~c의 요약.

139 (e) 같은 책, 369 d~370 c. 마르크스는 제7노트(런던, 1859~62년), 172쪽에서 "**플라톤**, 『국가』, 제2부, 369"를 직접 "**분업**" 항목에 연결하고 있다.

140 (e) 같은 책, 370 c~d.

141 (e) 같은 책, 371 b.

142 (e) 같은 책, 371 e.

143 (v) 여기에 다음과 같이 썼다가 곧바로 지웠음. "특수한 군인 계층의 분리, 또는" ← "군인 계층의 분리, 또는"

144 (e) 같은 책, 374 a~c. e.

145 (k) "이집트의"(ägyptisch) — 자필 원고에는 "äjyptisch"로 되어 있음.

146 (k) "이집트인들"(Aegypter) — 자필 원고에는 "Aejypter"로 되어 있음.

147 (k) "이집트"(Aegypten) — 자필 원고에는 "Aejypten"으로 되어 있음.

148 (e) "대부분"(meist) — 부름의 독일어 번역본 원문에는 "meistens"로 되어 있음.

149 (k) "이집트"(Aegypten) — 자필 원고에는 "Aejypten"으로 되어 있음.

150 (e) "기예 역시 … 동시에 영위하면 중형을 받는다." — 디오도로스 시켈로스, 제1부, 제74장, 제6~7절.

151 (e) 디오도로스 시켈로스, 제1부, 제74장, 제6절. 부름의 원문에는 "…도 할 수 없고 …도 할 수 없고, 그 밖의 어느 것도 그들의 직업상의 근면을 방해할 수 없다"고 되어 있음.

152 (e) "많은 규칙" — 부름의 원문에는 "가축 무리를 가장 잘 돌보고 먹이는 것에 관한 많은 규칙"으로 되어 있음.

153 (k) "궁리한다"(bedacht) — 자필 원고에는 "bedarf"로 되어 있음.

154 (e) "게다가 그들은 선조에게서 … 열심히 궁리한다" — 디오도로스 시켈로스, 제1부, 제74장, 제4절.

155 (e) 디오도로스 시켈로스, 『역사 문고』, 율리우스 프리드리히 부름 옮김, (제1부) 제1권, 슈투트가르트, 1827년. 117/118쪽.

156 (e) "테크네"(τέχνη) — 수공업(Handwerk), 예술(Kunst).

157 (e) "파레르곤"(πάρεργον) — 부수적인 일(Nebenwerk), 부업(Nebenbeschäftigung).

158 (v) 여기에 "되도록 …의 조건들"이라고 썼다가 곧바로 지우고 "시장의 확대는 … 분할에 비례하여"라고 썼다가 곧바로 지우고 "시장의 확대에 의해서"라고 썼다가 곧바로 지웠음.

159 (v) "**참조.**" — 새로 삽입된 것.

160 (e) 이하 두 문단은 제7노트(런던, 1859~62년), 167쪽에서 몇 군데를 생략하고 옮겨 쓴 것. 강조는 마르크스가 한 것.

161 (e) G245쪽 23행과 G246쪽 2행을 보라.

162 (v) 여기에 "가부장[적]"이라고 썼다가 곧바로 지웠음.

163 (e) "공장 규칙"(règlement de fabriques) — 블랑키의 원문에는 "fabriques"가 "fabrique"로 되어 있음.

164 (v) "완성할"(ausführt) ← "실행할"(verrichtet)

165 (e) 페티의 원문 35쪽에는 다음과 같이 되어 있음. "그렇게 큰 도시에서는 **매뉴팩처** 하나가 다른 하나를 낳을 것이고 각 **매뉴팩처**는 가능한 한 많은 부분으로 분할되어 각 **직공**의 작업은 다음 예에서 보듯이 단순하고 쉬워질 것이다. **시계**를 제조할 때 한 사람은 **톱니바퀴**를 만들고, 다른 사람은 **태엽**을 만들고, 또 다른 사람은 **숫자판**을 새기며 또 다른 사람은 **딱지**를 만든다면 전체 작업을 단 한 사람이 맡아서 할 때보다 **시계**는 더 좋고 더 저렴해질 것

이다."

166 (e) 페티의 35/36쪽 원문에는 다음과 같이 되어 있음. "그리고 우리는 모든 **주민**이 거의 한 가지 일에 종사하는 **도회지**나 대도회지의 **거리**에서는 이런 장소에 독특한 상품이 다른 곳에서보다 더 좋고 더 저렴하게 만들어진다는 것을 보게 될 것이다."

167 (e) 페티의 원문 36쪽에는 다음과 같이 되어 있음. "더욱이 모든 종류의 매뉴팩처가 한 장소에서 만들어질 때는 멀리 떠나는 어떤 배도 목적지의 항구가 거래할 수 있을 만큼 다양한 종류의 제품과 특산물을 하역할 수 있다. 게다가 많은 **매뉴팩처**가 한 장소에서 만들어져서 다른 곳으로 선적된다면 **운임, 우송료, 여행 비용**이 그러한 **매뉴팩처**의 가격을 인상할 것이고 **대외무역**에 따른 이윤을 줄일 것이다."

168 (e) 이하 두 문단의 출전은 『동인도무역이 영국에 가져다주는 이익』, 런던, 1720년, 67/68쪽. 마르크스는 평소 습관과 달리 쪽수를 지시하지 않았지만 이 인용은 J[ohn] R[amsay] 매컬럭, 『경제학 문헌 분류 목록』, 런던, 1845년, 101쪽에 의한 것이다. 매컬럭은 이 익명의 문헌을 99~103쪽에서 인용했는데 쪽수는 빠져 있다. 이후 1863년 5~6월에 마르크스는 이 문헌을 「별책 노트 D」, 42~66쪽에서 발췌했다.

169 (v) "최저치" ← "척도"

170 (e) G256쪽 34~38행("예를 들면 **제임스 해리스** … 주석에서 말하고 있다." — 옮긴이)을 보라.

171 (v) 여기에 "분[업]은"이라고 썼다가 곧바로 지웠음.

172 (v) "다른 작업은 손의 섬세함을" — 새로 삽입된 것.

173 (e) "각각의 작업에 한 노동자가 … 차이에 따른 분업." — 유어의 원문(28, 30쪽)에는 다음과 같이 되어 있음. "… 물론 그 각각의 작업에 노동자를 배치하고 임금을 그의 솜씨에 대응시킬 수 있다. … 수많은 작업 단계에서 분업이, 즉 연마, 천공, 선반 등 각각의 활동에서 노동자들은 그 솜씨에 따라 배치되었다." 강조는 마르크스가 한 것.

174 (v) "작업들로의 분해" ← "작업들의 분해"

175 (v) 여기에 "개인적"이라고 썼다가 나중에 지웠음.

176 (e) 유어의 원문(32쪽)에는 다음과 같이 되어 있음. "공정을 그 주요 구성요소들로 분해하고 이 모든 부분을 자동기계의 작업에 종속시키는 체계에 의해서 … 부여할 수 있다."

177 (e) 여기서부터 다음 문단까지 인용된 부분을 마르크스는 1845년 브뤼셀 노트에서 옮겨 썼다. 이 노트는 찰스 배비지의 『기계와 매뉴팩처 경제론』(파리, 1833년)에서 발췌한 것을 많이 포함하고 있다. 「인용문 노트」, 15쪽에는 이들 인용문이 일부 변경되거나 단축되어 실려 있다.

178 (e) 배비지, 앞의 책, 231/232쪽. "**제조업체 사장은 완성품을 다양한 수준의 솜씨와 힘을 요구하는 여러 과업으로 분할함으로써 각 과업에 맞는 솜씨와 힘의 양을 정확하게 확보할 수 있다. 반면, 만약 완성품을 통째로 단 한 명의 노동자가 만들어야 한다면, 이 노동자는 가장 섬세한 과업들을 수행하기에 충분한 솜씨와 가장 힘든 작업들을 수행하기에 충분한 힘을 동시에 구비해야 할 것이다.**"

179 (e) 배비지, 앞의 책 277쪽. "**경험이 가르쳐주는 바는 각 매뉴팩처의 생산물의 특성에 의거하여 제조과정이 가장 유리한 수의 부분작업으로 나뉨과 동시에 각 부분작업에 투입되어야 하는 노동자의 수도 정해진다는 것이므로 이 수치들의 정확한 배수로 노동자를 투입하지 않는 공장은 모두 제조과정에서 누리는 절약이 더 적을 것이다.**"

180 (k) "22" — 자필 원고에는 "20"으로 되어 있음.

181 (e) "그러지 않으면 노동자들 하나하나를 언제나 같은 세부작업에 사용할 수는 없다." — 배비지의 원문(257쪽)에는 다음과 같이 되어 있음. "언제나 10의 배수로 노동자를 고용해야 한다. 왜냐하면 소규모 제조업자는 자기 자본이 지나치게 제한되어 있어서 이 노동자

10명의 반밖에 고용할 수 없을 것이고, 개별 노동자가 언제나 같은 세부작업을 담당하도록 할 수는 없기 때문이다."

182 (e) "이것이 공업시설이 거대한 규모를 갖는 한 가지 이유다." — 배비지의 원문(277/278쪽)에는 다음과 같이 되어 있음. "바로 이것이 문명의 진보와 함께 그토록 크게 발전한 산업시설이 규모가 거대해지는 한 가지 이유다."

183 (e) "그는 작업장 주인에게 종속되어 있고" — 시스몽디의 원문에는 다음과 같이 되어 있음. 그가 … 작업장 주인과 뭔가를 협의할 때 그는 항상 불리한 조건에 놓였다."

184 (e) 이 문단은 제7노트(런던, 1859~62년), 80쪽에서 옮겨 쓴 것. 「인용문 노트」, 15쪽에는 이 인용문이 단축되어 실려 있는데 거기서 마르크스는 제7노트의 79/80쪽을 가리키고 있다. 마르크스가 이용한 판본은 찾을 수 없었다. 이곳의 인용은 1852년판과 대조하여 확인한 것이다.

185 (k) "48" — 자필 원고에는 "14"로 되어 있음.

186 (e) 이 인용문은 「인용문 노트」, 5쪽에서 옮겨 쓴 것.

187 (e) 이 인용문은 「인용문 노트」, 15쪽에서 옮겨 쓴 것.

188 (v) "노동시간" ← "시간"

189 (v) "임노동" ← "노동"

190 (e) G263쪽 28~36행에 관한 해설(앞의 주 184 — 옮긴이)을 보라.

191 (e) 마르크스가 가리키는 것은 아마도 제임스 스튜어트의 『경제학 원리 연구』 전 3권 중 제1권(더블린, 1770년)이다. 이미 제8노트(런던, 1851년)에서 이 제1권을 자세히 발췌했다. 여기에서는 특히 5~10장과 16장에서 인구 문제를 다룬다.

192 (e) G141쪽 27~28행에 관한 해설(부속자료 67쪽 주 196 — 옮긴이)을 보라.

193 (e) 이 인용문은 「인용문 노트」, 16쪽에서 옮겨 쓴 것. 강조는 마르크스가 한 것.

194 (v) "모두" — 새로 삽입된 것.

195 (v) 여기에 "노동생산물의 판매가 아니라 노동의 판매가"라고 썼다가 곧바로 지웠음.

196 (e) 이 인용문은 「인용문 노트」, 21쪽에서 옮겨 쓴 것. 이 익명 저술의 저자는 토머스 호지스킨이다.

197 (e) 이 인용문은 「인용문 노트」, 3쪽에서 옮겨 쓴 것. 강조는 마르크스가 한 것.

198 (e) "근대"(in modern times) — 뉴먼의 원문에는 "근대 국가들"(in modern nations)로 되어 있음.

199 (v) "생산능력" ← "능력"

200 (v) "전체 작업장의 특수한 기능으로서" — 이 구절이 없이 문장을 끝냈다가 마침표를 쌍반점으로 바꾸고 이 구절을 써넣었음.

201 (v) "매우 다종다양한"(verschiedenartigsten) ← "매우 다양한"(verschiedensten)

202 (e) 시토르흐의 원문에는 다음과 같이 되어 있음. "… 유사성이 전혀 없는 직업들은 분리된다. … 이 일들은 다시 세부 부분들로 나뉠 수 있다. … 결국 기계를 사용하는 작업에서 분업은 최대한 세분화되며, 이에 따라 단 하나의 동일한 생산물을 완성하기 위해 여러 노동자가 세부 과업들을 분담하게 된다. …"

203 (v) 여기에 "대규모의 기업"이라고 썼다가 곧바로 지웠음.

204 (e) "대규모로 작업할" — 시토르흐의 원문에는 "기업을 형성할"로 되어 있음.

205 (e) "도구, 원료 등" — 시토르흐의 원문에는 "도구"로 되어 있음.

206 (e) "분업과 더불어 노동자 수의 증가. 건축물이나 생존수단의 형태로 점점 커지는 자본." — 시토르흐의 원문에는 다음과 같이 되어 있음. "끝으로 일반적으로 분업이 진전됨과 동시에 각 직업에서 노동자 수는 증가한다. … 이리하여 분업이 진전됨에 따라 주택 건설과 생필품 생산에도 더 많은 자본이 필요해진다."

207 (e) 이 인용문에서 강조는 모두 마르크스가 한 것.

208 (k) "1835" — 자필 원고에는 "1836"으로 되어 있음.

209 (v) 여기에 이어서 다음과 같이 썼다가 나중에 지웠음. "웨이크필드는 고용의 분리*1) (separation of employment)와 '분업'*2)(division of labour)의 차이를 멋대로 이야기하고 있다. 그의 머릿속에 맴도는 것은 A. 스미스가 강조하지 않은 차이, 즉 사회 내 분업과 작업장 내 분업의 차이이다. A. 스미스는 고용영역들을 교환에 의해 서로 협업하게 하고, 자명한 것을 알고 있었을 뿐 아니라 개별 매뉴팩처 내부에는 분업과 동시에 노동의 결합도 있다는 것을 명시적으로 말하고 있다. 웨이크필드의 경우에 실질적으로 진전된 것은 — 그리고 이에 대해서는 후술하겠지만 — 후자의 분업이 자유로운 부르주아적 노동을 기초로 하는, 자본주의 생산양식에 특징적인 형태이며 따라서 일정한 사회적 조건들 아래서만 등장한다는 것을 그가 어렴풋이 감지하고 있다는 것이다."

*1) "고용의 분리" 다음에 그것의 독일어에 해당하는 "Trennung der Erwerbszweige"를 괄호 안에 넣어 병기했다.

*2) "분업" 다음에 그것의 독일어에 해당하는 "Teilung der Arbeit"를 인용부호 안에 넣어 병기했다.

210 (v) "개인들의" — 새로 삽입된 것.

211 (v) "바다와 육지의 배분, 산과 평지의 배분, 기후, 입지, 토양의 광물 매장량, 자생적으로 독특한 창조물들의 특수성" ← "기후, 입지, 자생적으로 독특한 자연적 창조물의 특수성, 바다와 육지의 배분, 산과 평지의 배분"

212 (k) "120" — 자필 원고에는 "126"으로 되어 있음.

213 (e) "자기 노동자들 … 도입할 수 있는 것은" — 스미스의 원문에는 "자기 노동자들에게 성능이 더 좋은 기계를 제공하거나 …을 도입할 수 있는 것은"으로 되어 있음.

214 (e) 인용문에서 강조는 모두 마르크스가 한 것.

215 (e) "**어느 특정 작업장의 … 사회의 노동자들에게도 일어난다.**" — 강조는 마르크스가 한 것.

216 (e) 마르크스가 인용한 1840년 판본은 찾을 수 없었다. 1829년 판본에는 여기에서 언급된 부분이 193쪽 이하에 실려 있다.

217 (k) "132, 133" — 자필 원고에는 "132, 33"으로 되어 있음.

218 (v) "**농촌의 인구 감소**(18세기를 보라.)" — 새로 삽입된 것.

219 (e) G170쪽 2행에 관한 해설(부속자료 75쪽 주 18 — 옮긴이)을 보라.

220 (v) "즉 그것이 개별적으로 … 위한 중심 조건이다." — 이 구절이 없이 문장을 끝냈다가 마침표를 쉼표로 바꾸고 이 부분을 이어 썼음.

221 (v) 여기에 "더 큰 …을 필요로 한다"라고 썼다가 곧바로 지웠음.

222 (k) "가변자본"(capital variable) — 자필 원고에는 "capital variabel"로 되어 있음.

223 (k) "한 나라의"(in einem Lande) — 자필 원고에는 "in einem andren"으로 되어 있음.

224 (v) 여기에 "비록"이라고 썼다가 곧바로 지웠음.

225 (v) "새로운 생산물" ← "상품"

226 (v) "즉 그것의 새로운 생산물로의 전화에" — 이 구절이 없이 써 나가다가 중단하고 이 구절을 넣고 이어 썼음.

227 (v) 여기서 문장을 끝냈다가 마침표를 지우고 본문처럼 이어 썼음.

228 (v) "분업과 관련하여" — 새로 삽입된 것.

229 (v) 여기에 "분업이 때로"라고 썼다가 곧바로 지우고 "분업이 명확[히]"라고 썼다가 곧바로 지웠음.

230 (v) "더 적은 노동시간" ← "더 적은 노동"

231 (e) 이하 G271쪽 38행까지는 두걸드 스튜어트, 『경제학 강의』, 해밀턴 엮음, 『저작집』, 제

8권, 323쪽 참조.

232 (v) "의류," — 새로 삽입된 것.

233 (e) "왕"(roi) — 스미스의 원문에는 "아프리카의 왕".

234 (k) "1705" — 자필 원고에는 "1708"로 되어 있음.

235 (k) "1714" — 자필 원고에는 "1716"으로 되어 있음.

236 (e) 버나드 드 맨더빌의 『꿀벌의 우화』 초판 발행은 (1716년이 아니라) 1714년이었고, 시 「불평으로 아우성치는 세상」(grumbling hive …)은 (1708년이 아니라) 이미 1705년에 발행되었다(G271쪽 15행에 관한 교정사항(앞의 주 234 — 옮긴이)을 보라). 마르크스는 아마도 1724년의 제3판을 사용한 것 같다. 1714년 초판에서 옮겨진 제3판의 서문 A_3쪽에서 맨더빌은 앞서 언급한 시의 초판 발행을 다음과 같이 언급했다. "내가 전부터 말한 것을 자세히 설명한 다음 이야기는 8년 전에 『불평으로 아우성치는 세상: 혹은 나쁜 놈이 착한 놈으로 되다』라는 제목의 6펜스짜리 팸플릿으로 인쇄되었다." 마르크스는 『꿀벌의 우화』 초판 발행 연도를 1716년으로 보고 8년 전으로 거슬러 올라가 시 「불평으로 아우성치는 세상」의 발행 연도를 1708년이라고 생각했다. 마르크스가 어떻게 1716년이라고 생각하게 되었는지는 확인할 수 없었다. 초고에서는 1716년이라는 숫자가 알아볼 수 없는 다른 숫자를 지우고 쓰였다. "1708년에 시로" 뒤에 마르크스는 십자 표를 해놓았는데 이 숫자를 언젠가는 점검할 것을 상기하기 위한 표시로 보인다. 1863년에 마르크스는 「별책 H」 81～112쪽에서 『꿀벌의 우화』를 제5판(런던, 1728년)에 따라서 발췌했다. 여기에서 그는 초판 발행 연도를 1714년으로, 풍자시 「불평으로 아우성치는 세상」의 발표 연도를 1706년으로 썼다.

237 (k) "181～183" — 자필 원고에는 "182～183"으로 되어 있음.

238 (v) "개인의" ← "그의"

239 (v) "무한히" — 새로 삽입된 것.

240 (v) "자립적" — 새로 삽입된 것.

241 (v) 여기에 "노동"이라고 썼다가 곧바로 지우고 "객관적인 대상적 조건들"이라고 썼다가 곧바로 지웠음.

242 (v) "[그가 말하는]" — 종이 손상으로 원문이 유실된 부분을 MEGA 편집자가 보충한 것.

243 (e) 제임스 스튜어트, 『경제학 원리 연구』, 제1권, 더블린, 1770년, 166쪽. 『요강』, 제7노트, 26쪽도 보라.

244 (v) "**상품**이 부의 일반적으로 기본적인 형태가 … 형태이기를 중단할수록" ← "**상품**이 부의 일반적으로 기본적인 형태가 되자마자"

245 (v) "그만큼 널리" — 새로 삽입된 것.

246 (v) "[생산]" — 종이 손상으로 텍스트가 손실된 부분을 MEGA 편집자가 보충한 것.

247 (v) 여기에 "유통의 순환에"라고 썼다가 곧바로 지웠음.

248 (v) "[가는]" — 종이 손상으로 텍스트가 손실된 부분을 MEGA 편집자가 보충한 것.

249 (v) "[하는]" — 종이 손상으로 텍스트가 손실된 부분을 MEGA 편집자가 보충한 것.

250 (v) "[…]" — 종이 손상으로 텍스트 일부가 손실됨.

251 (v) "[…]" — 종이 손상으로 텍스트 2～3줄이 손실됨.

252 (e) 여기서부터 이 문단 끝까지는 「인용문 노트」, 34쪽에서 옮겨 쓴 것.

253 (k) "**두걸드**"(*Dugald*) — 자필 원고에는 "*Duglas*"로 되어 있음.

254 (v) 이 문단은 전체가 새로 삽입된 것. 179쪽에서 여기로 삽입됨. "**175쪽 시작에**"라는 메모로 이 자리를 가리킴.

255 (v) "직면한"(gegenüberstand) ← "주어진 것으로 발견한"(vorfand)

256 (e) "오늘날에는"(aujourd'hui) — 마르크스의 초고에는 이 말 다음에 쌍점(:)이 있지만 유

어의 원문(프랑스어판)에는 없음.

257 (e) "근대 산업의 실제적 원리와"(au principe réel de l'industrie moderne) — 유어의 원문(28쪽)에는 "매뉴팩처 산업의 실제 원리들과"(aux principes réels de l'industrie manufacturière)로 되어 있음.

258 (e) "폐기되었다"(a été exploité) — 제20노트, 1249쪽에서 마르크스는 이 프랑스어 번역에 대해 다음과 같이 언급했다. "… a été *exploité* (영어로는 exploded(폭발한 — 옮긴이)로 되어 있지만 이 프랑스어 번역으로 그럴듯한 이중적 의미가 나타난다)."

259 (e) 앤드루 유어, 앞의 책, 27~35쪽.

260 (v) "상이한 사회 상태 대부분에 공통적인" — 이 구절이 없이 써 나가다가 중단하고 이 구절을 넣고 이어 썼음.

261 (v) "자본의 특정한 역사적 발전 단계에 조응하는" — 이 구절이 없이 써 나가다가 중단하고 이 구절을 넣고 이어 썼음.

262 (e) 이하 두 문단은 앤드루 유어, 앞의 책, 28쪽. 강조는 마르크스가 한 것.

263 (e) "분업"(division de travail) — 유어의 원문(프랑스어판)에는 "노동들의 배분"(distribution de travaux)으로 되어 있음.

264 (e) 이하 두 문단에서 강조는 모두 마르크스가 한 것. 인용문 중 괄호 안의 내용은 마르크스가 삽입한 것(인용문은 프랑스어, 괄호 안의 내용은 독일어 — 옮긴이).

265 (k) "2~4" — 자필 원고에는 "3, 4"로 되어 있음.

266 (v) 여기에 "노동시간"이라고 썼다가 곧바로 지웠음.

267 (k) "모든"(toutes) — 자필 원고에는 "tous"로 되어 있음.

268 (e) "원인"(la cause) — 가르니에의 원문에는 "한 원인"(une cause)으로 되어 있음.

269 (v) "노동할 수 있는 나이까지 더 양육될" ← "더 양육될"

270 (v) "또한 수준 저하가" — 새로 삽입된 것.

271 (v) 여기에 "위치"라고 썼다가 곧바로 지웠음.

272 (k) **"콜랭"**(*Colins*) — 자필 원고에는 "*Collins*"로 되어 있음.

273 (e) 콜랭, 『경제학』, 제3권, 파리, 1857년, 331쪽.

274 (k) **"콜랭"**(*Colins*) — 자필 원고에는 "*Collins*"로 되어 있음.
(e) 콜랭, 『경제학』, 제3권, 파리, 1857년, 331쪽.

275 (e) G278쪽 17~19행("생산비용의 절약은 생산에 … 제1권, 22쪽)" — 옮긴이)을 보라.

276 (k) "… 사회계층이 먹고사는 소득 부분"(die Substanz von der die … Gesellschaftsschicht lebt) — 자필 원고에는 "von"이 "an"으로 되어 있음.

277 (v) "(하인에 관해서 **케네**를 보라)" — 새로 삽입된 것.
(e) 마르크스가 새로 삽입한 이 부분은 아마도 그가 「별책 노트 C」 9~11쪽, 15~23쪽, 29~41쪽에서 케네를 자세히 발췌한 다음일 것이다. 이 노트는 1863년 5월보다 이전에 쓰이지는 않았다. 그 32쪽에는 『백과전서』를 위한 논문 「소작인론」(Fermiers)에서 옮긴 다음의 인용(『중농주의자 …』, 외젠 데르 엮음, 파리, 1846년, 246쪽)이 있다. "타인의 하인이나 종이나 노예". 하인에 관한 더 자세한 설명은 논문 「인간론」 — 케네가 『백과전서』를 위해 쓰기는 했지만 다시 취소한 주제 — 에서 볼 수 있다. 프랑수아 케네, 『경제학 저작집』, 제1·2권, 제1권, 1756~59년, 제1권, 상, 베를린, 1971년을 보라. 그러나 이 초고가 1889년에 비로소 발견되었기 때문에 마르크스는 이 구절은 알지 못했다. 같은 책, 229~30쪽을 보라.

278 (v) "이들을 위해서 노동해야 하는데" — 이 구절이 없이 써 나가다가 중단하고 이 구절을 넣고 이어 썼음.

279 (v) "(군대도 마찬가지이다.)" — 새로 삽입된 것.

280 (v) 이하 세 문단은 모두 새로 삽입된 것이다. 179쪽에서 여기로 삽입되었다. "++178쪽으

로"라는 표시로 이 자리를 가리키고 있다. 178쪽에는 삽입 표시로 "++(179쪽)"이라고 쓰여 있다.

281 (k) "소비"(consumption) — 자필 원고에는 "consumtion"으로 되어 있음.

282 (k) "**재산의 증가**, … 자본이라 불리는 것이다." — 이 문장은 "It is the *growth* of property … that in political economy is called capital"이지만 자필 원고에는 첫머리의 "It is"가 빠짐.

283 (k) "11~13" — 자필 원고에는 "11~15"로 되어 있음.

284 (e) 이 인용문은 「인용문 노트」, 21쪽에서 옮겨 쓴 것. 강조는 마르크스가 한 것.

285 (e) "착취계급의 수"(nombre de la classe) — 콜랭의 원문에는 "nombre dans la classe"로 되어 있음.

286 (e) "자본과 노동에 관한 마지막 장" — 1861년 집필계획 초안에는 "임노동과 자본" 편이 5)항을 구성하는 반면에, 제18노트 1139쪽의 1863년 1월 집필계획에서는 12)항 "결론. 자본과 임노동"이 실려 있다. G36쪽 37~39행도 보라.

287 (e) "다음에는"(then) — 존스의 원문에는 "그들은"(they)으로 되어 있음.

288 (e) 이 인용문은 제7노트(런던, 1859~62년), 121쪽에서 옮겨 쓴 것. 「인용문 노트」의 86쪽에는 이 부분이 축약된 형태로 인용되었는데 마르크스는 거기서 제7노트, 121~22쪽을 가리키고 있다. 강조는 마르크스가 한 것.

289 (k) "**비도**"(*Bidaut*) — 자필 원고에는 "*Bidault*"로 되어 있음.

290 (e) 이 인용문은 「인용문 노트」, 12쪽에서 옮겨 쓴 것. 강조는 마르크스가 한 것.

291 (k) "1844" — 자필 원고에는 "1845"로 되어 있음.

292 (e) 이 인용문은 「인용문 노트」, 19쪽에서 옮겨 쓴 것. 강조는 마르크스가 한 것.

293 (v) 179쪽은 두 개의 보충문으로 시작된다. 첫째는 "++178**쪽으로**"라고 쓴 것으로 277쪽 3~28행에, 둘째는 "175**쪽 첫머리로**"라고 쓴 것으로 273쪽 7~19행에 각각 추가되었다. 둘 모두 줄 하나를 그어 그다음의 인용문과 구별했다.

294 (e) 이 인용문은 「인용문 노트」, 47쪽에서 옮겨 쓴 것.

295 (k) "재료의"(de matières) — 자필 원고에는 "des matières"로 되어 있음.

296 (k) "상태"(état de choses) — 자필 원고에는 "état des choses"로 되어 있음.

297 (e) 이 인용문은 「인용문 노트」, 64쪽에서 옮겨 쓴 것. 강조는 마르크스가 한 것.

298 (v) 여기에 "노동생산력을"이라고 썼다가 곧바로 지웠음.

299 (v) "내세운다" ← "맞세운다"

300 (e) "능력"(les moyens) — 스미스의 프랑스어 원문에는 "ses moyens"로 되어 있음.

301 (e) "**노동의 양은 노동을 운동시키는 자본**" — 강조는 마르크스가 한 것.

302 (k) "194/195쪽" — 자필 원고에는 "같은 곳"으로 되어 있음.

303 (e) 이 인용문은 「인용문 노트」, 5쪽에서 옮겨 쓴 것.

304 (k) "**민법**"(*Loix Civiles*) — 자필 원고에는 "*Lois Civiles*"로 되어 있음.

305 (e) 이 인용문은 「인용문 노트」, 69쪽에서 옮겨 쓴 것.

306 (k) 자필 원고에는 여기에 없어서는 안 되는 쉼표가 빠져 있음.

307 (v) "국가의 소득을" ← "소득을" ← "재[정]을"

308 (e) 애덤 퍼거슨, 『시민사회의 역사』, 제2권, 파리, 1783년, 134~36쪽. 마르크스는 『자본』, 제1권, 함부르크, 1867년, 346/347쪽의 각주 66과 68에서 이 쪽수들을 언급했고, 347/348쪽의 각주 70에서는 이렇게 썼다. "나는 『철학의 빈곤』에서 분업의 비판과 관련해 퍼거슨, 스미스, 르몽테, 세의 역사적 관계에 대하여 필요한 것을 제시했고, 그곳에서도 처음으로 매뉴팩처 분업을 **자본주의 생산양식의 특유한 형태라고 서술했다**.(『철학의 빈곤』, 122쪽 이하)" 마르크스는 소장하고 있던 퍼거슨의 책 129~38쪽과 144쪽 난외 여백에 많은 기록을 남겼다.

309 (k) "그가 지금까지 해온 일"(celui auquel il a été élevé) — 자필 원고에는 "auquel"이 "ou"로 되어 있음.

310 (v) 여기에 "문명 상태에서는, 대부분의"라고 썼다가 곧바로 지웠음.

〔여록: (생산적 노동에 대하여)〕

1 (v) "목사는 설교를" — 새로 삽입된 것.

2 (v) "이 교수가 자신의 강의를 일반 시장에 '상품'으로 내놓기" ← "이 강의가 '상품'으로 일반 시장에 나오기"

3 (v) "불가피한" — 새로 삽입된 것.

4 (v) "자격 있는 증인" — 새로 삽입된 것.

5 (k) "로셔"(Roscher) — 자필 원고에는 "Rodscher"로 되어 있음.

6 (e) 이 문장을 삽입하면서 마르크스는 출처를 정확히 밝히기 위해 자리를 비워두었다. 아마도 이것은 『경제학 원리』(빌헬름 로셔, 『국민경제의 체계』, 제1권), 개정증보 제3판, 제1권, 슈투트가르트/아우크스부르크, 1858년을 의미하는 것 같다. 그 책 47쪽에는 생산에 대해 이렇게 쓰여 있다. "생산이 우수해질수록, 성공의 결과이자 원인으로서, 생산자가 생산에 대해 느끼는 기쁨도 그만큼 증대된다." 1862년 여름에 마르크스는 페르디난트 라살에게 빌린 로셔의 책을 제7노트(런던, 1859～62년), 223～33쪽에서 발췌했다. 이 추가 부분은 아마도 그 발췌 이후에 쓰였을 것이다.

7 (v) "자신" — 새로 삽입된 것.

8 (v) "그럼으로써 자격 있는 … 국부의 증대가 초래된다." — 이 문장 전체가 새로 삽입된 것. 이 문장은 행 위쪽에서 시작되어 왼쪽 난외의 위로 계속 이어진다. 삽입 표시로 그 자리를 지시하고 있다.

9 (v) 여기에 "분업에 의해"라고 썼다가 곧바로 지웠음.

10 (v) 여기에 "'물적'"이라고 썼다가 나중에 지웠음.

11 (v) "이것들을 충족하는"의 표현을 "ihrer Befriedigung" ← "sie zu befriedigen"

12 (k) "기계적"(mechanisch) — 자필 원고에는 "mechanischst"로 되어 있음.

13 (v) "상황에 따라서 때로는 도덕적인 때로는 비극적인 인상을" ← "때로는 도덕을, 때로는 비극을"

14 (v) "과 형법 입법자" — 이 구절이 없이 써 나가다가 중단하고 이 구절을 넣고 이어 썼음.

15 (v) "형법 입법자" ← "입법자"

16 (v) "예술" — 새로 삽입된 것.

17 (v) "나 실러의 『군도』" — 새로 삽입된 것.

18 (v) "『오이디푸스』나 『리처드 3세』" ← "고전 비극"

19 (v) "과 유동성" — 새로 삽입된 것.

20 (v) 여기에 "활기차게 한다"라고 썼다가 곧바로 지웠음.

21 (v) 여기에 "세세하게"라고 썼다가 곧바로 지웠음(아마도 두 문장 뒤에 있는 "범죄자가 … 세세하게 입증될 수 있다"를 여기에 쓰려고 했던 것으로 보임 — 옮긴이).

22 (v) 여기에 "…을 저지하는"이라고 썼다가 곧바로 지웠음.

23 (e) "위조 주화가 없었더라면 … (배비지를 보라)" — 찰스 배비지는 『기계와 매뉴팩처 경제론』(파리, 1833년), 특히 제11장에서 은행권의 위조와 이 사기를 방지하는 수단을 논하고 있다.

24 (v) "국가들만 그러한가?" ← "국가들이 등장했을까?"

25 (k) "1705" — 자필 원고에는 "1708"로 되어 있음.
26 (e) G271쪽 14~18행에 관한 해설(부속자료 106쪽 주 236 — 옮긴이)을 보라.
27 (k) "세계"(world) — 자필 원고에는 "work"로 되어 있음.
28 (e) "파괴되지는"(destroyed) — 맨더빌의 원문에는 "해체되지는"(dissolved)으로 되어 있음.
29 (e) 맨더빌, 『꿀벌의 우화』, 제3판, 런던, 1724년, 428쪽.
30 (v) "정직했을" — 새로 삽입된 것.
31 (v) "생산" ← "작업"
32 (v) "상품가격" ← "상품"
33 (v) "경쟁에 의해 매개되는" — 이 구절이 없이 써 나가다가 중단하고 이 구절을 넣고 이어 썼음.
34 (v) " — 내적 필요성으로서 — " — 이 구절이 없이 써 나가다가 중단하고 이 구절을 넣고 이어 썼음.
35 (v) "그렇게 하여 분할된 노동들이 보완됨으로써" — 이 구절이 없이 문장을 끝내고 다음 문장을 쓰다가 중단하고 본문처럼 썼음.
36 (v) 여기에 "생산[물]"이라고 썼다가 곧바로 지웠음.
37 (v) 여기에 "변화, 더는 아니다"라고 썼다가 곧바로 지웠음.
38 (v) "상대적" — 새로 삽입된 것.
39 (v) "획득된" — 새로 삽입된 것.
40 (e) 이 문단에서 보이는 저술의 편성에 관한 고려를 거쳐 1861년 여름의 집필계획 초안에서 자본의 생산과정에 관한 제1절이 수정되었다. 1863년 1월에 마르크스는 제8노트, 1140쪽에서 새로운 편성 계획을 세웠다.
41 (v) 여기에 "상이한 노동자들에게 배분된"이라고 썼다가 곧바로 지웠음.
42 (v) "그들 자신의 사회적 존재" — 이 구절이 없이 써 나가다가 중단하고 이 구절을 넣고 이어 썼음.
43 (v) "한 가지 현존형태" ← "현존형태"
44 (v) "특유하게" — 새로 삽입된 것.
45 (v) 여기에 "형[태들]"이라고 썼다가 곧바로 지웠음.
46 (v) "포괄적으로" — 새로 삽입된 것.
47 (v) "따라서" — 썼다가 지우고 다시 썼음.
48 (v) 원문에는 여기에 문장 끝의 "실현된다"가 오지만 그 앞에 "전개된다"고 썼다가 곧바로 지웠음.
49 (v) "노동하는" — 새로 삽입된 것.
50 (v) "전적으로" — 새로 삽입된 것.
51 (v) "규칙적인" — 새로 삽입된 것.
52 (v) "생산해야 하는" ← "생산하는"
53 (k) 자필 원고에서 이 줄표는 쉼표로 되어 있음.
54 (v) 여기에 "sind die"라고 썼다가 곧바로 지웠음.
55 (v) 여기에 "즉 관[계]"라고 썼다가 곧바로 지웠음.
56 (v) "그것들을 생산하는 활동들 자체의 종류" ← "그들의 활동들 자체의 종류"
57 (v) 여기에 "형태"라고 썼다가 곧바로 지웠음.
58 (v) 여기에 "그들의 생산물을 번갈아"라고 썼다가 곧바로 지웠음.
59 (v) "상품은 사회를 위한 … 욕구를 충족해야 한다." — 이 문장은 처음에는 "상품은 사회를 위한 사용가치를 가져야 한다. 왜냐하면 이 형태에서"라고 쓰다가 끝의 "왜냐하면 이 형태에서"를 지우고 본문처럼 썼음.

60 (k) 자필 원고에서 이 줄표는 쉼표로 되어 있음.
61 (k) "생활욕구"(Lebensbedürfnisse) — 자필 원고에는 "생활수단"(Lebensmittel)으로 되어 있음.
62 (v) 여기에 "여러 가지 활[동]체계"라고 썼다가 곧바로 지웠음.
63 (k) 자필 원고에서 이 줄표는 빠져 있음.
64 (v) 여기에 "원래는"이라고 썼다가 곧바로 지웠음.
65 (v) "통제되지 않고" — 새로 삽입된 것.
66 (k) "체계적이고 계획적이며" — 자필 원고에는 "체계적이고 계획적이며 체계적인"으로 되어 있음.
67 (e) 플라톤의 이러한 주장에 대해서는 G256쪽 32행~G259쪽 6행("『국가』에서 **플라톤**의 논의는 … 신분제도를 기초로 하고 있다." — 옮긴이)을 보라.
68 (e) "**하루 중 같은 시간대에**" — 강조는 마르크스가 한 것.

분업의 상이한 종류

1 (e) "**세 번째 분업**" — 강조는 마르크스가 한 것.
2 (e) "**노동**" — 강조는 마르크스가 한 것.
3 (e) 이하 문단 끝까지 강조는 마르크스가 한 것.
4 (k) "1839" — 자필 원고에는 "1840"으로 되어 있음.

ϒ) 기계류. 자연력과 과학의 이용(증기, 전기, 기계작용과 화학작용)

1 (e) 기계류에 관한 절은 새로운 쪽에서 시작된다. 189쪽의 아래 $\frac{1}{3}$은 비어 있다.
2 (e) 아마도 존 스튜어트 밀, 『경제학 원리』, 제2권, 런던, 1848년, 312쪽을 인용했을 것이다.
3 (e) 이 익명 저술의 저자는 존 버나드 바일스이다.
4 (v) "저렴한" ← "저렴[해진]"
5 (v) "그의 **잉여노동시간**" ← "**잉여노동시간**"
6 (k) "노동일이" — 자필 원고에는 "노동일의"로 되어 있음.
7 (v) 여기에 "이 현[상]"이라고 썼다가 곧바로 지웠음.
8 (e) 마르크스가 여기에서 제3장이라고 하는 것은 "자본 일반"의 연구 중 세 번째에 해당하는 "자본과 이윤"이다.
9 (v) 이 문단 전체가 새로 삽입된 것. 196쪽에서 옮겨져 삽입된 것으로, "190쪽으로"라는 표시로 이 자리를 가리킴. 190쪽에는 삽입 표시가 없음.
10 (e) 이 인용문에서 강조는 모두 마르크스가 한 것.
11 (e) G206쪽 8~33행에 관한 해설(부속자료 89쪽 주 329 — 옮긴이)을 보라.
12 (v) 여기에 "그것이 … 하는 가치 이상으로"라고 썼다가 곧바로 지웠음.
13 (v) 여기에 "여기에서는 동일한 가치로 체화된다*"라고 썼다가 곧바로 지웠음.
* "체화된다"(verkörpert) ← "실현된다"(verwerthet)
14 (v) "기초하는"의 표현을 "beruhnde" ← "gegründ[ete]"
15 (v) "사회적 노동의 증식력으로" — 처음에는 "사[회적] …으로"라고 썼다가 곧바로 지웠음.
16 (v) "다음에 의해"(dadurch) ← "…에 의해"(durch)
17 (v) "언제나" — 새로 삽입된 것.

18 (e) 요한 하인리히 포페, 『과학부흥 이후 18세기 말까지 기술의 역사』, 제1권, 괴팅겐, 1807년, 163쪽을 보라. 이 책 1~3권의 발췌가 「발췌 노트」 제15권, 런던, 1851년, 11~37쪽에 있다.

19 (v) "요구한다"의 표현을 "gebietet" ← "erheischt"

20 (k) "노동자 수" — 자필 원고에는 "노동시간"으로 되어 있음.

21 (v) "기계류에 의해 대체된" — 새로 삽입된 것.

22 (v) 여기에 "더욱 비싸지고"라고 썼다가 곧바로 지웠음.

23 (v) 여기에 다음 문장의 첫머리와 같은 말 "daß nun die"를 썼다가 곧바로 지웠음.

24 (v) "**그리하여**" — 새로 삽입된 것.

25 (k) "비례분할"(aliquoten Theilen) — 자필 원고에는 "aliquoten Waaren"으로 되어 있음.

26 (v) "오로지" — 새로 삽입된 것.

27 (v) 이 문단 전체가 새로 삽입된 것. 201쪽에서 여기로 삽입된 것으로, "++ (201쪽을 보라) (**로시에서 인용**)"이라는 메모가 있다. 삽입문은 꺾쇠괄호 안에 들어 있다.

28 (e) 이 인용문은 「인용문 노트」, 68쪽에서 옮겨 쓴 것. 강조는 마르크스가 한 것.

29 (v) "간접적으로" — 이 구절이 없이 써 나가다가 중단하고 이 구절을 넣고 이어 썼음.

30 (v) "일부분씩"(portionsweise) — 이 구절이 없이 써 나가다가 중단하고 이 구절을 넣고 이어 썼음.

31 (v) 여기에 "즉"이라고 썼다가 곧바로 지웠음.

32 (v) "그러한 노동수단으로서" — 이 구절이 없이 써 나가다가 중단하고 이 구절을 넣고 이어 썼음.

33 (v) "이 과정을 나갈" ← "마모될"

34 (v) "총액"의 표현을 "Gesammtsumme" ← "Summe"

35 (v) 여기에 "그것들의 가치의 재생산은"이라고 썼다가 곧바로 지웠음.

36 (v) 여기에 "그것들은 오로지 특정한 비례분할적"이라고 썼다가 곧바로 지웠음.

37 (k) "이 도구의"(sein) — 자필 원고에는 "ihr"로 되어 있음.

38 (k) "매일"(an jedem Tag) — 자필 원고에는 "an"이 "in"으로 되어 있음.

39 (v) 여기에 "상품에"라고 썼다가 곧바로 지웠음.

40 (v) "과 함께" ← "에 의해"

41 (v) "하루의 노동과정 동안 이루어지는" ← "개별 노동과정에서"

42 (v) "가치 부분" ← "가치구성 [부분]"

43 (v) "따라서" — 새로 삽입된 것.

44 (v) "흡수된" ← "포함된"

45 (v) "개별" — 새로 삽입된 것.

46 (v) "대규모의" ← "더 대규모의"

47 (v) "전부" — 새로 삽입된 것.

48 (k) "그중에"(derselben) — 자필 원고에는 "desselben"으로 되어 있음.

49 (v) "활용되고 소비되는 비율, 따라서 그 가치가" ← "소모되는 비율"

50 (k) "사용가치의"(Gebrauchswerths) — 자필 원고에는 단어 끝의 s가 빠져 있음.

51 (e) 원문에는 처음 부분이 다음과 같이 되어 있음. "리카도 씨는 '기계류를 제작할 때 조선공, 엔지니어의 노동의 **일부**'를 이야기한다. 그러나 '총노동'은 …"

52 (e) 이 인용문은 「인용문 노트」, 13쪽에서 옮겨 쓴 것.

53 (v) 196쪽은 "190쪽으로"라는 보충설명으로 시작된다. G292쪽 27~34행("그러나 수가 증가함과 동시에 … **런던, 1844년**, 6쪽)" — 옮긴이)을 보라. 또 다른 보충설명이 그 뒤를 잇는다. "(이들 인용문은 제3노트, e쪽(원문에는 c쪽이라고 되어 있으나 MEGA 편집자의 오

기임 — 옮긴이)에 속한다.)(124쪽 다음)". G206쪽 8~33행("부감독관 베이커가 … 그들의 조로는 완벽하다."(같은 책, 13쪽)" — 옮긴이)을 보라.

54 (e) 마르크스는 "보조적 자본"이라는 용어를 리처드 존스의 『경제학 교본』(허트퍼드, 1852년)에서 받아들여 썼다. 제18노트, 1148쪽을 보라.

55 (v) 여기에 "그의 생[산물은] …이다"라고 썼다가 곧바로 지웠음.

56 (v) 여기에 "사회적으로"라고 썼다가 곧바로 지웠음.

57 (v) 여기에 "7 또는"이라고 썼다가 나중에 지웠음.

58 (v) 여기에 "동일한 노동시간에"라고 썼다가 곧바로 지웠음.

59 (e) 이 인용문은 「인용문 노트」, 23쪽에서 옮겨 쓴 것. 마르크스가 인용한 것은 75쪽의 각주이다. 랭은 출처를 다음과 같이 밝혔다. 「베인스의 면공업, 매컬럭의 대영제국 통계」. 『요강』, 제7노트, 42쪽도 보라.

60 (v) "잉여노동" ← "노동"

61 (v) "개별" ← "그것의"

62 (v) "작업장" ← "사업"

63 (v) 여기에 "전체 방직업이"라고 썼다가 곧바로 지우고 "…인 종류의 방직업이"라고 썼다가 곧바로 지웠음.

64 (v) 여기에 "방직[노동]"이라고 썼다가 곧바로 지웠음.

65 (v) "그것의"의 표현을 "seinem" ← "ihrem"

66 (v) "재생산" ← "생산"

67 (k) 자필 원고에는 여기에 불필요한 "sich"가 있음.

68 (v) 여기에 "재생[산]"이라고 썼다가 곧바로 지웠음.

69 (v) "**같은 크기의**"의 표현을 "*so grossen*" ← "gleich viel"

70 (v) "이것은 기계가 어떤 … 것과는 무관하다." — 이 문장 전체가 새로 삽입된 것.

71 (v) "장(Capitel)" ← "절(Ab[schnitt])"

72 (e) G292쪽 27행에 관한 해설(부속자료 111쪽 주 8 — 옮긴이)을 보라.

73 (e) 이 인용문은 「인용문 노트」, 23쪽에서 옮겨 쓴 것.

74 (e) 이 인용문은 「인용문 노트」, 23쪽에서 옮겨 쓴 것.

75 이 문단은 새로 삽입된 것. 이 주석은 199쪽 아래에 쓰이기 시작해서 200쪽 상단까지 계속된다.

76 (v) "그렇지만" — 새로 삽입된 것.

77 (v) "하는 경우에는"(in Fall der) — 새로 삽입된 것.

78 (v) 여기에 "특[수한]"이라고 썼다가 곧바로 지웠음.

79 (v) "꽤 오랜" — 새로 삽입된 것.

80 (v) 여기에 "확[정된]"이라고 썼다가 곧바로 지웠음.

81 (k) "90. $\frac{18}{90}=\frac{1}{5}$주" — 자필 원고에는 "72. $\frac{72}{18}=\frac{1}{4}$주"로 되어 있음.

82 (k) "$\frac{1}{5}$" — 자필 원고에는 "$\frac{1}{4}$"로 되어 있음.

83 (k) "2" — 자필 원고에는 "$2\frac{1}{2}$"로 되어 있음.

84 (k) "8" — 자필 원고에는 "$7\frac{1}{2}$"로 되어 있음.

85 (v) 여기에 "기[계들]에"라고 썼다가 곧바로 지웠음.

86 (v) 여기에 "그 가치가 …에 … 전에"라고 썼다가 곧바로 지웠음.

87 (v) "부분적으로" — 새로 삽입된 것.

88 (e) 찰스 배비지, 『기계류와 매뉴팩처 경제론』, 파리, 1833년, 375~78쪽. 마르크스는 1845년 가을 브뤼셀에서 이 책의 제29장 "기계류의 수명에 대하여"에서 광범하게 발췌했다. 이 부분은 1832년 영어판 초판에서 제27장 "기계류의 수명에 대하여"에 상응한다.

제29장에 관한 앞의 언급은 제7노트(런던, 1859~62년), 178쪽에 있다. 이 노트의 184쪽과 185쪽에서 마르크스는 영어판 초판을 다시 한 번 발췌했다.

89 (v) 여기에 "고정자본으로 지출된 자[본]"이라고 썼다가 곧바로 지웠음.

90 (v) 여기에 "또한"이라고 썼다가 곧바로 지웠음.

91 (v) "도"(auch) — 새로 삽입된 것.

92 (v) "사용된"의 표현을 "angewandten" ← "beschäftigten"

93 (v) 여기에 "노동일을"이라고 썼다가 곧바로 지웠음.

94 (v) "가능한 한" — 새로 삽입된 것.

95 (v) "수단" ← "도[구]"

96 (v) 여기에 "그가 상품(기계류 등)을 구매한다는 상황은"이라고 썼다가 곧바로 지웠음.

97 (e) 이 문단은 「인용문 노트」, 23쪽에서 옮겨 쓴 것. 『요강』, 제7노트, 41쪽도 보라.

98 (e) "유래한다" — 시니어의 원문에는 "유래하는 것으로 생각된다"고 되어 있음.

99 (e) 여기서 마르크스가 말하는 것은 1851년 7월 런던에서 작성한 「발췌 노트」 제11권이다.

100 (e) "10만" — 시니어의 원문에는 "100"으로 되어 있음. 마르크스는 나중에 이 숫자를 10만으로 읽고 『자본』 제1판에도 그렇게 옮겼다. 카를 마르크스, 『자본. 경제학 비판』, 제1권, 제1부 "자본의 생산과정", 함부르크, 1867년, 395쪽을 보라.

101 (k) "(같은 책, 14쪽)" — 자필 원고에는 "(13, 14쪽) 같은 책"으로 되어 있음.

*102 (v) "사실상 그는 … 죄를 저지르는 것이다!" — 이 구절 위에 이에 해당하는 영문(The Workman commits in fact a great crime against)이 삽입 표시 없이 쓰여 있음.

103 (e) "80시간" — 시니어의 원문(15쪽)에는 "70시간에서 80시간까지"로 되어 있음.

104 (e) 여기서 마르크스가 말하는 것은 1851년 7월 런던에서 작성한 「발췌 노트」 제11권이다.

105 (v) 여기에 "셋째로"라고 썼다가 곧바로 지웠음.

106 (v) 자필 원고에는 여기에 "〔**194쪽**(시작)**에 대한 보유**〕"가 이어진다. G297쪽 22~31행("분업과 강력한 기계의 사용은 … (**로시,**『**경제학 강의**』, 334쪽)" — 옮긴이)을 보라.

107 (e) "1,000에서 1,200파운드스털링" — 배비지의 원문에는 "1,000에서 1,200 또는 1,300파운드스털링(25,000프랑에서 30,000프랑, 심지어 32,500프랑까지도)"로 되어 있음.

108 (e) "이 기계의 보유자들은" — 배비지의 원문에는 "이 기계를 하나라도 갖고 있는 공장주들은"으로 되어 있음.

109 (e) "노동자의 노동시간이 8시간으로" — 배비지의 원문에는 "하루 8시간의 노동시간으로"로 되어 있음.

110 (v) 이하 두 문단은 새로 추가된 것. 206쪽에서 여기로 옮겨짐. "201쪽으로"라는 표시로 이 자리를 가리킴.

111 (e) "**건물과 기계류에 대한 … 가공할 수 있다면**" — 강조는 모두 마르크스가 한 것.

112 (k) "64" — 자필 원고에는 "63"으로 되어 있음.

113 (v) 이 문장은 원래 206쪽의 왼쪽 여백에 추가한 것으로. "++"라는 표시로 이 자리를 가리킴.

114 (k) "하락시키다"(reducirt) — 자필 원고에는 "생산하다"(producirt)로 되어 있음.

115 (v) "**노동시간**" ← "시간"

116 (v) "시간 공백"(Zeitpore) ← "공백"

117 (v) "생산된 상품량"(die Masse der producirten Waaren) — "die" 다음에 "pro[ducirten]"이라고 썼다가 곧바로 지웠음.

118 (v) 여기에 "노동시간"이라고 썼다가 곧바로 지웠음.

119 (v) "개별 노동자" ← "그"

120 (e) 이 인용문은 「인용문 노트」, 23쪽에서 옮겨 쓴 것.

121 (e) "나는 맨체스터 방적공 22명이 서명한 서류를 가지고 있는데 …" — 애슐리의 원문에

는 "나는 이 사례를 맨체스터 방적공들에게 전달했다. 그리고 나는 이들 중 22명이 …"로 되어 있음.

122 (e) "**1842년**" — 강조는 마르크스가 한 것.

123 (e) "**점차 증가하고**" — 강조는 마르크스가 한 것.

124 (e) "**노동이 크게 증가하여**" — 강조는 마르크스가 한 것.

125 (e) 이 익명 저자는 존 카제노브이다.

126 (e) "공장 보고서가 증명하는 바로는 … 하루에 14, 15시간도 일하고 있다." —『공장감독관 보고서. 1860년 4월 30일까지의 반기 보고서』, 런던, 1860년, 32쪽.

127 (v) "(1839년과 1859년을 비교한다면)" — 이 구절 없이 써 나가다가 중단하고 이 구절을 넣고 이어 썼음.

128 (k) "하락했다"(gefallen waren) — 자필 원고에는 "gefallen war"로 되어 있음.

129 (v) "급속한" — 새로 삽입된 것.

130 (e) "**기계의 가속화**" — 강조는 마르크스가 한 것.

131 (e) "**작업강도 강화**" — 강조는 마르크스가 한 것.

132 (k) "10쪽" — 자필 원고에는 "9. 10"으로 되어 있음.

133 (v) 이 추가문은 204쪽 아래에 쓰였으며 선을 그어 본문과 구별했다. 삽입 표시 ×로 관계가 있는 본문의 위치가 정확히 지시되어 있다.

134 (k) "감소시키지" — 자필 원고에는 "증가시키지"로 되어 있음.

135 (e) "**피싱 기계**" — 강조는 마르크스가 한 것.

136 (v) "절대적" — 새로 삽입된 것.

137 (v) "잉여노동시간" ← "노동시간"

138 (v) "노동량"의 표현을 "Arbeitsgrösse" ← "Arbeitsmasse"

139 (v) "작업"(arbeitend) — 새로 삽입된 것.

140 (v) "구조 변화" ← "구조"

141 (v) "상대적으로" — 이 구절이 없이 써 나가다가 중단하고 이 구절을 넣고 이어 썼음.

142 (e) "**마력에 대한 비율로는 … 더 적은 직공이 사용된다**" — 강조는 마르크스가 한 것.

143 (e)『공장감독관 보고서. 1856년 10월 31일까지의 반기 보고서』, 런던, 1857년, 14쪽.

144 (k) "무게"(weight) — 자필 원고에는 "receipt"로 되어 있음.

145 (k) "1838" — 자필 원고에는 "1828"로 되어 있음.

146 (e) "**1850년**이나 **1856년**" —강조는 마르크스가 한 것.

147 (k) 자필 원고에는 "가 빠져 있음.

148 (k) "13/14" — 자필 원고에는 "11"로 되어 있음.

149 (v) "건물 꼭대기까지, 또는 그것이 사용될 높이까지" — "그것이 사용될 건물 꼭대기까지"라고 썼다가 중단하고 이렇게 고쳐 썼음.

150 (v) 자필 원고에는 여기에 "201쪽으로"라는 보충설명을 썼음. G306쪽 31~39행("**건물과 기계류에 대한 추가지출** … 기계류를 위한 추가지출의 절약." — 옮긴이)을 보라.

151 (v) "대부분" ← "언제나"

•152 (v) "언제나" — 초고에는 이 단어 위에 삽입 표시 없이 "(대부분)"이라고 썼음.

153 (v) 여기에 "자립[화]의 어떤 시도도"라고 썼다가 곧바로 지웠음.

154 (v) "자동방적기"(selfactors) ← "자동 뮬기"(selfacting mules)

155 (v) "소모기"의 표현을 "wool-combing-machine" ← "combing machine"

156 (v) 여기에 이어서 ""가장 많은 원인은"이라고 썼다가 곧바로 지웠음.

157 (v) 이 문단 전체가 새로 삽입된 것. 207쪽에서 여기로 삽입되었으며 이곳에 "××(207쪽)"이라는 표시로 지시되어 있다.

158 (e) "염색과 세척 공정을 위한 … 발명되었다" — 유어, 『공장 철학』, 제2권, 브뤼셀, 1836년, 141/142쪽.

159 (v) "새로운" ← "그러한"

160 (v) "필요한" — 새로 삽입된 것.

161 (e) "공장주는 이러한 개량된 기계를 … 공장주와 노동자에게는 해롭다." — 터프넬의 원문에는 다음과 같이 되어 있음. "공장주는 개량된 기계를 자신의 공장에 도입할 때 보통 자신이 고용하는 사람들과, 기계의 가동으로 얻는 이윤을 그들과 자신 사이에 나누기로 협상한다. 그는 그들에게 제품 1개당 전보다 적게, 그러나 기계의 힘이 증대된 결과 그들이 주말에는 전보다 많은 임금을 받을 수 있다고 기대되는 비율로 지불할 것을 약속한다. … 이러한 협상은 그것을 받아들이는 노동자들에게는 분명히 유리하지만 개량된 기계가 도입되지 않은 공장에서의 공장주와 노동자의 이익에는 모두 해롭다."

162 (e) "3 대 4" — 터프넬의 원문에는 "3 대 5"로 되어 있음.

163 (e) "**적어도**" — 강조는 마르크스가 한 것.

164 (e) "하인즈 앤드 더럼 공장(요크셔의 웨스트라이딩)에서 일어난 파업(1833년)은 소모기의 발명을 초래했는데 …" — 터프넬의 원문에는 "이 파업이 … 발명의 원인이었다. …"로 되어 있음.

165 (e) ""인력**에 대한 적대자**로서 **증기의 도입**" — 강조는 마르크스가 한 것.

166 (e) 개스켈의 원문에는 여기에 "손쉽게"라는 말이 있음.

167 (e) "잉여 인력은 공장주로 하여금 임금률을 … 진행하는 과정을 선호한다." — 『요강』, 제7노트, 43쪽도 보라.

168 (k) "314" — 자필 원고에는 "315"로 되어 있음.

169 (e) "철인" — 유어의 원문(138쪽) 원문에는 다음과 같이 되어 있음. "그리하여 노동자들이 합당하게도 **철인**이라고 부르는 것이 현대의 프로메테우스의 손에서 태어났다. …"

170 (e) "자동 뮬 방적기" — 영국의 엔지니어 리처드 로버츠가 1825년에 발명했다.

171 (e) 유어, 앞의 책, 140쪽.

172 (e) 이 문단에서 "**뮬 방적기**"를 제외하고 강조는 모두 마르크스가 한 것.

173 (v) 자필 원고에는 여기에 ×× 표시가 된 206쪽에 대한 보충설명이 이어진다. G312쪽 33행~G313쪽 2행("그리하여 염색과 세척 공정을 … 항복할 수밖에 없었다."(같은 책, 142쪽)" — 옮긴이)을 보라.

174 (e) "**이윤**"(*profits*) — 인용된 책의 원문에는 "이익"(benefits)으로 되어 있음.

175 (e) "**매뉴팩처의 개량**"(*manufacturing improvements*) — 인용된 책의 원문에는 "기계 개량"(mechanical improvements)으로 되어 있음.

176 (e) 이 인용문은 「인용문 노트」, 68쪽에서 옮겨 쓴 것. 강조는 마르크스가 한 것.

177 (e) "완전히" — 인용한 책 원문에는 없음.

178 (e) 마르크스가 이용한 출처는 찾을 수 없었다. 이 인용문은 『직인들의 단결에 대하여』, 런던, 1831년, 43/44쪽과 대조했다.

(v) 마르크스는 다음 부분에 약 6줄의 여백을 남겨두었다.

179 (e) "예를 들면 18세기에 수직공들은 … 빠졌다." — 개스켈의 원문(26쪽)에는 다음과 같이 되어 있음. "직인들 중 부차적인 또는 열등한 부류는 항상 자신들의 노동에 필요한 원료를 얻지 못해 시달렸다. 그 때문에 상당한 기간에 걸쳐 휴업이 자주 발생했고 그 기간에 그들은 상당한 궁핍을 겪었다."

180 (e) "그때 방적기 개량을 통해 얻어진 것은 **노동에 대한 지급률이 증가했기** 때문이 **아니라**"—개스켈의 원문에는 "이 개량은 노동에 대한 지급률의 증가에서 생겨난 것이 아니라 오히려 …"로 되어 있음.

181 (k) "27" — 자필 원고에는 "41"로 되어 있음.

182 (e) 마르크스가 위의 각주에서 잘못 적은 쪽수(41쪽)는 「발췌 노트」 제11권(런던, 1851년)의 쪽수이다. 앞의 인용문은 이 노트에서 옮겨 썼다.

183 (e) 이 문단은 일부 수정을 거쳐 「인용문 노트」, 23, 24쪽에서 옮겨 쓴 것.

184 (v) 여기에 "마찬가지의 노동이 … 끝날 동안"이라고 썼다가 곧바로 지웠음.

185 (e) 이 인용 출처는 찾아낼 수 없었다. 『자본』, 제1권, 함부르크, 1867년, 378쪽에서 마르크스는 같은 내용을 기술하고 있다.

186 (e) 마르크스는 이 인용문을 《벵갈 후르카루》, 1861년 7월 22일 자, 4쪽 4단에 "면화"란에 실린 "우리가 두려워하는 것 …"이라는 기사에서 옮겨 썼다.

187 (e) 이 인용 출처는 찾을 수 없었다.

188 (e) "(방금 말한 기계)" —《기술협회지》에는 "기계"라고 되어 있음.

189 (k) "1861" — 자필 원고에는 "1860"으로 되어 있음.

190 (e) 이것은 존 포브스 왓슨 박사가 1861년 4월 17일 "기술협회"의 18차 총회에서 존 크로퍼드의 보고서 「면화 공급에 대하여」에 대한 토론에서 이야기한 것이다. 마르크스는 1861년 4월 19일 자《기술협회지》에 있던 이 인용문을 제7노트(런던, 1859~62년), 207쪽에서 옮겨 썼다. 이 노트에서 "1860"이라는 연도는 잘못된 것이다. 이 오류는 『자본』의 4판까지 계속되었다.

191 (e) 이 인용문은 「인용문 노트」, 68쪽에서 옮겨 쓴 것.

192 (v) 마르크스는 다음 부분에 약 9줄의 여백을 남겨두었다.

193 (v) 여기에 "기계제 작업장"이라고 썼다가 곧바로 지웠음.

194 (e) 이 인용문은 「인용문 노트」, 15쪽에서 옮겨 쓴 것. 강조는 마르크스가 한 것.

195 (v) 여기에 "마찬가지로"라고 썼다가 곧바로 지웠음.

196 (v) 여기에 "감[소]"라고 썼다가 곧바로 지웠음.

197 (e) 마르크스가 소장하던 책에는 이 인용 부분 가장자리에 줄이 그어져 있다.

198 (e) 이 문단의 인용은 제임스 스튜어트, 『경제학 원리 연구』, 제1권, 파리, 1789년, 221~22쪽.

199 (v) "이야기하겠다" — 새로 삽입된 것.

200 (e) P. J. 프루동, 『소유란 무엇인가』, 파리, 1841년, 201쪽; 프루동, 『신용의 무상성』, 파리, 1850년, 207~208쪽을 보라.

201 (e) "**산업의 가능성 자체를 완전히 없애버릴 것이다**" — 강조는 마르크스가 한 것.
(e) 포르카드의 원문에는 여기에 "라는 것을 프루동 씨는 깨닫지 못했다"라고 되어 있음.

202 (e) "**임금으로는 … 되살 수 있다면**" — 강조는 마르크스가 한 것.

203 (v) 여기에 "더 많은 상[품]을"이라고 썼다가 곧바로 지웠음.

204 (v) 여기에 "〕"이라고 썼다가 나중에 지웠음.

205 (e) 여기서부터 이 문단 끝까지 강조는 모두 마르크스가 한 것.

206 (e) 1862년 3월에 마르크스는 제5노트의 집필을 중단하고, 그가 무엇보다도 절대적 잉여가치와 상대적 잉여가치의 결합에서 논하고자 했던 제4항(G285쪽을 보라)을 건너뛰고 "5) 잉여가치론"을 제6노트에 쓰기 시작했다. 1863년 1월에 비로소 그는 제5노트를 다 쓰고 제19노트에 집필을 계속했다. 어디에서 중단되었는지는 정확하게 찾아내기 어렵다. 늦어도 211쪽의, 1862년 11월 26일 자《타임스》가 인용되는 곳 앞에서 중단한 것으로 보인다. 이곳에서 중단했을 것이라고 보는 또 다른 이유는, 마르크스가 이곳에서 프루동에 대해 상술하려던 의도를 실현하지 않았다는 점이다. 제5노트의 마지막 부분은 집필 시기순으로 배열하는 원칙에 따라서 제6분책에 수록되었다.

[2항과 3항에 대한 추가 보충설명]

1 (v) 제1노트의 A쪽은 초고 목차로 시작된다. G4쪽을 보라.

2 (v) 여기에 "$10+3\frac{1}{3}:2+\frac{2}{3}=13+\frac{1}{3}:2+\frac{2}{3}$"이라고 썼다가 곧바로 지웠음.

3 (e) "어떤" — 하인드의 원문에는 "동일한"으로 되어 있음.

4 (e) 존 하인드, 『대수학 요강』, 제4판, 케임브리지, 1839년, 162쪽.

5 (v) "초과시간"(overtime) ← "잉여시간"(surpluszeit)

6 (v) "위의" ← "동일한"

7 (v) 여기에 "이제는"이라고 썼다가 곧바로 지웠음.

8 (v) "[필요]" — 종이 손상으로 텍스트가 손실된 부분을 MEGA 편집자가 보충한 것.

9 (k) "$\frac{40}{3}:\frac{8}{3}=40$" — 자필 원고에는 "$\frac{30}{3}:\frac{1}{3}=3$"으로 되어 있음.

10 (v) "[: 8 = 5 : 1〕]" — 종이 손상으로 텍스트가 손실된 부분을 MEGA 편집자가 보충한 것.

11 (v) 138a쪽은 마르크스가 148쪽과 연결한 데스튀트 드 트라시 인용으로 시작된다. G237쪽 8~27행("노동생산성을 증대하기 위한 수단으로서 … 전념할 수 있다."(같은 책, 79쪽)" — 옮긴이)을 보라.

12 (e) 이하 네 문단은 『요강』(MEGA② II/1.1, 253~55쪽)에서 옮겨 쓴 것.

13 (v) "상대적으로" — 새로 삽입된 것.

14 (v) "따라서" ← "특히"

15 (v) "이미" — 새로 삽입된 것.

16 (v) "그 제한" — 나중에 정관사가 새로 삽입되었음.

17 (v) "비율" — 새로 삽입된 것.

분업에 대하여

1 (e) 이하 G328쪽 끝까지의 보충설명을 마르크스가 제2노트에서 여백으로 남아 있던 89~93쪽에 집필한 것은 아마도 작업을 중단한(1862년 1월과 2월) 이후로 보인다. 92쪽에 인용된 "탄광 사고 …"에 대한 보고서는 빨라야 1862년 2월 중반에 제출되었다.

2 (e) 이 보충설명은 「발췌 노트」 제9권, 런던, 1851년, 42~44쪽에서 옮겨 쓴 것. 이 인용문들은 「인용문 노트」, 73쪽에 축약된 형태로 실려 있다.

3 (e) 호지스킨의 원문에는 다음과 같이 되어 있음. "스미스 박사 및 그 추종자들과 나 사이에서 논란이 되는 문제는 물질세계에 대한 지식과 기계 발명을 포함하는 기술상의 발명이 원래 분업에 기인하는가 그렇지 않은가이다. 나는 그렇지 않다고 주장한다. … 그러나 나는 관찰은 대부분 분업에 선행하며, 외부세계에 대한 지식에서 얼마간 진보가 이루어지지 않았다면 사람들이 다양한 일에 종사하고자 하는 것은 불가능했음이 틀림없다고 주장한다. 의심할 나위 없이 그들은 …"

4 (e) 호지스킨의 원문에는 다음과 같이 되어 있음. "중요한 발명들을 간략하게 언급하자면, 그것들이 우리의 생존법칙인 노동할 필요의 결과이고 또 자연적 인구 증가의 결과라는 것은 의심할 여지가 없다. 예를 들어 대지의 자연발생적 생산물이 고갈되면 굶주림이 인간의 독창성을 자극하고 그는 사냥꾼이나 어부가 된다. …"

5 (e) "$\frac{1}{3}$에 달할 정도의" — 호지스킨의 원문에는 "전체의 $\frac{1}{3}$에 달한다고 언급될 정도의"로 되어 있음.

6 (e) "이 나라의 다양한 부분들 사이에" — 호지스킨의 원문에는 "이제 이 나라의 모든 부분에서 다른 모든 부분으로 이루어지고 있는"과 같이 되어 있음.

7 (e) 호지스킨의 원문에는 여기에 "분명히"라는 말이 있음.

8 (e) "인구의 증가는 **통신**과 동일한 효과를 낳는다." — 호지스킨의 원문에는 이 문장에 "따라서 내게는 …인 것으로 보인다"는 부분이 있음.

9 (e) "먼저 가족 내에서 … 체질의 특성들." — 호지스킨의 원문에는 다음과 같이 되어 있음. "최초의 분업은 신체 구조의 성적 차이에서 유래하고, 그것은 우리의 신체적 체질의 차이와 성적 차이에 따른 부모로서의 의무의 차이에 기초하며 인류의 존재와 함께 공존한다."

10 (e) "이외에" — 호지스킨의 원문에는 "…와는 상관없이"로 되어 있음.

11 (e) "는 것은 틀림없다" — 호지스킨의 원문에는 없음.

12 (e) "**개량된 운송 방법**" — 강조는 마르크스가 한 것.

13 (e) "**인구수의 실제적 증가**"—강조는 마르크스가 한 것.

14 (e) "**인구수의 실제적 증가**와 마찬가지로 분업에 영향을 미친다" — 호지스킨의 원문에는 "분업에 관한 한 인구수의 실제적 증가와 같은 영향을 미친다"로 되어 있음.

15 (e) "또는" — 호지스킨의 원문에는 "그리고"로 되어 있음.

16 (e) "과학이 발전함에 따라 이 외견상의 한계는 사라진다. 특히 기계류가 이 한계를 이동시킨다." — 호지스킨의 원문에는 "그러나 지식이 발전함에 따라 여러 가지 새로운 발명이 많은 기술에서 이러한 외견상의 한계를 끊임없이 앞으로 밀어놓는다. 줄이나 끌을 움직이고 굴대를 회전시키는 것을 함께 해내는 기계가 만들어지면 선반공의 업무는 오로지 자신의 기계를 조절하는 것이 된다."

17 (e) "그러나 그 후에 다시 그 결과로서 단순화가 뒤따르고" — 호지스킨의 원문에는 다음과 같이 되어 있음. "사태가 자연적인 경위를 따르도록 허용된다면 이 복잡화는 다시 분리될 것이다. … 그래서 우리는 많은 기술에서 여러 가지 새로운 발명의 결과로서 생겨난 끊임없는 복잡화와 그에 이어지는 단순화를 발견한다."

잉여노동

1 (e) "자본가들의 탐욕 … 축소하려는 **항상적인** 경향." — 이 문장에서 강조는 마르크스가 한 것. 램지의 원문에는 다음과 같이 되어 있음. "자본가 고용주들의 탐욕, 그들에게 고용된 사람들의 빈곤, 성과급의 관행에는 … 경향이 있다."

2 (e) "**고정자본의 증가**도 동일한 결과로 나아간다." — 램지의 원문에는 "고정자본의 증가는 위와 같은 결과에 이르게 된다"로 되어 있음.

3 (e) 이 문단은 제9노트(런던, 1851년), 85쪽에서 옮겨 쓴 것. 이 인용문은 「인용문 노트」, 17쪽에 축약된 형태로 실려 있다.

4 (v) "가치의" — 새로 삽입된 것.

5 (v) 여기에 "표시되는"이라고 썼다가 곧바로 지우고 "*전체 …의 재생산을"이라고 썼다가 곧바로 지우고 "…의 실현을"이라고 썼다가 곧바로 지웠음.
* 이 앞에 알아볼 수 없는 단어가 있음.

6 (v) "가치" — 새로 삽입된 것.

7 (v) 여기에 "…의 합계는"이라고 썼다가 곧바로 지웠음.

8 (v) "**가변**" — 새로 삽입된 것.

9 (v) 여기에서 행을 바꾸고 "자본이 5,000이라 가정하자. 그중에"라고 썼다가 곧바로 지웠음.

10 (v) "1,000" ← "500"

11 (v) "1,000" ← "500"

12 (v) "1,000" ← "500"

13 (k) 자필 원고에는 여기에 마침표가 있음.

14 (v) 여기에 "잉여[가치]가"라고 썼다가 곧바로 지웠음.

15 (k) 자필 원고에는 여기에 필요 없는 괄호 ')'가 있음.

16 (v) 여기에 "이미 예전에"라고 썼다가 곧바로 지웠음.

17 (k) "(S+x)" — 자필 원고에는 "S+x"로 괄호가 없음.

18 (k) "가공한다"(verarbeiten) — 자필 원고에는 "노동한다"(arbeiten)로 되어 있음.

19 (e) 가변자본이 $\frac{1}{10}$ 감소한다고 할 때 마르크스가 의미하는 것은 신자본 V=500이 아니라 구자본 V=1,000이다. 그렇기 때문에 이 감소의 결과가 450이 아니라 400이 된 것이다. 마르크스는 이 수치로 계산을 계속하고 있다.

20 (v) "1,000+$\frac{V}{2}$" ← "1,000V+$\frac{1,000V}{2}$"

21 (v) 여기에 "가변"이라고 썼다가 곧바로 지웠음.

22 (v) "지출되었던"(expended) ← "사용되었던"(spent) ← "사용되었던"(employed)

23 (v) "이중으로"의 표현을 "zweifach" ← "doppelt"

24 (v) 여기에 "(필요 …"라고 썼다가 곧바로 지웠음.

25 (v) 여기에 "노동자들의"라고 썼다가 곧바로 지웠음.

26 (e) 이 문단에 쓰인 사실을 마르크스는 리처드 존스, 『부의 분배와 과세의 원천에 대한 고찰』(런던, 1831년)에서 가져왔다. 「인용문 노트」 17쪽에 그에 관한 다음과 같은 언급이 있다. "노동지대(잉여노동의 본원적 형태). R. 존스, 『부의 분배와 과세의 원천에 대한 고찰』, 런던, 1831년을 보라(제9권, 72쪽 이하). (러시아, 폴란드, 헝가리 등. 몰다비아와 왈라키아의 예를 들 것.)" 여기에서 마르크스는 자신의 제9노트(런던, 1851년)를 가리키고 있으며 앞에 언급된 쪽에 존스의 저서에서 발췌한 부분이 실려 있다. 존스의 원문(29/30쪽)은 다음과 같다. "헝가리인들이 봉토등기부(Urbarium)라 부르는 여왕의 칙령에 의해서 신분적 노예 상태와 토지에의 긴박(attachment)은 폐지되었고, 농민은 **'이동의 자유가 있는 인간'**(*homines liberae transmigrationis*)으로 선언되었다. … 각 보유지의 토지는 농노의 생계를 위해 배분되기 전에 위의 목적으로 법에 의해 영구히 봉납된 것으로 선언되었다. 이들 토지는 35 또는 40에이커 단위로 분할되었고 세션(Session)이라 불렸다. 각 세션당 소유주에게 지급되는 노동량은 연간 104일로 정해졌다." 같은 책 30쪽 각주는 다음과 같다. "그 밖에 그는 닭 4마리와 계란 12개를 주어야 했다. … 영주가 제공하는 6파운드의 양모나 대마를 가정에서 방적해야 했고 … 이 모든 것 이외에 그들은 총생산물의 $\frac{1}{10}$을 교회에, $\frac{1}{9}$을 영주에게 지불해야 했다." 28쪽은 다음과 같다. "헝가리에서는 귀족들만 상속이나 매입에 의해서 토지소유자가 될 수 있다. 그들은 800만 인구의 약 $\frac{1}{21}$을 이룬다." 28쪽 각주 원문은 다음과 같다. "1777년 헝가리에서는 수공업자들과 그들의 하인, 도제 전체 수가 30,921명에 달했다. 그리고 이 숫자는 더 최근의 부분적인 계산으로 볼 때 그 후에도 그다지 증가하지 않은 것으로 보인다. 브라이트, 205쪽."

27 (e) 이 문단은 『탄광 사고. 1861년 5월 3일 하원 질의에 대한 답변 요약』(하원의 명령으로 1862년 2월 6일 인쇄)과 관련되어 있다.

28 (e) 요한 볼프강 폰 괴테, 「줄라이카에게」(An Suleika).

29 (v) "**의 가치**" — 새로 삽입된 것.

30 (v) 여기에 "사람들"이라고 썼다가 곧바로 지웠음.

31 (v) "아직" — 새로 삽입된 것.

32 (e) "경작이 발전함에 따라" — 존스의 원문에는 "이 변화가 진행되는 동안"으로 되어 있음.

33 (e) 이 인용문은 「인용문 노트」, 23쪽에서 옮겨 쓴 것.

34 (v) 여기에 "…에 비해서"라고 썼다가 곧바로 지웠음.

35 (e) 존스의 원문에는 다음과 같이 되어 있음. "1에이커에서 24부셸을 수확하는 비용이 실제로 2에이커에서 같은 양을 수확하는 비용보다 더 크다는 것을 불가피하게 만드는 자연법칙이 있다고 믿어야 할 것인가? 극히 명백한 이유에서, 확실히 반대되는 결론이 도출된다. 오늘날 … 농사일이 수행되는 공간이 집중될수록 …"

10시간 노동법안과 초과노동

1 (e) 이 문단은 제7노트(런던, 1859~62년), 207쪽에서 옮겨 쓴 것. 강조는 마르크스가 한 것. 마르크스는《타임스》, 런던, 1861년 11월 5일 자, 24082호, 6쪽의 기사 "모든 정부는 자신의 전통이 있다"를 인용하고 있다.

2 (v) "양식"(Mode) ← "개[량]"

처리 완료 목록

아무 표시도 없는 것은 잉크로, B는 연필로 표시한 곳을 나타낸다.

• 표는 난외 여백에 점을 찍어 처리 완료 표시를 취소한 곳을 나타낸다.

G5쪽 4행~G11쪽 7행	33~38쪽: 화폐는 어떻게 자본이 되는가? … 자기 관철자로서 나타난다.	B
G11쪽 10행~G12쪽 3행	38~39쪽: 상품생산에 참여하지 않음에도 … 그러한 경솔한 짓을 한다고	B
G12쪽 39행~G13쪽 15행	40쪽: 단순상품유통 — W — G — W — 에서는 … 자본형성은 가능하다.	
G13쪽 15행~G22쪽 12행	41~50쪽: 교환가치가 출발점이자 … 보존되지도 못하기 때문이다.	B
G22쪽 13행~G23쪽 12행	50~51쪽: 요컨대 직접적인 물물교환 … 한에서만 전자일 수 있다.	
G23쪽 7~16행	51쪽: 같은 곳에서 램지는 이렇게 말하고 있다. … (**맬서스**를 보라.)	B
G23쪽 16행~G23쪽 39행	51~52쪽: 잉여가치 또는 가치의 … 등장하는가 하는 문제이다.	
G23쪽 40행~G24쪽 22행	52~53쪽: 이 문제에 — 이 과제의 조건들에 … 외젠 데르 엮음, 43쪽)	B
G25쪽 18~35행	54쪽: 그러나 상인이 거두는 이윤 또는 … 사실로 설명하고자 한다.)	B
G28쪽 4행~G29쪽 14행	56~58쪽: 이제 부연설명을 마치고 … 맡김으로써 보존되면서 달성한다.	B
G29쪽 16행~G30쪽 23행	59~60쪽: 가치가 유통에 들어가 있는 … 내용의 형태변화일 뿐이다.	B
G30쪽 24행~G31쪽 3행	60쪽: 대상화된 노동에 대한 유일한 … 우리는 아직 아무것도 모른다.	
G31쪽 4~34행	60~61쪽: 어떤 주어진 노동량이 … 그에 포함된 교환가치도 사라진다.	B
G31쪽 38행~G34쪽 29행	61~64쪽: 가치는, 화폐형태로 존재하는 … 없는 관계로서 등장한다.	B
G34쪽 30행~G36쪽 17행	64~66쪽: 이제 화폐형태로 노동능력에 … 주어진 활동일 수밖에 없다.	
G37쪽 1~12행	67쪽: 노동능력의 가치, 최저임금 또는 … 그것의 특유한 사용가치이다.	
G37쪽 13행~G39쪽 37행	67~69쪽: 그렇지만 상품으로서 노동능력 … 주어진 것으로 간주한다.	B
G40쪽 12~19행	70쪽: 맬서스는 이렇게 말한다. … 런던, 1836년, [240,] 254쪽)]	
G40쪽 20행~G41쪽 11행	70~71쪽: 수준 낮은 상품이 노동자의 … 제1권, 파리, 1844년, 10쪽)]	B
G41쪽 26행~G42쪽 5행	71~72쪽: [여기에서는 — 아동을 노동자로 … 임금이 주역을 수행한다.	
G42쪽 6행~G44쪽 17행	72~74쪽: [베일리는 익명으로 출판한 … 365/365 =1탈러.)	B
G44쪽 19~36행	75쪽: 노동능력은 그 특유한 성격 … 화폐로 표현된 가치일 뿐이다.	B
G45쪽 8행~G47쪽 16행	75~77쪽: 의복과 관련된 모든 대상이 … 가치와도 관련되지 않는다.	B
G47쪽 17~34행	77~78쪽: 이제 우리는 자신의 화폐를 … 범위에 포함된다는 것이다.	
G48쪽 2~16행	79쪽: 화폐보유자는 노동능력의 … 불리는 것은 특징적이다.	
G48쪽 17~21행	79쪽: 실제 노동은 사용가치를 … 마찬가지로 아무 상관이 없다.	B

G49쪽 3행~G51쪽 7행	80~82쪽: 〔상품의 **사용가치** 자체에 … 전화시키는 화폐보유자에 관한 것.	
G50쪽 38~41행	81쪽: **노동수단**에는 노동수단 자체를 … 표백용 염소 등도 포함된다.	B
G51쪽 8행~G52쪽 39행	82~84쪽: 실제 노동과정 자체 내에서 … 미완의 생산물, 반제품이다.	B
G52쪽 39행~G53쪽 6행	84쪽: 그러나 반제품이 생산물로 … 노동과정 자체의 제약 내에서는	
G53쪽 6~41행	84~85쪽: 노동의 대상적 요소들이 … 사용가치의 관점에서 고찰된다.	B
G53쪽 41행~G55쪽 3행	85~86쪽: 사용가치의 소비 일체에서는 … 여하에 좌우되는 한에서이다.	
G55쪽 4행~G56쪽 3행	86~87쪽: 다른 한편으로, 사용가치로서 … 사용가치로서 배출된다.	B
G56쪽 3행~G58쪽 4행	87~89쪽: 요컨대 한편으로 주어진 … 보이는 것도 가능할 것이다.)	
G58쪽 5~10행	89쪽: 노동 자체와 관련하여 고찰하면 … 마지막 표현은 아닐 것.)	B
G58쪽 26행~G61쪽 38행	89~94쪽: 앞서 말한 바와 같이 노동과정 … 사실이 밝혀질 것이다.	
G58쪽 26~34행	89~90쪽: 앞서 말한 바와 같이 노동과정 … 일반적 계기들은 무엇인가?	B
G62쪽 11행~G66쪽 15행	94~98쪽: 노동과정에서 나온 생산물 … 영향을 주지 않았기 때문이다.	
G66쪽 30행~G70쪽 2행	98~102쪽: **식민지**에서는 (**웨이크필드**를 … **로서 보존**한다는 것이다.	B
G68쪽 6~9행	100쪽: 모든 상품은 일체 가능성에서만 … 특정한 노동과정이다.	
G70쪽 2행~G82쪽 26행	102~15쪽: 요컨대 노동이 이들 생산물의 … 즉 재생산되기 때문이다.〕	
G82쪽 29~35행	116쪽: 화폐가 살아 있는 노동능력과 … 통일인 것과 마찬가지이다.	
G83쪽 17행~G84쪽 9행	116~17쪽: 노동과정의 이 **형식적** 포섭 … **형식적 포섭**이라 부른다.	
G84쪽 31~G85쪽 10행	118쪽: 〔생산과정과 관련하여 더 … 생산과정에 들어갈 수 없다.〕	
G85쪽 18행~G86쪽 28행	118~20쪽: 자본이 새로운 생산의 … 연결되어 있는 것과 마찬가지이다.	
G87쪽 11~34행	120~21쪽: 가치증식과정과 관련하여 … 라고 정의한 것은 옳다.	
G88쪽 6행~G89쪽 28행	121~23쪽: 그 까닭은 인간은 원래 … 화폐에서만 치부로서 나타난다.	
G92쪽 23~34행	126쪽: 선대된 가치와 잉여, 잉여가치 … **자본**이라는 것을 보여준다.	
G93쪽 3행~G94쪽 9행	127~28쪽: 화폐가 자본으로 전화하기 … 여기에서는 항구적이다.	
G97쪽 33행~G98쪽 13행	132쪽: 그렇지만 노동자가 노동능력이 … 되어 있다는 것은 분명하다.	
G99쪽 1~3행	133쪽: 그가 **비소유자**로서 **노동하고** … **그와** 마주 선다고 전제된다.	
G99쪽 17행~G100쪽 14행	133~34쪽: 이것이 지배적인 관계가 … 결과에서는 더 많이 나타난다.	
G100쪽 22행~G101쪽 41행	136~36쪽: 노동자가 하루 종일 살기 … **선대하는 것**과 마찬가지이다.	
G101쪽 41행~G102쪽 32행	136~37쪽: (이는 노동가격의 선대를 말하는 … 새로 반복되는 것이다.	B
G102쪽 32행~G103쪽 5행	137쪽: 자본의 지배 — 또는 자본주의적 … **보스턴**, 1843년, 32쪽)	
G103쪽 6~20행	137~38쪽: 원래 어떤 조건하에서 … 크고 작음에 있을 뿐이다.	B
G103쪽 21~35행	138쪽: 요컨대 임노동은 자본형성을 위한 … (로시, 밀, 램지를 보라.)	
G104쪽 33행~G116쪽 14행	139~51쪽: 〔이미 살펴보았듯이 노동 … 결과를 얻게 되는 것이다.〕	
G117쪽 26행~G118쪽 15행	152~53쪽: 이미 살펴보았듯이 노동과정 … 뿐, 보존될 뿐이기 때문이다.	
G118쪽 24행~G119쪽 34행	153~55쪽: 이제 이렇게 말할 수 … 서 있는 생활수단으로 나타난다.	
G119쪽 39~41행	155쪽: 〔여기에서도 (보충설명에서) 동일한 자본 … 자세히 설명할 것.〕	
G120쪽 7~14행	155쪽: 노동자는 유통형태 W — G — W를 … 교환가치, 즉 치부(致富)이다.	

G121쪽 8~12행 156쪽: 우리는 유통에서 출발하여 … 좀더 자세하게 말할 것.〕

G121쪽 25행~G122쪽 21행 157~58쪽: 보충설명 … 또 그래야 한다는 것은 당연하다.)

G122쪽 25행~G123쪽 1행 158쪽: 그러나 원래 세의 억지 주장 … 2개의 가치가 관여하고 있다.

G124쪽 32행~G125쪽 24행 160~61쪽: 〔가치증식과정은 사실상 … (같은 책, 372쪽)라고 설명한다.

G133쪽 18~19행 169쪽: 따라서 시스몽디가 이렇게 …『**신경제학 원리**』, 제1권, 114쪽) B

G133쪽 37행~G135쪽 6행 169~71쪽: 자본의 단순히 일반적인 … 제1권, 파리, 1823년 207쪽)

G135쪽 14행~G138쪽 2행 171~74쪽: "**자본**과 부의 그 외의 모든 … 말한 뒤에 이렇게 말한다.

G139쪽 4~13행 175쪽: "자본을 보존하고 증대하는 것만이 … 런던, 1821년, 20쪽) B

G139쪽 19~22행 176쪽: 〔**생산적 소비**. "상품의 소비가 … 앤도버/뉴욕, 1835년, 296쪽)〕

G139쪽 27~34행 176쪽: 구매과정에서 자본과 교환되는 것은 … 런던, 1821년, 75, 76쪽) B

G139쪽 35행~G140쪽 21행 176~74쪽: 자본의 생산과정은 전체로서 … (시스몽디, 앞의 책, 105쪽)

G140쪽 22~32행 177쪽: "부의 급속한 증가가 …『신경제학 원리』, 제1권, 82쪽〕 B

G141쪽 6~11행 177쪽: 〔"생산물은 자본으로 전화하기 … 않는다."(같은 책, 58쪽)〕

G142쪽 12~21행 179쪽: 〔**내 노트에서 가져온 보충설명**. … 구매자에게만 상관이 있다.

G142쪽 21~28행 179쪽: 노동자에 의해서 **사용가치**로서 … 형식적 수정을 겪을 뿐이다. B

G142쪽 25~36행 179쪽: 따라서 노동능력의 교환가치는 … 으로서 교환하는 것이다.

G143쪽 14~17행 180쪽: **전제된** 교환가치로서 노동능력이 … 비로소 생산적이 된다.

G143쪽 25~27행 180쪽: 노동의 자본으로의 전화는 … 자체에서 비로소 **정립**된다.〕

G143쪽 37행~G144쪽 17행 180~81쪽: 〔엥겔스가 알려준 사례 … 1/7 약간 초과, **노동자** 1/7.〕

G145쪽 9~39행 182~83쪽: 우리가 — 노동과정에서 — 본 것처럼 … 구성하는 **절대적 크기**.)

G146쪽 2~22행 184쪽: 자본과 노동 사이의 교환에서는 … 본질적으로 다른 범주이다.

G146쪽 23~G147쪽 9행 184~85쪽: 노동자가 판매하는 것은 … 눈은 시각의 자본. 상투어들.

G147쪽 4~9행 185쪽: **노동능력**은 노동자가 개별화된 … 눈은 시각의 자본. 상투어들. •

G148쪽 25~32행 186쪽: 노동이 재료와 도구를 이용 … 지불받지 못하는 것과 마찬가지로.

G149쪽 12~15행 188쪽: 여기에서 개진된 견해는 엄밀하게 … dC=0일 것이다.

G149쪽 20행~G157쪽 33행 188~95쪽: 교환가치의 일반적 개념에 … 비율에 전적으로 좌우된다.

G157쪽 36행~G158쪽 8행 195~96쪽: 이제 잉여가치에 대해서 … 모든 생산양식에 남아 있다.〕 •

G158쪽 11행~G162쪽 28행 197~201쪽: 자본은 화폐축장과 마찬가지로 … 해당 출처를 보라.)

G163쪽 9행~G166쪽 28행 203~06쪽: **잉여가치의 양**은 분명 … 부단한 증가를 포함하기 때문이다.

G166쪽 15~20행 206쪽: 요컨대 한편으로는 주어진 조건하에서 … 제5장에 속함.〕 •

G166쪽 31행~G167쪽 25행 206~07쪽: 자본 밑에서 임노동자로서 … 축적에서 고찰될 것이다.〕

G171쪽 25행~G172쪽 36행 212~13쪽: 이러한 모든 정황에서는 … 동일하다는 것은 분명하다.〕

G175쪽 31행~G179쪽 28행 216~20쪽: **첫째로. 나소** W. 시니어는 … 기묘함으로서만 눈에 띈다.

G179쪽 41행~G180쪽 3행 220쪽: "그 자신도 공장주인 브러더턴은 … (**램지**, 앞의 책, 102쪽)

G180쪽 40행~G187쪽 40행 222~27쪽: 노동자에게 잉여노동을 강제하는 … 런던, 1825년, 163쪽)〕

G184쪽 6~11행 224쪽: **102쪽 d에 대하여**. 이 법칙은 … (이를 주석으로 달 것.) R

G188쪽 32~35행	228쪽: 자본가의 과제는 "지출된 자본 … **제2판, 파리, 1857년**, 62쪽)
G189쪽 12행~G195쪽 6행	228~34쪽: **114쪽에 대하여**. 또는 … 인신공양보다 더 혐오스럽겠는가?"
G195쪽 24행~G197쪽 4행	235~36쪽: **두 번째 예시. 공장 보고서.** … **L. 호너 씨의 보고**)
G197쪽 8행~G199쪽 31행	236~39쪽: 따라서 공황의 시기에도 … 악용할 위험이 있다는 것이다.
G199쪽 37행~G200쪽 19행	239~40쪽: 〔매콜리가 기존 질서에 … 동일한 결론에 이를 것이다.〕
G200쪽 40행~G201쪽 7행	240쪽: "사실은 1833년 법 이전에는 … 오후 7시까지로 정해졌다.
G201쪽 30~38행	241쪽: 공장법들은 "과거 장시간 … 있게 되었다!"(같은 책, 52쪽)
G201쪽 41행~G202쪽 3행	241쪽: "이익을 추구하는 공장주들의 … **제3판, 런던, 1835년**, 114쪽)
G202쪽 13~23행	242쪽: "어떤 공장이 400명을 … **명백한 이익**이다."(같은 책, 9쪽)
G203쪽 15~31행	243쪽: "작업 시간은 공공 시계 … 식사 1시간이다."(같은 책, 24쪽)
G203쪽 38행~G207쪽 18행	243~48쪽: 과거 몇 세기, 자본주의적 … 위해서도 결정적으로 중요하다.
G209쪽 1~29행	249~50쪽: "그러나 사고야자가 숲에서 … 실제로 사실상 환원된다.
G210쪽 38행~G211쪽 7행	252쪽: 12시간이라는 평균노동일의 … 표현을 갖는 생산물로 나타난다.
G211쪽 9행~G223쪽 2행	253~65쪽: 지금까지 고찰한 잉여가치 … 그리하여 위의 사례에서.
G225쪽 37행~G227쪽 26행	268~69쪽: 이제 138쪽, 〔 〕**앞으로 … 이것으로 설명될 수 있다.**"
G227쪽 30행~G231쪽 16행	269~73쪽: 여기에서 도출되는 결론은 … 수행할 수 없는 모든 일."
G231쪽 22행~G235쪽 35행	274~78쪽: 절대적 잉여가치를 고찰하면서 … 생산력도 그러하다.
G236쪽 13행~G237쪽 27행	278~80쪽: 그들의 연관 자체가 … 전념할 수 있다."(같은 책, 79쪽)
G237쪽 29행~G242쪽 4행	281~84쪽: 분업은 협업의 특수한, … 자본가로서 마주 서기 때문이다.
G242쪽 11행~G243쪽 8행	284~85쪽: 바늘과 연사가 두 가지 … 의미에서의 분업에 조응한다.
G244쪽 19행~G245쪽 22행	286~87쪽: 우리가 여기에서 고찰하는 … 하는 것이기 때문이다.
G246쪽 1~28행	288쪽: 블랑키의 사례에서 보는 것처럼 … 나중에 더 상술할 것이다.
G249쪽 4~12행	291쪽: **자연발생적 분업은 교환에** … 상호작용의 관계를 맺는다.
G251쪽 19~29행	293쪽: "생산에 필수적인 제1요소는 … 이루어진 **노동자들의 결합**이다."
G251쪽 32행~G254쪽 22행	293~96쪽: 『**두걸드 스튜어트** 전집』… 수중에 넣고 있는 것이다.
G254쪽 34행~G260쪽 40행	297~304쪽: "고용주는 시간과 노동을 … **근세 편**, 제11권, 28쪽)
G260쪽 1~5행	302~03쪽: **참조**. … 가내부업으로 영위되는 공업과 구별한다.
G262쪽 4~12행	305쪽: 분업을 토대로 하는 작업장은 … 개별자의 숙련이 중요하다.
G262쪽 25행~G263쪽 18행	305~06쪽: "상이한 단계의 숙련과 … 구성요소를 증대하는 것이다.
G263쪽 28~36행	306쪽: "분업은 어떤 작업을 … 없음은 분명하다.(같은 책, 83쪽)
G264쪽 28행~G265쪽 30행	307~08쪽: 빈민과 부자의 무개념적 … **방어**』, **런던, 1825년**, 25쪽)
G265쪽 40행~G266쪽 22행	308~09쪽: 분업에서 노동자의 자연적 … 앞의 책, 250, 251쪽)
G267쪽 9~12행	310쪽: "노동자 수가 증가함에 따라 … 상승한다."(같은 책, 120쪽)
G267쪽 40행~G270쪽 28행	310~13쪽: "사회 전체는 분업이 … 고정자본이 사용되고는 있었지만).
G273쪽 39행~G274쪽 22행	317쪽: 이는 여기에서 문제가 되는 … 고려하면서 분해되는 것이다.
G277쪽 33~37행	320~21쪽: (아니면 이 고찰은 모두 자본과 … 함께 이것은 끝난다.

G277쪽 40행~G278쪽 4행	321쪽: "자본가계급은 처음에는 부분적으로 … 주의를 기울이고 있다.	
G278쪽 8~11행	321쪽: "고용주는 시간과 노동을 절약하기 … 파리, 1828년, 13쪽)	
G279쪽 29행~G280쪽 16행	322~23쪽: 그가 전문가답게 분업을 … 능력을 발휘하게 한다 등등.	
G280쪽 15~16행	323쪽: 개개인의 다양한 직업이 … 능력을 발휘하게 한다 등등.	•
G286쪽 16행~G287쪽 29행	328~30쪽: 부의 가장 기본적인 형태로서 … 전화하지 않았을 것이다.	
G289쪽 40행~G291쪽 37행	332~35쪽: 요컨대 자유롭고, 겉보기에 … (**스카르벡**, 앞의 책, 97, 98쪽)	
G292쪽 4행~G294쪽 21행	336~38쪽: **존 스튜어트 밀**은 이렇게 … 제1권, 제1장, 30, 31쪽)	
G292쪽 8~9행	336쪽: "물건들은 싸지만 그것들은 … 제7판, 런던, 1850년	•
G292쪽 39행~G293쪽 21행	336~37쪽: 상품의 가치는 그것에 … 적은 시간을 노동하면 된다.	•
G294쪽 22~25행	338쪽: 매뉴팩처에서 발전된 분업은 … 본질적인 원칙들을 내팽개친다.	B
G294쪽 35행~G295쪽 4행	338~39쪽: 단순협업과 분업에 의한 … 법칙들의 활용은 차치하고.	B
G295쪽 22행~G300쪽 11행	339~44쪽: 따라서 이 장에서 우리는 … **고찰』, 런던, 1821년**, 54쪽)	
G300쪽 12행~G301쪽 6행	344쪽: 원료에 지출된 자본 … 귀속되는 양이 감소하기 때문이다.	B
G301쪽 8행~G312쪽 2행	345~56쪽: 자본이 기계류를 사용하여 … 수 있다."(같은 책, 13/14쪽)	
G311쪽 10~18행	355쪽: "그러므로 보고서에 의해 … **31일까지**의 반기 보고서』, 20쪽)	•
G312쪽 25행~G313쪽 6행	357쪽: 자본의 형태 — 자본의 수단 … 노동에 비해 단순화하는 것이다.	
G313쪽 28행~G314쪽 5행	358쪽: "인력**에 대한 적대자**로서 … **맨체스터, 1854년**, 17, 19쪽)	B
G314쪽 6~26행	358~59쪽: "철인"(자동 뮬 방적기) … (**개스켈**, 앞의 책, 34, 35쪽)	
G314쪽 29~33행	359쪽: "노동조합은 임금을 유지하려는 … **런던, 1834년**, 42쪽)	
G315쪽 20행~G316쪽 5행	360쪽: 여기에서 방적기가 방직업에 대해 … **논문, 1861년 4월 17일)**	
G316쪽 26행~G317쪽 4행	361쪽: **여덟째. 노동의 대체.** … 어떤 차이가 있는가?"(같은 책)	
G321쪽 25~28행	368쪽: "자본가들의 탐욕 등에 의해서 … 동일한 결과로 나아간다.	
G324쪽 30행~G327쪽 8행	372~73쪽: 1861년까지 10년 동안 약 … 집어삼키지 않았던가?"	
G327쪽 16~24행	373쪽: 상대적으로 — 다수의 노동대중과 … 생산을 위한 **물적** 조건.	B
G327쪽 34행~G328쪽 9행	373~75쪽: "경작이 발전함에 따라 … 든다 등등."(같은 책, 199쪽)	
G328쪽 11~20행	375쪽: "**주민의 건강**은 국가 자본의 … **공장주들에게 강제되었다**."	

문헌 찾아보기

G155

(표기된 쪽수는 MEGA의 쪽수를 가리킴—옮긴이)

I. 마르크스와 엥겔스의 저작

1. 출판된 저작

마르크스(Marx, Karl): 『경제학 비판을 위하여』(*Zur Kritik der Politischen Oekonomie*) 제1권, 베를린, 1859년. 5, 16, 21, 29, 35, 47, 241

_____: 『철학의 빈곤. 프루동의 『빈곤의 철학』에 대한 답변』(*Misère de la philosophie. Réponse à la philosophie de la misère de M. Proudhon*), 파리/브뤼셀, 1847년. 267, 268

엥겔스(Engels, Friedrich): 「경제학 비판 개요」(Umrisse zu einer Kritik der Nationaloekonomie), 출처: 《독일-프랑스 연보》(*Deutsch -Französische Jahrbücher*), 제1, 2권, 파리, 1844년. 25

_____: 『영국 노동자계급의 상태』(*Die Lage der arbeitenden Klasse in England. Nach eigner Anschauung und authentischen Quellen*), 라이프치히, 1845년. [제7노트(런던, 1859~62년)에 발췌] 193

2. 초고

마르크스(Marx, Karl): 『경제학 비판 요강』(*Grundrisse der Kritik der politischen Ökonomie*). Manuskript 1857/58년. 26, 28, 61~63, 101, 131, 134, 137, 142, 143, 146~148, 158, 168, 169, 222~225

II. 다른 저자의 저작

가르니에(Garnier, Germain): (역자 주해), 애덤 스미스, 『국부의 성질과 원인에 대한 연구』(*Recherches sur la nature et les causes de la richesse des nations*), 제5권, 파리, 1802년을 보라. 274, 275

갈리아니(Galiani, Ferdinando): 『화폐에 대하여』(*Della moneta* …). 출처: 『이탈리아 경제학 고전 전집』(*Scrittori classici italiani di economia politica*), 근세 편, 제3, 4권, 밀라노, 1803년. [제20노트(런던, 1853년), 제7노트(런던, 1859~62년)에서 발췌] 18, 19, 183, 316

개스켈(Gaskell, Peter): 『직공과 기계: 기계에 의한 인간 노동의 대체와 관련하여 공업인구의 도덕적·육체적 상태의 고찰』(*Artisans and machinery: the moral and physical condition of the manufacturing population considered with reference to mechanical substitutes for human labour*), 런던, 1836년. [제11노트와 제12노트(런던, 1851년)에서 발췌] 313~315

괴테(Goethe, Johann Wolfgang von): 「줄라이카에게」(An Suleika). 327

_____: 『파우스트. 비극 제1부』(*Faust. Der Tragödie erster Teil*). 99

뉴마치(Newmarch, William), 「취임 연설」(Address), 출처: 『영국과학발전협회 제31회 회의 보고서, 1861년 9월 맨체스터에서 개최』(*Report of the thirty-first meeting of the British Association for the Advancement of Science; held at Mannchester in September 1861*), 런던, 1862년. 193

뉴먼(Newman, Francis William): 『경제학 강의』(*Lectures on political economy*), 런던, 1851년. [제21노트(런던, 1853년)에서 발췌] 187

뉴먼(Newman, Samuel Philips): 『경제학 요강』(*Elements of political economy*), 앤도버/뉴욕, 1835년. [제16노트(런던, 1851년)와 제17노트(런던, 1851~52년)에서 발췌] 139, 265

데스튀트 드 트라시(Destutt de Tracy, Antoine-Louis-Claude): 『이데올로기의 기본 원리. 제4부와 제5부. 의지와 그 작용에 관한 고찰』(*Élémens d'idéologie. 4. et 5. part. Traité de la volonté et de ses effets*), 파리, 1826년. [1844년 파리 노트에서 발췌] 18, 237

뒤캉주(Ducange, Charles Dufresne): 『중세와 속용 라틴어 어휘』(*Glossarium mediae et infimae latinitatis conditum a Carolo Dufresne Domino Du Cange. Cum suppl. integris monachorum Ordinis S. Benedicti D. P. Carpenterii Adelungii, aliorum, suisque digessit G. A. L. Henschel*), 제2권, 파리, 1842년. 26

드 퀸시(De Quincey, Thomas): 『경제학의 논리』(*The logic of political economy*), 에든버러/런던, 1844. [제10노트(런던, 1851년)에서 발췌] 278

디오도로스 시켈로스(Diodor von Sicilien): 『역사 문고』(*Historische Bibliothek*), 율리우스 프리드리히 부름(Julius Friedrich Wurm) 옮김, (제1부) 제1책, 슈투트가르트, 1827년. 227, 259

램지(Ramsay, George): 『부의 분배에 관한 고찰』(*An essay on the distribution of wealth*), 에든버러, 1836년. [제9노트, 제10노트(런던, 1851년)에서 발췌] 23, 123, 124, 143,

179, 180, 214, 226, 321

랭(Laing, Samuel): 『국민적 빈곤. 그 원인과 대책』(*National distress; its causes and remedies*), 런던, 1844년. [제11노트(런던, 1851년)에서 발췌] 301

[랭게(Linguet, Simon-Nicolas-Henri):] 『민법 이론, 사회의 기본 원리』(*Théorie des loix civiles, ou principes fondamentaux de la société*), 제1, 2권, 런던, 1767년. [제7노트(런던, 1859~62년)에서 발췌] 230, 279

레이븐스턴(Ravenstone, Piercy): 『국채제도와 그 영향에 관한 고찰』(*Thoughts on the funding system, and its effects*), 런던, 1824년. [제9노트(런던, 1851년)에서 발췌] 226, 277

로셔(Roscher, Wilhelm): 『경제학 원리』(*Die Grundlagen der Nationalökonomie*), 개정증보 제3판, 슈투트가르트/아우크스부르크, 1858년. (로셔, 『국민경제의 체계*System der Volkwirthschaft*』, 제1권.) [제7노트(런던, 1859~62년)에서 발췌] 280

로시(Rossi, Pellegrino Luigi Edoardo): 『경제학 강의. 1836~1837년』(*Cours d'économie politique. Année 1836~1837*)(파리 판본 2권을 포함). 출처: 『경제학 강의』(*Cours d'économie politique*), 브뤼셀, 1843년. [1845년 브뤼셀 노트에서 발췌] 125, 126, 128~133, 135, 297

______: 『경제학 방법론. 노동의 성질과 정의에 대하여』(*De la méthode en économie politique. De la nature et définition du travail*). 출처: 『경제학. 논문집—사회·농업·공업·상업 문제에 대한 고찰. 1844년』(*Économie politique. Recueil de monographies; examen des questions sociales, agricoles, manufacturières et commerciales. Année 1844*), 제1권, 브뤼셀, 1844년. 128

르뇨(Regnault, Élias): 『도나우 공국의 정치·사회사』(*Histoire politique et sociale des principautés danubiennes*), 파리, 1855년. [1857년 초의 노트와 제7노트(런던, 1859~62년)에서 발췌] 192, 193

르뒤크(Leduc, Pierre Étienne Denis Saint-Germain): 『리처드 아크라이트 경. 영국 면공업의 탄생(1760~1792)』(*Sir Richard Arkwright ou naissance de l'industrie cotonnière dans la Grande-Bretagne. <1760 à 1792>*), 파리, 1841년. 207

르몽테(Lemontey, Pierre Édouard): 『분업의 도덕적 영향』(*Influence morale de la division du travail*). 출처: 르몽테, 『전집』(*Œuvres complètes*), 저자 교정판, 제1권, 파리, 1840년. 267

리카도(Ricardo, David): 『경제학과 과세의 원리』(*On the principles of political economy, and taxation*), 제3판, 런던, 1821년. [제4노트(런던, 1850년)와 제8노트(런던, 1851년)에서 발췌] 39, 40, 85, 90, 91, 134

매컬럭(MacCulloch, John Ramsay): 『경제학 문헌: 경제학의 분야별 저술의 선별적 분류 목록, 역사적, 비판적, 저작자 주석 첨부』(*The literature of political economy: a classified*

catalogue of select publications in the different departments of that science, with historical, critical, and biographical notices), 런던, 1845년. 246, 261

_____: 『경제학 원리: 학문의 부흥과 진보의 개관』(*The principles of political economy: with a sketch of the rise and progress of the science*), 에든버러/런던, 1825년. [1845년 맨체스터 노트에서 발췌] 187

_____: 『대영제국의 통계적 기술』(*A statistical account of the British Empire, …*). 출처: 랭, 『국민적 빈곤. 그 원인과 대책』, 런던, 1844년. 301

매콜리(Macaulay, Thomas Babinton): 『제임스 2세 이후의 영국사』(*The history of England from the accession of James the Second*), 제10판, 제1권, 런던, 1854년. 41, 199, 200

매클라우드(Macleod, Henry Dunning): 『은행업의 이론과 실제: 통화 · 물가 · 신용 · 외환의 기본 원리』(*The theory and practice of banking: with the elementary principles of currency; prices; credit; and exchanges*), 제1권, 런던, 1855년. [1857년에 만든 노트에서 발췌] 10

맥나브(Macnab, Henry Grey): 『로버트 오언의 새로운 견해와 스코틀랜드 뉴라나크의 시설에 대한 공정한 검토』(*Examen impartial des nouvelles vues de M. Robert Owen, et de ses établissemens à New-Lanark en Écosse, …*), 라퐁 드 라데바(Laffon de ladébat) 옮김, 파리, 1821년. 208

맨더빌(Mandeville, Bernard de): 「불평으로 아우성치는 세상: 혹은 나쁜 놈이 착한 놈으로 되다」(The grumbling hive: or, knaves turn'd honest), 런던, 1705년. 271, 283

_____: 『꿀벌의 우화: 혹은 개인의 해악, 공공의 이익』(*The fable of the bees: or, private vices, publick benefits*), 제3판, 런던, 1724년. 271, 283

_____: 『꿀벌의 우화: 혹은 개인의 해악, 공공의 이익』, 증보 제2판, 런던, 1723년. 271

_____: 『꿀벌의 우화: 혹은 개인의 해악, 공공의 이익』, 런던, 1714년. 271

_____: 『꿀벌의 우화』, 제2부, 런던, 1729년. 271

맬서스(Malthus, Thomas Robert): 『경제학의 주요 개념, 경제학자들이 경제학의 주요 개념을 정의하고 사용하는 원리에 대한 연구의 결과물; 그들의 저작들에서 이들 원리와 불일치하는 부분에 대한 주석 첨부』(*Definitions in political economy, proceded by an inquiry into the rules which ought to guide political economists in the definiton and use of their terms; with remarks on the deviation from these rules in their writings*), 신판, 카제노브의 서문, 주석, 보완적 해설 첨부, 런던, 1853년. [제7노트(런던, 1859~62년)에서 발췌] 123, 135

_____: 『경제학 원리, 실천적 적용의 관점에서』(*Principles of political economy considered with a view to their practical application*), 제2판, 맬서스의 초고 및 메모를 첨부, 런던, 1836년. [제10노트(런던, 1851년)에서 발췌] 40

밀(Mill, James): 『경제학 요강』(*Élémens d'économie politique*), J. T. 파리소(Parisot) 옮김, 파리, 1823년. [1844년 파리 노트에서 발췌] 264

_____: 『경제학 요강』(*Elements of political economy*), 런던, 1821년. [제7노트(런던, 1859~62년)에서 발췌] 10, 88, 134, 188, 265

밀(Mill, John Stuart): 『경제학에서 해결되지 않은 문제들에 대한 에세이』(*Essays on some unsettled questions of political economy*), 런던, 1844년. [1845년 맨체스터 노트에서 발췌] 133, 188, 189, 215

_____: 『경제학 원리』(*Principles of political economy with some of their applications to social philosophy*), 전 2권, 제2권, 런던, 1848년. [남아 있지 않은 이른바 "소(小) 노트"와 제1노트(런던, 1850년)에서 발췌] 292

바스티아(Bastiat, Frédéric): 『신용의 무상성. 바스티아와 프루동의 논쟁』(*Gratuité du crédit. Discussion entre M. Fr. Bastiat et M. Proudhon*), 파리, 1850년. [제16노트(런던, 1851년)에서 발췌] 136, 137, 317

[바일스(Byles, John Barnard):] 『자유무역의 궤변과 통속경제학의 검토』(*Sophisms of free-trade and popular political economy examined. By a barrister*), 개정증보 제7판, 런던, 1850년. 204, 292

배비지(Babbage, Charles): 『기계와 매뉴팩처 경제론』(*On the economy of machinery and manufactures*), 런던, 1832년. [제7노트(런던, 1859~62년)에서 발췌] 207, 208, 262

_____: 『기계와 매뉴팩처 경제론』(*Traité sur l'économie des machines et des manufactures*), 영어판 제3판으로부터 비오(Biot) 옮김, 파리, 1833년. [1845년 브뤼셀 노트에서 발췌] 207, 208, 262, 263, 283, 305, 306

베르길리우스(Vergilius Maro, P.): 『아이네이스』(*Aeneis*). 187

베리(Verri, Pietro): 『경제학 고찰. … 잔-리날도 카를리의 주석 첨부』(*Meditazioni sulla economia politica … con annotazioni di Gian-Rinaldo Carli*), 밀라노, 1804년. (『이탈리아 경제학 고전 전집』, 근세 편, 제15권) [제7노트(런던, 1859~62년)에서 발췌] 138, 139, 143, 232

베인스(Baines, Edward): 『영국의 면공업사』(*History of the cotton manufacture in Great Britain …*), 출처: 랭, 『국민적 빈곤. 그 원인과 대책』, 런던, 1844년. 301

[베일리(Bailey, Samuel):] 『가치의 성질, 척도, 원인에 관한 비판적 고찰』(*A critical dissertation on the nature, measures, and causes of value; chiefly in reference to the writings of Mr. Ricardo and his followers. By the author of essays on the formation and publication of publication of opinions*), 런던, 1825년. [제7노트(런던, 1859~62년)에서 발췌] 19, 42, 90, 91

베카리아(Beccaria, Cesare): 『사회경제 원리』(*Elementi di economia pubblica*), 출처: 『이탈리아 경제학 고전 전집』(*Scrittori classici italiani di economia politica*), 근세 편, 제11권, 밀라노, 1804년. [제7노트(런던, 1859~62년)에서 발췌] 260

[벤틀리(Bentley, Thomas):] 『노동을 줄이기 위한 기계 사용의 유용성과 정책에 관한 서한. 지난 랭커셔 소동으로 야기된 …』(*Letters on the utility and policy of employing machines to shorten labour; occasioned by the late disturbances in Lanchashire;* …), 런던, 1780년. [제7노트(런던, 1859~62년)에서 발췌] 87

뷔슈(Büsch, Johann Georg): 『화폐유통에 관한 연구, 국가 경제와 무역의 관점에서』(*Abhandlung von dem Geldumlauf in anhaltender Rücksicht auf die Staatswirtschaft und Handlung*), 개정증보 제2판, 제1부, 함부르크, 킬, 1800년. [제4노트(런던, 1850년)에서 발췌] 180

블랑키(Blanqui, Jérôme-Adolphe): 『1848년 프랑스 노동자계급에 대하여』(*Des classes ouvrières en France, pendant l'année 1848*). 출처: 『공장감독관 보고서. 1855년 10월 31일까지의 반기 보고서』, 런던, 1856년. 198

_____: 『산업경제학 강의』(*Cours d'économie industrielle. Recueilli et ann. par Ad. Blaise*), 파리, 1838~39년. [제7노트(런던, 1859~62년)에서 발췌] 245, 246, 260

비도(Bidaut, J. N.): 『대량생산 기술로 인해 수공업부문과 상업부문에서 발생하는 독점에 관하여』(*Du monopole qui s'établit dans les arts industriels et le commerce, au moyen des grands appareils de fabrication*), 제2권 『생산과 판매의 독점에 관하여』(*Du monopole de la fabrication et de la vente*), 파리, 1828년. [제7노트(런던, 1859~62년)에서 발췌] 278

사이먼스(Symons, Jelinger Cookson): 『국내외의 기술과 장인. 외국 공업 발달의 개괄』(*Arts and artisans at home and abroad: with sketches of the progress of foreign manufactures*), 에든버러, 1839년. [제11노트(런던, 1851년)에서 발췌] 189

새들러(Sadler, Michael Thomas): 『인구 법칙』(*The law of population:* …), 제1권, 런던, 1830년. [1845년 맨체스터 노트에서 발췌] 234

세(Say, Jean-Baptiste): 『실용경제학 통론』(*Cours complet d'économie politique pratique*). 출처: 콜랭, 『경제학. 혁명과 이른바 사회주의 유토피아의 원천』(*L'économie politique. Source des révolutions et des utopies prétendues socialistes*), 제3권, 파리, 1857년. 86, 87

_____: 『경제학 개론, 혹은 부의 형성, 분배, 소비 방식에 대한 간단한 설명』(*Traité d'économie politique, ou simple exposition de la manière dont se forment, se distribuent et se consomment les richesses*), 제3판, 제2권, 파리, 1817년. [1844년 파리 노트에서 발췌] 10, 20, 134, 138

_____: 『경제학 개론, 혹은 부의 형성, 분배, 소비 방식에 대한 간단한 설명』, 출처: 콜랭, 『경제학. 혁명과 이른바 사회주의 유토피아의 원천』, 제3권, 파리, 1857년. 137

_____: 『맬서스에게 보내는 편지, 경제학의 몇 가지 주제, 특히 상업의 전반적 불황 원인에 관하여』(*Lettres à M. Malthus, sur différens sujets d'économie politique, notamment sur les causes de la stagnation générale du commerce*), 파리, 1820년. 121

섹스비(Sexby, Edward): 『암살 아닌 살인』(*Killing no murder*), 1657년. 162

섹스투스 엠피리쿠스(Sextus Empiricus), 『수학자에 대하여』(*Adversus mathematicos*). 255

셰르뷜리에(Cherbuliez, Antoine): 『부냐 빈곤이냐. 현실의 사회적 부의 분배의 원인과 결과에 대하여』(*Richesse ou pauvreté. Exposition des causes et des effects de la distribution actuelle des rishesses sociales*), 제2판, 파리, 1841년. [1841~47년에 만들어진, 지금은 남아 있지 않은 노트에 발췌] 135, 140, 141

손턴(Thornton, William Thomas): 『과잉 인구와 그 해결책, 혹은 영국 노동자계급에 만연한 빈곤의 정도와 원인, 그리고 그 대책에 관한 연구』(*Over-population and its remedy; or, an inquiry into the extent and causes of the distress prevailing among the labouring classes of the British Islands, and into the means of remedying it*), 런던, 1846년. [제13노트(런던, 1851년)에서 발췌] 103

쇼우(Schouw, Joakim Frederik): 『토지, 식물과 인간』(*Die Erde, die Pflanzen und der Mensch. Naturschilderungen*), 저자와 협력하여 덴마크어로부터 H. 차이제(Zeise) 옮김, 제2판, 라이프치히, 1854년. 209

스미스(Smith, Adam): 『국부의 성질과 원인에 대한 연구』(*An inquiry into the nature and causes of the wealth of nations*)(이하 『국부론』), 『영국과 미국』의 저자[에드워드 기번 웨이크필드]의 주석 첨부, 전 6권[전 4권], 제1권, 런던, 1835년. 135, 266

_____: 『국부론』(*Recherches sur la nature et les causes de la richesse des nations*), 제르맹 가르니에의 주석과 논평이 포함된 새로운 프랑스어 번역판, 제1, 2, 4, 5권, 파리, 1802년. [1844년 두 권의 파리 노트와 제7노트(런던, 1859~62년)에서 발췌] 83, 243, 247~250, 263, 264, 267, 270, 271, 274, 275, 278~280

스카르벡(Skarbek, Frédéric): 『사회적 부의 이론』(*Théorie des richesses sociales. Suivie d'une bibliographie de l'économie politique*), 제2판, 제1권, 파리, 1839년. [1845년 파리 노트에서 발췌] 291

스크로프(Scrope, George Poulett): 『경제학 원리. 사회적 복지의 자연법칙으로부터 추론하여 영국의 현재 상태에 적용』(*Principles of political economy, deduced from the natural laws of social welfare, and applied to the present state of Britain*), 런던, 1833년. [제9노트(런던, 1851년)에서 발췌] 251

스튜어트(Steuart, James): 『경제학 원리 연구: 자유 국가의 국내 정책학에 대한 고찰』(*An inquiry into the principles of political economy being an essay on the science of domestic policy in free nations*), 전 3권, 제1권, 더블린, 1770년. [제8노트(런던, 1851년)에서 발췌] 170, 265, 272

_____: 『경제학 원리 연구』. 출처: 스튜어트, 『정치적, 형이상학적, 연대기적 저작집』(*The works, political, metaphisical, and chronological*), 그의 아들 제임스 스튜어트에 의한 새로운 선집, 부친의 편지, 초고, 저자의 일화 등을 첨부, 전 6권, 제1권, 런던, 1805년. 13

_____: 『경제학 원리 연구: 자유 국가의 국내 정책학에 대한 고찰』(*Recherche des principes de l'économie politique, ou essai sur la science de la police intérieure des nations libres. Par Jacques Steuart*), 제1권, 파리, 1789년. 316, 317

스튜어트(Stewart, Dugald): 『경제학 강의』(*Lectures on political economy*), 제1권, 에든버러, 1855년. (W. 해밀턴 엮음, 『전집』, 제8권.) [제7노트(런던, 1859~62년)에서 발췌] 191, 242, 246~252, 254~256, 270, 273, 278

시니어(Senior, Nassau William): 『공장법에 관한 서한집, 그것이 면직공업에 미치는 영향』(*Letters on the factory act, as it affects the cotton manufacture, … To which are appended, a letter to Mr. Senior from Leonard Horner, and minutes of a conversation between Mr. Edmund Ashworth, Mr. Thomson and Mr. Senior*), 런던, 1837년. [제11노트(런던, 1851년)에서 발췌] 175, 176, 305, 306

시스몽디(Sismondi, Jean-Charles-Léonard Sismonde de): 『경제학 연구』(*Études sur l'économie politique*), 제1, 2권, 브뤼셀, 1837년. [1845년 브뤼셀 노트에서 발췌] 134, 265, 276, 278

_____: 『신경제학 원리, 혹은 인구의 관점에서 본 부의 고찰』(*Nouveaux principes d'économie politique, ou de la richesse dans ses rapports avec la population*), 제2판, 제1권, 파리, 1827년. [1844~47년 사이에 만들어졌으나 남아 있지 않은 노트에서 발췌] 10, 133, 140, 141, 188, 263

시토르흐(Storch, Henri): 『경제학 강의, 혹은 국가의 번영을 결정하는 원리에 대한 설명』(*Cours d'économie politique, ou exposition des principes qui déterminent la prospérité des nations*), J. B. 세의 주석 및 비판 첨부, 제1권, 파리, 1823년. [1845년 브뤼셀 노트에서 발췌] 135, 139, 183, 184, 266

아리스토텔레스(Aristoteles): 『정치학. 전 8권』(*De republica libri VIII*)과 『경제학』(*Oeconomica*), 이마누엘 베커(Immanuelis Bekkeri) 엮음, 『저작집』 제10권, 옥스퍼드, 1837년. [1858년 런던 노트에서 발췌] 16

애슐리(Ashley, Anthony): 『10시간 공장법안』(*Ten hours' factory bill. The speech … in the House of Commons, on Friday, March 15th, 1844*), 런던, 1844년. 205, 206, 292, 303, 304, 308

오르테스(Ortes, Giammaria): 『국민적 경제학에 관하여』(*Della economia nazionale*), 베네치아, 1774년. 183

_____: 『국민적 경제학에 관하여』, 전 6권, 베네치아. 출처: 『이탈리아 경제학 고전 전집』, 근세 편, 제21권, 밀라노, 1804년. [제7노트(런던, 1859~62년)에서 발췌] 183

옵다이크(Opdyke, George): 『경제학 소고』(*A treatise on political economy*), 뉴욕, 1851년. [제21노트(런던, 1853년)에서 발췌] 25

웨이드(Wade, John): 『중간계급과 노동자계급의 역사. 과거와 현재의 산업질서의 상태에 영향을 미쳐온 경제적·정치적 원리의 통속적 해설, 부록 첨부』(*History of the middle and working classes; with a popular exposition of the economical and political principles which have influenced the past and present condition of the industrious orders. Also an app. …*),

제3판, 런던, 1835년. [1845년 맨체스터 노트에서 발췌] 86, 139, 201, 202, 204

[웨이크필드(Wakefield, Edward Gibbon):] 스미스의 『국부론』 주해(A commentary to Smith's wealth of nations). 출처: 애덤 스미스, 『국부론』, 전 6권, 제1권, 런던, 1835년. 135, 266

_____: 『식민의 방법에 관한 견해. 대영제국의 현재와 관련하여. 정치가와 식민지 주민 사이의 편지』(*A view of the art of colonization, with present reference to the British Empire; in letters between a statesman and a colonist*), 런던, 1849년. [제14노트(런던, 1851년)에서 발췌] 102, 231

_____: 『영국과 미국. 양 국민의 사회 · 정치 상태 비교』(*England and America. A comparison of the social and political state of both nations*), 전 2권, 제1권, 런던, 1833년. 162

웨일랜드(Wayland, Francis): 『경제학 요강』(*The elements of political economy*), 보스턴, 1843년. [제7노트(런던, 1859~62년)에서 발췌] 22, 102, 103, 137, 263~265, 316

유어(Ure, Andrew): 『공장 철학 또는 면 · 모 · 아마 · 비단 제조의 공업경제. 영국 공장에서 사용되는 각종 기계의 해설. 저자 검토 번역. 프랑스 면공업에 관한 미발표 장 증보』(*Philosophie des manufactures, ou économie industrielle de la fabrication du coton, de la laine, du lin et de la soie, avec la description des diverses machines employées dans les ateliers anglais*), 제1, 2권, 브뤼셀, 1836년. [1845년 브뤼셀 노트에서 발췌] 262, 273, 274, 294, 312~314

_____: 『공장 철학: 또는 영국 공장제도의 과학적, 도덕적, 상업적 경제에 관한 해설』(*The Philosophy of manufactures: or, an exposition of the scientific, moral, and commercial economy of the factory of Great Britain*), 런던, 1835년. 146

이든(Eden, Frederic Morton): 『빈민의 상태: 또는 노르만 정복기부터 지금까지 영국 노동계급의 역사』(*The state of the poor: or, and history of the labouring classes in England, from the conquest to the present period; …*), 전 3권, 제1권, 런던, 1797년. [1845년 맨체스터 노트에서 발췌] 40, 41, 86, 184

제이컵(Jacob, William): 『귀금속의 생산과 소비에 관한 역사적 연구』(*An historical inquiry into the production and consumption of the precious metals*), 전 2권, 제2권, 런던, 1831년. [제3노트, 제4노트(모두 런던, 1850년), 제5노트(런던, 1851년)에서 발췌] 224

_____: 『새뮤얼 휘트브레드에게 보내는 편지』(*A letter to Samuel Whitbread, being a sequel to considerations on the protection required by British agriculture; …*), 런던, 1815년. [제4노트(런던, 1850년)에서 발췌] 184

_____: 『영국 농업에 필요한 보호와 곡물가격이 수출 생산에 미치는 영향에 관한 고찰』(*Considerations on the protection required by British agriculture, and on the influence of the price of corn on exportable productions*), 런던, 1814년. [제4노트(런던, 1850년)에서 발췌] 180

존스(Jones, Richard): 『경제학 교본』(*Text-book of lectures on the political economy of nations, …*), 허트퍼드, 1852년. [제7노트(런던, 1859~62년)에서 발췌] 233, 277, 278, 300

_____: 『부의 분배와 과세의 원천에 대한 고찰』(*An essay on the distribution of wealth, and on the sources of taxation*), 런던, 1831년. [제9노트(런던, 1851년)에서 발췌] 170, 189, 324, 327, 328

찰머스(Chalmers, Thomas): 『경제학 개론, 사회의 도덕적 상태와 전망의 관점에서』(*On political economy in connexion with the moral state and moral prospects of society*), 제2판, 글래스고, 1832년. [제9노트(런던, 1851년)에서 발췌] 89, 90, 135

[카제노브(Cazenove, John):] 『경제학 개론: 부의 생산, 분배, 소비에 관한 법칙에 대한 짤막한 고찰』(*Outlines of political economy; being a plain and short view of the laws relating to the production, distribution, and consumption of wealth; …*), 런던, 1832년. [제7노트(런던, 1859~62년)에서 발췌] 81, 309

케네(Quesnay, François): 『경제표 분석』(*Analyse du tableau économique*). 출처: 『중농주의자. 케네, 뒤퐁 드 느무르, 메르시에 드 라 리비에르, 보도 신부, 르 트로네. 외젠 데르에 의한 중농주의 원리 소개와 역사적 해설 및 주석 첨부』(*Physiocrates. Quesnay, Dupont de Nemours, Mercier de la Rivière, L'Abbé Baudeau, Le Trosne, avec une introd. sur la doctrione des Physiocrates, des commentaires et des notices historiques, par Eugène Daire*), 제1권, 파리, 1846년. [1845~46년 브뤼셀 노트에서 발췌] 62

_____: 『농업국가의 경제정책의 일반적 원칙과 그에 관한 주석』(*Maximes générales du gouvernement économique d'un royaume agricole, et notes sur ces maximes*). 출처: 『중농주의자. …』, 제1권, 파리, 1846년. 62

_____: 『소작인론』(*Fermiers*). 출처: 『중농주의자. …』, 제1권, 파리, 1846년. [「별책 노트 C」(런던, 1863년)에서 발췌] 276

케리(Carey, Henry Charles): 『경제학 원리』(*Principles of political economy*), 제1부 「부의 생산과 분배의 법칙에 대하여」, 필라델피아, 1837년. [제10노트(런던, 1851년)에서 발췌] 135

케언스(Cairnes, John Elliot): 『노예 노동력: 그 성격, 내력, 가능한 계획』(*The slave power: its character, career & probable designs: being an attempt to explain the real issues involved in the American contest*), 런던, 1862년. 230, 236

콜랭(Colins, Jean-Guillaume-César-Alexandre-Hippolyte): 『경제학. 혁명과 이른바 사회주의의 유토피아의 원천』(*L'économie politique. Source des révolutions et des utopies prétendues socialistes*), 제1, 3권, 파리, 1856/1857년. [제7노트(런던, 1859~62년)에서 발췌] 86, 87, 137, 184, 276, 277

쿠르셀-스뇌유(Courcelle-Seneuil, Jean-Gustave): 『공업·상업·농업 기업의 이론과 실

제』(*Traité théorique et pratique des entreprises industrielles, commerciales & agricoles ou manuel des affaires*), 개정증보 제2판, 파리, 1857년. [제7노트(런던, 1859~62년)에서 발췌] 188, 306

크로퍼드(Crawfurd, John): 「면화 공급에 대하여」(On the cotton supply). 출처: 《기술협회지》(*The Journal of the Society of Arts, and of the Institutions in Union*), 런던, 1861년 4월 19일. [제7노트(런던, 1859~62년)에서 발췌] 315, 316

크세노폰(Xenophon): 『키로파에디아』(*Cyropaedia*), E. 포포(Poppo) 옮김, 라이프치히, 1821년. [제7노트(런던, 1859~62년)에서 발췌] 255, 256

[타운센드(Townsend, Joseph):] 『구빈법론. 인류 복지의 지지자 지음』(*A dissertation on the poor laws. By a well-wisher to mankind*), 1786년. 재판, 런던, 1817년. [제13노트(런던, 1851년)에서 발췌] 183

[터프넬(Tufnell, Edward Carleton):] 『노동조합의 성격, 목적, 영향. 그것에 관한 법률의 고찰』(*Character, object and effects of Trades' Unions; with some remarks on the law concerning them*), 런던, 1834년. [제11노트(런던, 1851년)에서 발췌] 312, 313

토런스(Torrence, Robert): 『부의 생산에 관한 고찰. 경제학 원리를 이 나라의 현실적 조건에 적용하는 문제에 대한 고찰 첨부』(*An essay on the production of wealth; with an appendix, in which the principles of political economy are applied to the actual circumstances of this country*), 런던, 1821년. [제9노트(런던, 1851년)에서 발췌] 22, 134

_____: 『임금과 단결에 관하여』(*On wages and combination*), 런던, 1834년. [제11노트(런던, 1851년)에서 발췌] 306

[톰프슨(Thompson),] Benjamin Count of Rumford: 『정치 · 경제 · 철학 논집』(*Essays, political, economical, and philosophical*), 제1~3권, 런던, 1796~1802년. [제7노트(런던, 1859~62년)에서 발췌] 40

투크(Tooke, Thomas); 뉴마치(Newmarch, William): 『물가와 통화 상태의 역사. 1848년부터 1856년까지 9년간』(*A history of prices, and of the state of the circulation, during the nine years 1848~1856*), 전 2권(『물가의 역사. 1792년부터 지금까지』의 제5, 6권), 런던, 1857년. [1857년 여름 런던 노트에서 발췌] 193

투키디데스(Thucydides): 『펠로폰네소스 전쟁사』(*De bello Peloponnesiaco libri octo*), 전 8권, 라이프치히, 1831년. [제7노트(런던, 1859~62년)에서 발췌] 255

튀르고(Turgo, Anne-Robert-Jacques): 『부의 형성과 분배에 대한 고찰』(*Réflexions sur la formation et la distribution des richesses*). 출처: 튀르고, 『저작집』, 외젠 데르에 의한 신판, 제1권, 파리, 1844년. [제7노트(런던, 1859~62년)에서 발췌] 24, 41, 87

퍼거슨(Ferguson, Adam): 『시민사회의 역사』(*Essai sur l'histoire de la société civile. Ouvrage*), 베르지에 옮김, 제2권, 파리, 1783년. 249~251, 279

_____: 『시민사회의 역사』(*An essay on the history of civil society*), 에든버러, 1767년. 251

페티(Petty, William): 『인류의 증가에 관한 고찰』(*An essay concerning the multiplication of mankind: …*). 출처: 페티, 『정치 산술 에세이집』(*Several essays in political arithmetick: …*), 런던, 1699년. [마르크스가 "**맨체스터**, 1845년 7월"이라고 쓴 노트에서 발췌] 261

포르카드(Forcade, Eugène): 『사회주의의 투쟁. II. 혁명적·사회적 경제학』(*La guerre du socialisme. II. L'économie politique révolutionnaire et sociale*). 출처: 《레뷔 데 되 몽드》, 제18년차, 새로운 시리즈, 제24권, 파리, 1848년. [제16노트(런던, 1851년)에서 발췌] 317, 318

포터(Potter, Alonzo): 『경제학. 그 대상, 용도, 원리. 미국 국민의 상태와 관련한 고찰』(*Political economy: its objects, uses, and principles: considered with reference to the condition of the American people*), 뉴욕, 1841년. [제7노트(런던, 1859~62년)에서 발췌] 251

포페(Poppe, Johann Heinrich Moritz): 『과학부흥 이후 18세기 말까지 기술의 역사』(*Geschichte der Technologie seit der Wiederherstellung der Wissenschaften bis an das Ende des achtzehnten Jahrhunderts*), 제1권, 괴팅겐, 1807년. [제15노트(런던, 1851년)에서 발췌] 295

프랭클린(Franklin, Benjamin): 『지폐의 성질과 필요에 관한 연구』(*A modest inquiry into the nature and necessity of a paper currency*). 출처: 『프랭클린 저작집』(*Franklin: The Works … With notes and a life of the author*), 재러드 스파크스(Jared Sparks) 엮음, 제2권, 보스턴, 1836년. 24

프루동(Proudhon, Pierre-Joseph): 『소유란 무엇인가? 혹은 권리와 지배의 원리에 관한 연구』(*Qu'est-ce que la propriété? Ou recherches sur le principes du droit et du gouvernement*), 파리, 1841년. 317

_____: 『신용의 무상성. 바스티아와 프루동의 논쟁』(*Gratuité du crédit. Discussion entre M. Fr. Bastiat et M. Proudhon*), 파리, 1850년. [제16노트(런던, 1851년)에서 발췌] 136, 137, 317

플라톤(Plato): 『국가』(*De republica*). 출처: 플라톤 『저작집』(*Opera quae feruntur omnia*), 게오르크 바이터, 카스파어 오렐리, 아우구스트 빌헬름 빙켈만 교정, 제13권, 취리히, 1840년. 256~258

[(僞)플라톤:] 『알키비아데스 2』(*Alcibiades secundus*). 254

필든(Fielden, John): 『공장제도의 저주 또는 공장 학대의 기원에 관한 간략한 설명』(*The curse of the factory system; or a short account of the origin of factory cruelties; …*), 런던, 1836년. [제11노트(런던, 1851년)에서 발췌] 206, 207, 303, 304, 307, 308

하인드(Hind, John): 『대수학 요강』(*The elements of algebra. Designed for the use of students in the university*), 제4판, 케임브리지, 1839년. 318

해리스(Harris, James): 『행복에 관한 대화』(*Dialogue concerning happiness*). 출처: 해리스,

『세 개의 논문』(*Three treatises* …), 개정 제3판, 런던, 1772년. [제7노트(런던, 1859~62년)에서 발췌] 256

허턴(Hutton, Charles): 『수학 과정』(*A course of mathematics*), 전 2권, 제12판, 런던, 1841~43년. **부속자료** 25

헤겔(Hegel, Georg Wilhelm Friedrich): 『대논리학』(*Wissenschaft der Logik*), 레오폴트 폰 헤닝(Leopold von Henning) 엮음, 제1부 「객관적 논리학」, 제2편 「본질론」, 베를린, 1834년, (『전집*Werke*』, 고인의 친구 모임에 의한 완전판, 헤닝 외 엮음, 제4권.) 210

호너(Horner, Leonard): 『시니어에게 보내는 편지. 1837년 5월 23일』(*Letter to Senior. May 23, 1837*). 출처: 시니어, 『공장법에 관한 서한집, 그것이 면직공업에 미치는 영향』(*Letters on the factory act* …), 런던, 1837년. 176

호라티우스(Horatius): 『시학』(*Ars poetica*). 41

_____: 『풍자시』(*Satirae*). 246

호메로스(Homerus): 『오디세이아』(*Odyssea*). 254

호지스킨(Hodgskin, Thomas): 『대중 경제학. 런던 공학협회에서 행한 4번의 강의』(*Popular political economy. Four lectures delivered at the London Mechanics' Institution*), 런던, 1827년. [제9노트(런던, 1851년)에서 발췌] 179, 264, 267, 279, 320, 321

[호지스킨(Hodgskin, Thomas):] 『자본의 요구에 대한 노동의 방어 혹은 자본의 비생산적 성격에 대한 입증』(*Labour defended against the claims of capital; or, the unproductiveness of capital proved. With reference to the present combinations amongst journeymen. By a labourer*), 런던, 1825년. [제11노트(런던, 1851년)에서 발췌] 265

『경제학에서 몇몇 용어상의 논쟁에 대한 고찰』(*Observations on certain verbal disputes in political economy, particularly relating to value, and to demand and supply*), 런던, 1821년. [제7노트(런던, 1859~62년)에서 발췌] 139, 228, 300

『공장감독관 보고서. 1843년 6월 30일까지의 이사분기 보고서』(*Reports of the Inspectors of Factories to Her Majesty's Principal Secretary of State for the Home Department for the quarter ending 30th June, 1843*). 출처: 애슐리, 『10시간 공장법안』, 런던, 1844년. 206

『공장감독관 보고서. 1843년 9월 30일까지의 보고서』(*Reports* … *for the period ending 30th September, 1843*). 출처: 애슐리, 『10시간 공장법안』, 런던, 1844년. 206

『공장감독관 보고서. 1843년 9월 30일까지의 삼사분기 보고서』(*Reports* … *for the quarter ending 30th of September, 1843*). 출처: 애슐리, 『10시간 공장법안』, 런던, 1844년. 206

『공장감독관 보고서. 1855년 10월 31일까지의 반기 보고서』(*Reports* … *for the half year ending 31th October, 1855*), 런던, 1856년. [제7노트(런던, 1859~62년)에서 발췌] 198, 199, 310, 316

『공장감독관 보고서. 1856년 4월 30일까지의 반기 보고서』(*Reports* … *for the half year*

ending 30th April, 1856), 런던, 1856년. 200
『공장감독관 보고서. 1856년 10월 31일까지의 반기 보고서』(*Reports … for the half year ending 31th October, 1856*), 런던, 1857년. [제7노트(런던, 1859~62년)에서 발췌] 41, 196~198, 311, 312
『공장감독관 보고서. 1857년 10월 31일까지의 반기 보고서』(*Reports … for the half year ending 31th October, 1857*), 런던, 1857년. [제7노트(런던, 1859~62년)에서 발췌] 196
『공장감독관 보고서. 1858년 4월 30일까지의 반기 보고서』(*Reports … for the half year ending 30th April, 1858*), 런던, 1858년. [제7노트(런던, 1859~62년)에서 발췌] 197
『공장감독관 보고서. 1858년 10월 31일까지의 반기 보고서』(*Reports … for the half year ending 31th October, 1858*), 런던, 1858년. [제7노트(런던, 1859~62년)에서 발췌] 201, 309, 310
『공장감독관 보고서. 1859년 4월 30일까지의 반기 보고서』(*Reports … for the half year ending 30th April, 1859*), 런던, 1859년. 200
『공장감독관 보고서. 1859년 10월 31일까지의 반기 보고서』(*Reports … for the half year ending 31th October, 1859*), 런던, 1860년. 200, 201
『공장감독관 보고서. 1860년 4월 30일까지의 반기 보고서』(*Reports … for the half year ending 30th April, 1860*), 런던, 1860년. 200, 201, 309, 310
『공장감독관 보고서. 1860년 10월 31일까지의 반기 보고서』(*Reports … for the half year ending 31th October, 1860*), 런던, 1860년. 202, 203
『공장감독관 보고서. 1861년 10월 31일까지의 반기 보고서』(*Reports … for the half year ending 31th October, 1861*), 런던, 1862년. 205, 290
『공장규제법. 1859년 8월 9일, 하원의 명령으로 인쇄』(*Factories regulation acts. Ordered, by the House of Commons, to be printed, 9 August 1859*). [제7노트(런던, 1859~62년)에서 발췌] 195, 196
『구약성경』(*Die Bibel*), 「모세 1서」(Mose 1), 「창세기」(Testament). 142, 183
『국난의 원인과 대책. 경제학의 원리로부터. 존 러셀 경에게 보내는 편지』(*The source and remedy of the national difficulties, deduced from principles of political economy, in a letter to Lord John Russell*), 런던, 1821년. [제7노트(런던, 1859~62년)에서 발췌] 169, 180
『동인도 무역이 영국에 가져다주는 이익』(*The advantage of the East-india trade to England …*), 런던, 1720년. 출처: 매컬럭, 『경제학 문헌 분류 목록』, 런던, 1845년. 246, 261, 270
『방적업자와 제조업자의 방위기금. 이 기금의 수령과 배정을 위임받은 위원회가 방적업자·제조업자 중앙협회에 보내는 보고서』(*The Master Spinners & Manufacturers' Defence Fund. Report of the Committee appointed for the receipt and apportionment of this fund, to the Central Association of Master Spinners and Manufacturers*), 맨체스터, 1854년. 313, 314

『봄베이 상업회의소 보고서. 1859～60년』(*Bombay Chamber of Commerce. Report for 1859~1860*). [제7노트(런던, 1859～62년)에서 발췌] 315, 316
『제빵 직인들의 고충에 관한 보고서, 증거 첨부. 여왕 폐하의 명령에 따라 상하원 제출』(*Report addressed to Her Majesty's Principal Secretary of State for the Home Department, relative to the grievances complained of by the journeymen bakers; with appendix of evidence. Presented to both Houses of Parliament by command of Her Majesty*), 런던, 1862년. 159
『제빵 직인들의 고충에 관한 제2차 보고서. 여왕 폐하의 명령에 따라 상하원 제출』(*Second report addressed to Her Majesty's Principal Secretary of State for the Home Department, relative to the grievances complained of by the journeymen bakers. Presented to both Houses of Parliament by command of Her Majesty*), 런던, 1863년. 159
『직인들의 단결에 대하여』(*On combinations of trades*), 신판, 런던, 1834년. [1845년 맨체스터 노트에서 발췌] 314
『최근 맬서스가 주장하는 수요의 성질과 소비의 필요에 대한 원리 연구』(*An inquiry into those principles, respecting the nature of demand and the necessity of consumption, lately advocated by Mr. Malthus, from which it is concluded, that taxation and the maintenance of unproductive consumers can be conducive to the progress of wealth*), 런던, 1821년. [제12노트(런던, 1851년), 제7노트(런던, 1859～62년)에서 발췌] 12, 121, 122, 139, 180, 188
『출생, 사망, 결혼에 관한 제22차 연차 보고서. 여왕 폐하의 명령에 따라 상하원 제출』(*Twenty-second annual report of the Registrar-General of the births, deaths and marriages in England. Presented to both Houses of Parliament by command of Her Majesty*), 런던, 1861년. 328
『탄광 사고. 1861년 5월 3일 하원 질의에 대한 답변 요약. 하원의 명령으로 1862년 2월 6일 인쇄』(*Coal mine accidents. Abstract of return to an address of the Honourable the House of Commons, datet 3 May 1861 … Ordered by the House of Commons, to be printed, 6 February 1862*) 324, 325
『호적 총국, 1857년 10월 28일』(*General Register Office, Somerset House, 28th October 1857*). 출처: 『결혼, 출생, 사망 등록에 관한 사분기 보고서. 호적본서장관의 직권으로 간행』(*Quarterly return of the marriages, births, and deaths … publ. by authority of the Registrar-General*), 제35호, 1857년. [제7노트(런던, 1859～62년)에서 발췌] 195

III. 정기간행물

《기술협회지》(*The Journal of the Society of Arts, and of the Institutions in Union*)(런던). 315, 316
《데일리 텔레그래프》(*The Daily Telegraph*)(런던): 일간지. 1855년부터 간행. 194

_____: "On his last circuit …", 1860년 1월 17일 자. [제7노트(런던, 1859~62년)에서 발췌] 194, 195

《독일-프랑스 연보》(*Deutsch-Französische Jahrbücher*)(파리): 카를 마르크스와 아르놀트 루게의 편집으로 독일어로 간행. 1844년 2월 첫 합본호 발간 후 종료됨. 25

《레뷔 데 되 몽드》(*Revue des Deux Mondes*)(파리): 1831년 프랑수아 뷜로즈(François Buloz)가 창간한 반월간지. 317, 318

《맨체스터 가디언》(*The Manchester Guardian*): 일간지. 1821년부터 간행. 144

_____: "As the manufacturers …"[Korrespondenz aus: Manchester](1861년 9월 17일 화요일), 1861년 9월 18일 자. 144

《모닝 스타》(*The Morning Star*)(런던): 일간지. 자유무역주의 기관지. 1856~69년 간행. 159

_____: "Our white salves who are toiled …", 1863년 6월 23일 자. 195

《벵갈 후르카루》(*The Bengal Hurkaru*)(캘커타): 1795~1866년 간행. 315

_____: "We are afraid …", 1861년 7월 22일 자. [제7노트(런던, 1859~62년)에서 발췌] 315

《스탠더드》(*The Standard*)(런던): 일간지. 1857~1905년 간행. 226

《타임스》(*The Times*)(런던): 일간지. 1785년부터 간행. 159, 328

_____: "Ten days ago a poor girl …", 1863년 6월 24일 자. 159

_____: "Worked to death", 1861년 7월 22일 자. 315

_____: "Every government has its traditions …", 24082호, 1861년 11월 5일. [제7노트(런던, 1859~62년)에서 발췌] 328

인명 찾아보기

G165

(각 인명해설 뒤의 숫자는 MEGA의 쪽수를 가리킴 — 옮긴이)

| ㄱ |

| ㄴ |

| ㄷ |

데일Dale, David(1793~1803): 스코틀랜드의 공장주. 박애주의자 208
드 퀸시De Quincey, Thomas(1785~1859): 영국의 작가이자 경제학자. 리카도 해설가. 278
디오도로스 시켈로스Diodor(기원전 약 80~29): 그리스의 역사가. 227, 259

| ㄹ |

라이프니츠Leibnitz, Gottfried Wilhelm Freiherr von(1646~1716): 독일의 관념론적 합리주의 철학자. 다방면의 학자. 계몽주의자. 210
라퐁Laffon de Ladébat, André-Daniel(1746~1829): 프랑스의 정치가이자 경제학자. 박애주의 시설을 설립했다. 208
램지Ramsey, Sir George(1800~1871): 영국의 경제학자, 부르주아 고전경제학의 마지막 대변자. 23, 103, 123~125, 134, 149, 143, 179, 180, 214, 226, 321
랭Laing, Samuel(1810~1897): 영국의 정치가이자 언론인, 의원. 영국의 철도회사에서 다양한 고위 관리직을 맡았다. 301
랭게Linguet, Simon-Nicolas-Henri(1736~1794): 프랑스의 변호사, 언론인. 역사학자이자 경제학자. 중농주의 반대자. 230, 279
럼퍼드Rumford, Benjamin Thompson, Count(1753~1814) 영국의 장교. 장기간 바이에른 정부에서 근무했다. 영국에서 노역소를 설치했다. 40
레드그레이브Redgrave, Alexander: 1878년까지 영국의 공장감독관. 196, 198, 199
레이븐스턴Ravenstone, Piercy(1830년 사망): 영국의 경제학자. 리카도 추종자. 프롤레타리아의 이익을 옹호했다. 맬서스 반대자. 226, 277
로셔Roscher, Wilhelm Georg Friedrich(1817~1894): 경제학자. 독일 경제학의 전기 역사학파 창시자. 280
로시Rossi, Pellegrino Luigi Edoardo, comte(1787~1848): 이탈리아의 경제학자, 법률가이자 정치가. 프랑스에서 오래 거주했다. 103, 119, 125, 126, 128~135, 297
르뇨Regnault, Élias-Georges-Soulange-Oliva(1801~1868): 프랑스의 역사학자이자 언론인, 국가공무원. 192, 193
르뒤크Leduc, Pierre Étienne Denis, Saint-Germain-Leduc라 불림(1799년생): 프랑스의 작가이자 언론인. 207
르몽테Lemontey, Pierre Édouard(1762~1826): 프랑스의 역사학자, 경제학자이자 정치가. 1791년부터 1792년까지 입법회의 대의원. 267
리Leigh. 195
리카도Ricardo, David(1772~1823): 영국의 경제학자. 그의 저작은 부르주아 고전경제학의 정점을 이루었다. 39, 40, 42, 85, 90, 91, 134, 227, 228, 300

| ㅅ |

샤프츠버리 백작Shaftesbury, Anthony Ashley Cooper, Earl of(1801~1885): 영국의 정치가. 토리당원. 1847년부터 휘그당원. 1840년대 10시간 노동법을 위한 귀족주의적 박애주의 운동의 지도자. 205, 206, 207, 303, 304, 308, 328

세Say, Jean-Baptiste(1767~1832): 프랑스의 경제학자. 애덤 스미스의 저작을 체계화하고 속류화했다. 생산요소 이론의 창시자. 10, 20, 61, 86~88, 119, 121~123, 134, 135, 137~139, 143, 184, 266

섹스비Sexby, Edward(1658년 사망): 영국의 군인. 평등주의자. 162

섹스투스 엠피리쿠스Sextus Empiricus(2세기 후반): 그리스의 의사이자 철학자. 회의주의자. 255

셰르뷜리에Cherbuliez, Antoine(1797~1869): 스위스의 경제학자. 시스몽디 추종자. 시스몽디의 이론을 리카도 이론의 요소들과 결합했다. 135, 140, 141

손더스Saunders, Robert John: 1840년대 영국의 공장감독관. 206

손턴Thornton, William Thomas(1813~1880): 영국의 작가이자 경제학자. 존 스튜어트 밀의 추종자. 103

쇼우Schouw, Joakim Frederik(1789~1852): 덴마크의 식물학자. 209

스미스Smith, Adam(1723~1790): 영국의 경제학자. 부르주아 고전경제학의 중요한 대표자. 61, 83, 135, 242~244, 246~252, 256, 261, 263, 264, 266, 267, 270, 271, 273~275, 278~280

스카르벡Skarbek, Frédéric, Graf von(1792~1866): 폴란드의 경제학자. 애덤 스미스 추종자. 291

스크로프Scrope, Georg Julius Poulett(1797~1876): 영국의 경제학자이자 지질학자. 의원. 251

스튜어트Steuart(Stewart), Sir James(1712~1780): 영국의 경제학자. 중상주의의 마지막 대표자 가운데 한 사람으로 이론가로서 중상주의를 체계화했다. 화폐수량설에 반대했다. 13, 170, 265, 269, 272, 316, 317

스튜어트Steuart, James(1744~1839): 영국의 장군. 아버지 제임스 스튜어트 경 저작의 편찬자. 13

스튜어트Stewart, Dugald(1753~1828): 스코틀랜드의 관념론 철학자이자 경제학자. 191, 242, 246~252, 254~258, 265, 270, 273, 278

스파크스Sparks, Jared(1789~1866): 미국의 역사학자이자 교육자. 벤저민 프랭클린 저작의 편찬자. 24

시니어Senior, Nassau William(1790~1864): 영국의 경제학자. 노동일 단축을 반대했다. 157, 175~177, 179, 305, 306

시스몽디Sismondi, Jean-Charles-Léonard Sismonde de(1773~1842): 스위스의 경제학자이자 역사학자. 10, 88, 133~135, 140, 141, 188, 263, 265, 276, 278

시토르흐Storch, Henri Friedrich von (Andrei Karlowitsch)(Шторх, Андрей Карлович)

| ㅇ |

| ㅈ |

| ㅊ |

| ㅋ |

| ㅌ |

| ㅍ |

| ㅎ |

호라티우스Horatius(Horaz) Flaccus, Quintus(기원전 65~68): 로마 시인. 41, 246
호메로스Homerus(Homer)(기원적 8세기?): 그리스의 전설적인 시인. 서사시 『일리아드』와 『오디세이아』의 지은이로 여겨진다. 254
호지스킨Hodgskin, Thomas(1787~1869): 영국의 경제학자이자 언론인. 공상적 사회주의자. 리카도 이론을 이용하여 프롤레타리아의 이해를 변호했다. 179, 264~267, 279, 320, 321
휘트니Whitney, Eli(1765~1825): 미국의 발명가. 315

MEGA II/3.1의 부속자료는 MEGA II/3.6을 출판할 때 다른 책들의 부속자료와 함께 합쳐져 제2부 제3권의 부속자료 총서로 발간되었다.